Verbum ✞ TEATRO

MEDEA EN EL ESPEJO
LA NOCHE DE LOS ASESINOS
PALABRAS COMUNES

© José Triana, 1991
© Editorial Verbum, S.L., 1991
Eguilaz 6, 2.º Dcha. 28010 Madrid
Apartado Postal 10084, 28080 Madrid
Teléfono: 446 88 41
Telefax: 594 45 59
I.S.B.N.: 84-7962-002-1
Depósito Legal: M-19021-1991
Diseño de cubierta: Pérez Fabo
Ilustración de cubierta: ''Ventana'' de Gladys Triana
Fotocomposición Fermar, S.A.
Printed in Spain/Impreso en España por
Talleres Gráficos Peñalara (Fuenlabrada)

JOSÉ TRIANA

Medea en el espejo
La noche de los asesinos
Palabras comunes

TEATRO

EDITORIAL Verbum

ÍNDICE

INTRODUCCIÓN

José Triana (1931) pertenece a la generación de dramaturgos cubanos que se dio a conocer en los comienzos de los años sesenta, en medio del entusiasmo cultural que propició la Revolución Cubana en sus inicios. Su teatro responde, por una parte, a dos de las claves fundamentales de la escena europea que inspiraban a los autores hispanoamericanos del momento, o sea, la estética absurdista y el teatro ceremonial, heredero de las teorías del teatro de la crueldad. Pero, por otra parte, la dramaturgia de Triana se nutre de la realidad popular cubana y de su expresión escénica llamada "teatro bufo o vernáculo", el cual sólo por aquellos años comienza a ser motivo de interés entre los escritores de la isla, si se exceptúa a Carlos Felipe y a Virgilio Piñera, dramaturgos pertenecientes a la generación anterior.

Dentro de la realidad insular, Triana le concede suma importancia a las religiones afrocubanas, ricas en mitos y en rituales que a menudo se mezclan con los de las creencias espiritistas. Estos elementos, que a menudo han sido soslayados por los críticos que han estudiado al autor, son fundamentales en la creación de su teatro y, por su irracionalismo y su teatralidad, coinciden con muchas de las aspiraciones del teatro de la crueldad y del ceremonial. Hay que destacar, además, que al centrar sus asuntos en las capas populares de la isla, Triana utiliza con eficacia escénica y rigor artístico las formas del dialecto cubano.

Las tres obras que integran la presente edición ejemplifican los rasgos señalados en el teatro de Triana. Medea en el espejo *(1960) toma un asunto mítico que, aunque procedente de la cultura helénica, se elabora dentro de las coordenadas de las creencias afrocubanas. El título de la pieza ya lo anuncia, pues alude a la leyenda griega, aunque la protagonista se llame María, y al espejo, el cual,*

9

según el antropólogo Fernando Ortiz, en algunas religiones afrocubanas es un objeto empleado *"para averiguar el paradero de una persona ausente"*[1]. Y María consulta su espejo para indagar, primero, dónde se encuentra su amante, Julián y, más tarde, para encontrarse a sí misma y actuar en consecuencia. La acción de la pieza se sitúa, pues, en el plano religioso afrocubano, que resulta el eje fundamental del texto, ya que sin su presencia sería imposible situar la trama en el tono mágico que posee, al margen del realismo escénico, y justifica muchos procedimientos que se insertan en la trama, como las manifestaciones rituales en las que se combinan la música, el canto, la poesía y la danza, factores todos que le otorgan teatralidad a la obra. Casi siempre estos cuatro elementos se dan vinculados con el coro de reminiscencias clásicas que participa en la acción. En el orden poético, Triana retoma las técnicas de la poesía afrocubana de los años treinta y cuarenta.

Medea en el espejo *tiene lugar en el patio de un solar habanero, o sea, en una casa de vecindad, y la historia ocurre entre personajes que responden a las principales gamas raciales existentes en la isla: los blancos, los mulatos y los negros, con referencia a otros sector importante, los asiáticos, aludidos bajo la denominación general de chinos. Todos ellos corresponden a los planos más bajos de la pirámide social, pertenecen a una especie de submundo que, sin embargo, refleja la vida nacional anterior al proceso revolucionario. De estos grupos, los blancos constituyen la casta dominante y funcionan como el motivo desencadenante de la acción. Los mulatos y los negros son sus víctimas, pero la reacción de éstos no toma los rumbos de la lucha social, sino los de la venganza acorde con sus creencias religiosas.*

Medea en el espejo, *a pesar de su fuente clásica, se relaciona también con la tradición del teatro bufo y, especialmente, con su variante la zarzuela cubana, que floreció en los años treinta, pues la pieza de Triana retoma el asunto de la mulata traicionada por su amante blanco, conflicto muy frecuente en el mencionado teatro lírico.*

La noche de los asesinos *fue la obra que internacionalizó el prestigio de Triana como dramaturgo al recibir el premio Casa de las Américas en 1965. En seguida se tradujo a varios idiomas y se representó en las principales capitales de Europa y América, lo cual propició que llegara a ser una de las piezas más conocidas y estudiadas del teatro hispanoamericano de los años sesenta. La obra*

---

[1] Fernando Ortiz, *Los negros brujos (Apuntes para el estudio de etnología criminal).* (Miami: New House Publishers, 1973) 113.

responde en muchos aspectos al teatro de la crueldad y al ceremonial y sobresale en el uso del metateatro. La pieza se desarrolla en un espacio cerrado y se estructura a base de complicados juegos que aplazan la ejecución de un crimen. Tres hermanos de edades indefinidas se dedican en el desván o sótano de la casa al juego de ensayar el asesinato de los padres, quienes los tienen sometidos a una ridícula tiranía de disposiciones domésticas y apariencias sociales. En la representación de los probables acontecimientos, cada hermano desempeña diferentes personajes y en un momento dado ejerce el papel dirigente, todo lo cual pone de relieve que la rigidez paterna contra la que quieren rebelarse se sustituye de inmediato en cada ocasión por un nuevo poder tan absurdo e intransigente en sus detalles como el que se proponen derrocar. La estructura circular de la pieza crea una mágica atmósfera de pesadilla cercana a la de Las criadas *de Jean Genet, pero mucho más desesperada que ésta, pues los hermanos, a diferencia de las criadas francesas, son incapaces de actuar y sólo se complacen en ensayar el crimen indefinidamente.*

En su momento la pieza se interpretó como una sombría reflexión sobre la familia cubana pequeño-burguesa, aunque en el discurso dramático los referentes nacionales, en contraste con Medea en el espejo, *se hallan sólo en la lengua coloquial de los tres hermanos. Pero* La noche de los asesinos *admite otra lectura más cuidadosa y distanciada en la que el texto aparece como una metáfora del fenómeno que se estaba viviendo en la isla en los tiempos de la composición y el estreno de la pieza, pero no como apariencia o juego, sino como fehaciente realidad, aunque por entonces muchos intelectuales cubanos y extranjeros no lo quisieran admitir.*

Palabras comunes *es la producción más reciente de Triana. Fue estrenada en 1986 por la Royal Shakespeare Company de Londres, hecho insólito para un dramaturgo hispanoamericano. La pieza es la transposición escénica de la novela* Las honradas *(1917) de Miguel de Carrión y responde a un doble propósito de Triana: revalorizar la tradición literaria nacional e indagar en el pasado de su país.*

Palabras comunes *describe, como el texto narrativo en que se inspira, la precaria situación de la mujer cubana en los inicios republicanos, sujeta a las normas inflexibles de aquella sociedad patriarcal; pero también ofrece un amplio fresco de la corrupción política y social de la época, que en cierto modo sirve para explicar algunos sucesos de la historia futura de la isla.*

El tono autobiográfico, clave de la narración en primera persona del discurso narrativo de Carrión, se obtiene al introducirse en el texto un largo "flash-back": los recuerdos de Victoria, la protagonista. Al concluirse éstos la acción vuelve al punto de partida con la repetición íntegra de la escena inicial en una estructura circular que refuerza las ideas centrales de la pieza, pero que también deja entrever, de modo muy sutil, una brecha de esperanza.

El texto se distribuye en cinco partes compuestas de escenas de diversa extensión, lo cual facilita que la acción fluya con un ritmo afín al de la novela y el cine. Triana introduce episodios y desarrolla en profundidad varios personajes sólo abocetados en la novela para enriquecer la pintura del ambiente de esos burgueses prósperos de las primeras décadas del siglo, quienes, ante el fracaso de la recién instaurada república se entregaron a las drogas y a las triquiñuelas políticas como únicos asideros para vivir, escudados siempre tras una imponente apariencia de respetabilidad.

En contraste con el naturalismo que conforma el texto de Carrión, Triana abunda en momentos de verdadera poesía que suavizan las asperezas de la trampa y contribuyen a subrayar el tono evocador del "flash-back" de la protagonista. El autor no puede dejar de caer en la trampa provocada por la lejanía impuesta por su exilio en París y conjura al pasado cubano con la ayuda de la poesía. Gracias a ella Palabras comunes *supera en emoción y en belleza a* Las honradas *de Carrión.*

JOSÉ A. ESCARPANTER
Auburn University

Medea en el espejo

Tres actos

Para Francisco Morín

PERSONAJES

MARÍA: mulata.
ERUNDINA: negra, vieja sirvienta.
LA SEÑORITA AMPARO: mestiza, muy flaca.
JULIÁN: rubio, muy hermoso.
PERICO PIEDRA FINA: blanco, gordo, cincuenta años.
MADAME PITONISA.
DOCTOR MANDINGA.
CORO:
    Muchacho vendedor de periódicos, billetes y revistas.
    Barbero: blanco, melenudo.
    Mujer de Antonio: mulata, muy gorda.
    Bongosero.

TIEMPO: Hace algunos años... *Cuba pre-revolucionara*
LUGAR: En el patio de un solar.

LA ACCIÓN TRANSCURRE EN EL:

PRIMER ACTO: El mediodía y las primeras sombras del atardecer.
SEGUNDO ACTO: La noche y la madrugada.
TERCER ACTO: El alba y la mañana.

MEDEA EN EL ESPEJO fue estrenada el 17 de diciembre de 1960, en la Sala Teatro Prometeo, bajo la dirección de Francisco Morín, con escenografía y vestuario de Andrés García, e interpretada por Asenneh Rodríguez, René Sánchez, Isaura Mendoza, Clara Luz Noriega, Arturo Robles, Wember Bros, René Franquiz, Alberto Vila y Cristina Gay.

PRIMER ACTO

ESCENA PRIMERA

(MARÍA, sola.)
(Al levantarse el telón aparece, en el medio de la escena, MARÍA. Se oye un rumor de cantos de niños: "Estaba la pájara pinta sentada...")

MARÍA.— No, no puede ser cierto. Debo controlarme. Pero..., ¿cómo es posible que esto me venga a ocurrir ahora, precisamente ahora, que quería sentarme un poco a respirar? Tengo que actuar con cautela. Los demás intentan hacerme saltar. Lo leo en sus rostros. Es algo que no necesita descifrarse. ¿Hay gato encerrado? Me armaré de valor y confianza. Julián me ama. Julián es el padre de mis hijos. Julián, Julián. Mi destino eres tú.

ESCENA SEGUNDA

(MARÍA y ERUNDINA.
Aparece ERUNDINA por el lateral izquierdo.)

MARÍA.— Me pondré a la altura de las circunstancias.
ERUNDINA.— *(Susurrante.)* María, María.
MARÍA.— ¿Qué quieres?
ERUNDINA.— Te anduve buscando por todo el solar.
MARÍA.— *(Abanicándose.)* Adentro me ahogo. Esos cuartos dan grima.

15

ERUNDINA.— Es necesario que vuelvas.

MARÍA.— ¿Por qué tanta prisa?

ERUNDINA.— Te lo pido.

MARÍA.— ¿Qué pides?

ERUNDINA.— Que vengas.

MARÍA.— No quiero.

ERUNDINA.— Te traje el espejo.

MARÍA.— ¿El espejo?

ERUNDINA.— Anjá.

MARÍA.— ¿Qué pretendes que haga aquí con eso?

ERUNDINA.— Debes mirarte en él. (*Pausa.*) Anoche no dormiste.

MARÍA.— ¿Me espías?

ERUNDINA.— Hace tantas noches que no cierras los ojos...

MARÍA.— ¿Perteneces al ejército de salvación?

ERUNDINA.— Recuerda quién eres, María. Además dentro de un ratico han de pasar las comparsas.

MARÍA.— Me estoy poniendo vieja, Erundina.

ERUNDINA.— Te estás haciendo el muerto para ver el entierro que te hacen.

MARÍA.— (*Irónica.*) Tengo que saber lo que hay en todo esto.

ERUNDINA.— (*Con sorna.*) ¿Vas a ir al centro espiritista?

MARÍA.— ¿Ha regresado Julián?

ERUNDINA.— ¿A qué viene esa pregunta? (*Pausa.*) ¿Le viste acaso?

MARÍA.— No.

ERUNDINA.— Pues, entonces...

MARÍA.— (*Interrumpiendo.*) Entonces, tendré que llamar a Madame Pitonisa. Necesito un buen despojo.

ERUNDINA.— ¿Crees que sea cosa de brujería que Julián haya desaparecido de tu casa? ¿Vas a encontrar el motivo en las cartas de la baraja? tema ambiguo

MARÍA.— No me controles.

ERUNDINA.— Deseo ayudarte.

MARÍA.— ¿Te lo he pedido?

ERUNDINA.— Velo por tus hijos.

MARÍA.— (*Extrañada.*) ¿Por mis hijos? (*Desesperada.*) ¿Dónde están?

ERUNDINA.— En el traspatio con los hijos de Carmelina.

MARÍA.— No quiero verlos.

ERUNDINA.— Pobres criaturas. ¡Qué culpa tienen ellos! Cuando los dejé habían terminado con la merienda y deletreaban los muñequitos. En ese mismo momento llegó Salustiano. Está que es un puro hueso. Parece que no se lleva bien con su mujer. Al menos, eso me dio a entender. También me confesó que se siente muy preocupado con la desaparición de Julián. La gente no habla de otra cosa. María, escúchame, María. ¿Qué va a ser de ti? ¿Se habrá ido a traficar...? Acuérdate de lo que le pasó en Nochebuena. ¿Lo habrá cogido otra vez la policía?

MARÍA.— Cállate.

ERUNDINA.— Toda la vida se la ha pasado en este tira y encoge. ¿Qué tiene de particular?

MARÍA.— Que te calles.

ERUNDINA.— Si tanto te molesta, allá tú. (*Como si hablara con otra persona.*) Mira que se lo he advertido... María, deja ese barrenillo. María, pon a funcionar tus cinco sentidos. Pero como si hablara con la pared. Ni caso. (*A MARÍA.*) Ya verás lo que te va a dejar el Juliancito ese. Ya tú verás. (*Como si volviera a hablar con una persona invisible.*) Qué cabeza más dura. Es como una obsesión. Algo que se le ha metido entre ceja y ceja, que no dejará mientras viva. (*A MARÍA.*) Por ahí se corre que hay cierta y determinada intriga de Perico Piedra Fina, ese tenebroso ministro de las fuerzas del mal.

MARÍA.— Cómo te gusta el brete. ¿Qué te propones?

ERUNDINA.— La verdad. Sólo la verdad.

MARÍA.— (*Riendo.*) La verdad. Erundina busca la verdad. Erundina intenta engañarme buscando la verdad. La verdad se vende en la esquina, en la bodega del chino Miguel. La verdad es un mango o una naranja. (*En otro tono.*) Estás loca, Erundina. Loca de remate.

ERUNDINA.— Rectifica, María. Todavía tienes tiempo.

MARÍA.— El disparate te divierte.

ERUNDINA.— Piensa, piensa, piensa hasta llegar al final del final más allá del final.

MARÍA.— Ojalá pudiera.

ERUNDINA.— Si te ocultas, si te ocultas como una insensata, jamás llegarás.

MARÍA.— Miro siempre lo que tengo delante.

ERUNDINA.— Te quedas en la bobería.

MARÍA.— ¿Tú crees?

ERUNDINA.— Lo creo.

MARÍA.— (*Jugando.*) Entonces, soy lo que seré.

ERUNDINA.— Qué ingenua. Para llegar a ello no olvides que nadie escapa.

MARÍA.— Hay aire de chubasco.

ERUNDINA.— No te aguanto más. Me sacas de quicio. Me indigestas.

MARÍA.— ¿Son ésos los modales propios de tratar a una señora? Me has mentido, Erundina. Indudablemente no fuiste a un colegio de monjas. Tendré que vigilar la educación de mis hijos.

ERUNDINA.— ¿Vigilar la educación de tus hijos?

MARÍA.— Así es.

ERUNDINA.— Pero, María...

MARÍA.— No quiero que se acostumbren a tanto desparpajo. Yo misma hago esfuerzos. (*La mira con desprecio.*) Hablamos de cosas distintas. Llamaré a la Señorita Amparo. Es importante que reciba nuevas instrucciones. (*Se saca del pecho un silbato y un ramito de albahaca. Se santigua.*) Ay, los asuntos domésticos son una salación. (*Hace una llamada con el silbato.*)

ERUNDINA.— (*Como si hablara con otra persona no visible.*) Ay, ésta qué se trae entre manos. (*Confidencial.*) Sí, he sido yo, la muerta de hambre que ven aquí, quien le lavó los pañales cuando estaba aún recién nacida. He sido yo..., yo..., porque su madre quedó en el parto y mi pobre Evaristo, que tenía el corazón más grande que una casa y que era amigo de su padre, me aconsejó: "Métela en la cuna y tráela y haz de ella una mujer de provecho". Y yo la veía tan chiquitica y me daba tanta lástima... (*En otro tono.*) ¿Se habrá vuelto loca?

ESCENA TERCERA

(*MARÍA, ERUNDINA y la SEÑORITA AMPARO.*
Aparece la SEÑORITA AMPARO. Su edad oscila entre los treinta y los treinta y cinco. Viste traje de warandol floreado. Lleva el pelo recogido en un enorme moño.)

SEÑORITA.— (*A MARÍA*.) Buenas. (*Se abrazan*.)

ERUNDINA.— No atino a creerlo. (*Mirando con desprecio a la SEÑO-RITA AMPARO*.) Ahora el apretón es con la cotorra desplumada.

MARÍA.— (*A la SEÑORITA*.) Lo mismo digo.

ERUNDINA.— Con qué finura se tratan.

SEÑORITA.— (*A MARÍA. Muy circunspecta*.) ¿Me llamaba?

ERUNDINA.— (*Hablando con un personaje invisible*.) Disimularé. No vaya a pensar María que me muero de envidia.

MARÍA.— En efecto tenemos que resolver asuntos de suma trascendencia. Antes de empezar, dime: ¿a qué hora llegaste?

ERUNDINA.— A las nueve y cuarto en punto.

MARÍA.— Qué barbaridad. A eso se llama relajo. ¿No estás contenta con los honorarios?

SEÑORITA.— Sí, señora, sí. Lo que pasa es que tuve que ir al Hospital a llevar unas naranjas a la cuñada de la sobrina de una ahijada de mamá... Y la ruta uno...

MARÍA.— ¿Me quieres meter gato por liebre?

SEÑORITA.— (*Atemorizada*.) No, señora. La ruta uno...

MARÍA.— Rechazo las excusas.

SEÑORITA.— La ruta uno...

ERUNDINA.— (*Gritando, precipitándose*.) La ruta uno. Esa ruta es espantosa. Los otros días, cuando fui a la botica a buscar la medicina que me recetó el Caballero de París para esos mareos que me traían al garete, me encontré, esperándola, en la Plaza de la Fraternidad, con una cola tan enorme, que me dieron unos sudores fríos y la gente me echó fresco hasta que vinieron los de la Cruz Roja...

SEÑORITA.— (*A ERUNDINA, con desprecio*.) Interrumpir para esa bobería. Qué vulgaridad.

ERUNDINA.— Qué falta de respeto a mis canas. (*En otro tono*.) Más imbécil es tu madre y todo el mundo la trata.

MARÍA.— (*Con violencia*.) Basta ya. (*Dulcificando la expresión*.) Ay, Señorita Amparo, deseo, sobre todas las cosas, que se sienta a gusto entre nosotros. Le mandaré aumentar la ración de boniatillo.

SEÑORITA.— Ay, qué buena es. Qué delicia.

MARÍA.— Ahora, eso sí, exijo, óigalo bien, exijo de su parte una mayor puntualidad. (*Pausa breve. Solemne*.) Desde este instante, excluyo a Erundina de la educación de mis hijos.

ERUNDINA.— Oye, María, no me hagas esa trastada.

MARÍA.— Órdenes estrictas.

ERUNDINA.— (*En un arranque de histeria*.) Sabotaje. Sabotaje.

SEÑORITA.— Las órdenes funcionan como razones.

ERUNDINA.— No la creía capaz. Con lo que me he sacrificado. (*Sarcástica*.) Cría cuervos y te sacarán los ojos.

SEÑORITA.— (*Con gran parsimonia*.) ¿Puedo retirarme?

MARÍA.— Espera un segundo. ¿Cuándo empiezan las clases de Educación Física? Ah, sí, el miércoles. Seré generosa. Te aumentaré dos pesos por las clases.

SEÑORITA.— Gracias, señora. Gracias. ¡Ay! Virgen de Regla, ilumínala. (*Cae de rodillas*.) No sospecha, señora María, los problemas que solucionaré con ese aumento. Mande lo que quiera y cuando quiera.

MARÍA.— Levántate. Por favor, no es para tanto. Un simple acto de hermandad. (*Mirando a ERUNDINA con intención*.) La agradecida soy yo. Ay, qué felicidad, saber que mis hijos han caído en buenas manos. (*Pausa*.) Muy bien. Entremos en confianza.

ERUNDINA.— ¿Vas a comprobar si tengo o no razón?

MARÍA.— (*A ERUNDINA*.) ¿Quién te dio velas en este entierro?

ERUNDINA.— (*Burlándose*.) ¡Ay, qué fúnebre estás!

MARÍA.— Hablaré claro, señorita Amparo. (*Pausa. Muy rápida*.) Es cosa sabida, y si no, compruébelo en la experiencia. (*Tono melodramático*.) Los demás deciden la conducta de una mujer... (*Otro tono*.) Desde que yo era así de chiquitica... (*Señala como medida la punta de un dedo*.) La vieja Erundina solía hacerme estas observaciones. (*Transición*.) Últimamente con la vieja Erundina resulta imposible el trato. Los defectos se le han ido acentuando con la vejez.

SEÑORITA.— Señora, perdóneme, le suplico...

MARÍA.— ¿Qué me suplicas?

SEÑORITA.— Que no vaya tan ligera.

ERUNDINA.— (*A la SEÑORITA*.) Déjala terminar.

MARÍA.— ¿Por dónde iba? Ah, sí, perfecto. La vieja Erundina decía: "La mujer es como la rosa. Nadie se atreve a tocar uno de sus pétalos. No se hable de ella. Contémplesela. Aspírese su perfume. Una palabra puede herirla de muerte".

SEÑORITA.— (*Como si hablara con otra persona.*) ¿A qué viene todo este discursito?

MARÍA.— Pues bien, alguien ha organizado tremendo show con el objeto de destruirme.

SEÑORITA.— ¿Destruirla?

MARÍA.— Como lo oye.

ERUNDINA.— ¿Destruirte?

MARÍA.— Sí. Empleando la táctica del sun-sun, del comentario, se consiguen resultados espléndidos. María es esto aquí. María hace lo otro allá.

ERUNDINA.— ¿Sugieres que he sido yo?...

MARÍA.— ¿Te he señalado en algún momento?

ERUNDINA.— Me pones fuera de mí.

MARÍA.— No hagas un drama.

ERUNDINA.— Es que...

MARÍA.— Permanece indiferente. ¿Por qué te preocupas...? Hace unos quince minutos dijiste que Salustiano, mi amigo de la infancia, que vive en el otro extremo opuesto de la ciudad, había llegado a mi cuarto con extraños temores.

ERUNDINA.— Es cierto.

MARÍA.— ¿Se puede averiguar cuál es la clave de estos temores?

ERUNDINA.— (*Confundida.*) Qué sé yo... (*Rotunda.*) Pregúntaselo a él.

MARÍA.— ¿No serán infundios perversos?

ERUNDINA.— ¿Infundios? ¿Infundios perversos? (*Agarrando por un brazo a la SEÑORITA AMPARO que no sabe qué decir, que tose y se rasca la nariz.*) Dígale si Salustiano vino. Dígale si está jugando con los niños. Dígale si no estuvo largo rato hablando con Julián. Dígale. No se ponga como una pazguata.

SEÑORITA.— (*Que se siente acorralada.*) Bueno, a decir verdad y a resulta ser...

ERUNDINA.— Dígale lo que dijo, anda... ¿Te has quedado muda? ¿Te han comido la lengua los ratones?

MARÍA.— Triste destino el mío.

ERUNDINA.— La señorita Amparo se ha quedado en babia o en la luna de Valencia.

MARÍA.— Ah, infortunio. ¿Qué mal es el mío que los demás conociéndolo no se atreven a nombrar? ¿Qué mal, oh, sombra de las sombras? ¿Cáncer o tuberculosis? (*Rechazando una horrible visión.*) Lepra. ¿Será eso lepra? ¿Mi cuerpo ha sido tocado por las llagas del diablo? Oh, lepra, lepra, lepra.

ERUNDINA.— (*A MARÍA.*) Confía. Confía en ella. Ella te va a dar la salvación. Ella va a hacer de ti lo que he hecho yo. Ahí la tienes, ahora soy la perjura. Ahora soy la apestada. Éste es el papel que consideras que represento. Erundina ha sido la mujer de goma. Erundina nunca ha visto claro. Erundina vive y ha vivido entre espejismos.

MARÍA.— (*Se mueve dando largos resoplidos.*) Ay, ay. Todo me demuestra que soy una mujer que anda como un trapo en la lengua del vecindario. (*Burlándose.*) Que soy una rosa herida de muerte. Ay, yo..., yo..., María Candela..., ¿dónde me pongo?... ¿Dónde me pongo? (*Pausa. En otro tono.*) Frente a tal síntoma, no me dejaré arrastrar. Mi conducta es una. Seguiré firme.

ERUNDINA.— Confíate, confíate. La señorita Amparo desde hoy en adelante será tu perro fiel. Adelante, adelante, María. No detengas tu paso. La señorita Amparo cuidará de tus hijos, mañana y tarde. La señorita Amparo servirá de mulo de carga. La señorita Amparo es la perfección.

SEÑORITA.— (*Sin comprender.*) Bueno, en tal caso...

MARÍA.— (*Interrumpiendo.*) Analizaré mi situación. Julián ha desaparecido de casa hace por lo menos un mes.

SEÑORITA.— (*Fingiendo.*) ¿Desaparecido?

ERUNDINA.— Sí, desaparecido. Como si no lo supieras... Hipócrita.

MARÍA.— Algo de poca importancia, naturalmente: según los ojos que lo vean. Julián, de vez en cuando, da algunos viajecitos.

SEÑORITA.— Los otros días pasé por la puerta de la casa de la prima Berta, la ahijada de Candelaria, me detuve y oí que decían una cosa por el estilo.

MARÍA.— (*Exagerando.*) Los hombres, en general, mantienen costumbres de índole muy privada. Pero..., comprendo esas necesidades. Los negocios, los amigos, los amigos, una borrachera, un desliz... Vaya, excusas. Resulta tan aburrida la vida en común...

SEÑORITA.— Qué enredo, Virgen Santa.

ERUNDINA.— (*Abanicándose con un pañuelito y quitándose el sudor de la frente.*) Tendré que llamar al doctor Mandinga o a Madame Pitonisa.

SEÑORITA.— Al menos...

ERUNDINA.— María no debe continuar en ese trajín. O se pone como un fideo de flaca o hay que meterla en Mazorra.

SEÑORITA.— Yo le aseguro...

ERUNDINA.— Menos mal que su madre, que en paz descanse, no puede ver este cuadro; porque si no, nadie le quitaba una embolia.

MARÍA.— Cada vez que me detengo a pensar en lo que he sido y cómo me he sacrificado..., porque lo más triste del caso es que todos me empujan hacia el vacío, hacia mi padre muerto, hacia mi hermano ahorcado.

ERUNDINA.— (*Grita.*) Ah, ya sé.

SEÑORITA.— Qué susto. Vieja, aguante esos impulsos.

ERUNDINA.— Un bilongo.

SEÑORITA.— ¿Un bilongo?

ERUNDINA.— Un bilongo.

SEÑORITA.— No me haga reír.

ERUNDINA.— A María le han echado un bilongo.

SEÑORITA.— (*Deternillándose de la risa.*) Un bilongo.

ERUNDINA.— Si no es un bilongo hay que llevarla a un siquiatra.

MARÍA.— ¿Qué te pasa, Erundina?

ERUNDINA.— María delira. María no es María.

MARÍA.— ¿Qué dices? (*Sarcástica.*) María no necesita de nadie. (*Solemne y ridícula al mismo tiempo.*) María pretende algo más importante: conocer a fondo lo que opina el solar. (*Pausa. Acercándose a la SEÑORITA AMPARO. Con arrebato.*) Cuéntamelo. Dímelo todo. Soy un enorme oído.

SEÑORITA.— ¿Qué cosa, señora?

MARÍA.— Lo sabes.

SEÑORITA.— ¿Lo que sé?

MARÍA.— Te conviene.

SEÑORITA.— ¿Estoy obligada?

MARÍA.— Acuérdate del dinero.

SEÑORITA.— ¿Insinúa que me venda?

MARÍA.— No te preocupes.

SEÑORITA.— ¿Tengo que ser sincera?

MARÍA.— ¿Qué diablos podrías hacer?

SEÑORITA.— Ay, yo se lo dije a mamita esta mañana: "No quiero comprometerme. No, vieja, no".

MARÍA.— Mira por dónde salta la gallina zorra. ¿Comprometerte? ¿Ése es el peligro? ¿Quién te da de comer?

SEÑORITA.— ¿Hay que tomar partido?

ERUNDINA.— (*A la SEÑORITA.*) No disimules. (*En otro tono.*) La señorita Amparo, la que ni pincha ni corta. Aquí todos sabemos del pie que cojeas.

SEÑORITA.— Señora, usted me obliga.

ERUNDINA.— Desembucha.

MARÍA.— No te obligo, sólo pido que me ayudes.

SEÑORITA.— Prefiero meterme en la cocina.

MARÍA.— ¿A quién le tienes miedo?

SEÑORITA.— ¿Miedo?

ERUNDINA.— Sí, miedo.

SEÑORITA.— La mujer de Perico Piedra Fina no quería que se diera a la publicidad.

MARÍA.— ¿De qué estás hablando?

ERUNDINA.— (*A MARÍA.*) Ya verás.

MARÍA.— (*A ERUNDINA.*) No me agites que me fermento. (*A la* SEÑORITA.) Contésteme.

SEÑORITA.— Es un poco complicado.

MARÍA.— ¿Qué tiene que ver la mujer de Perico Piedra Fina en todo esto?

SEÑORITA.— Ella es la madre.

MARÍA.— ¿La madre de quién?

SEÑORITA.— De su hija.

MARÍA.— La hija de qué madre.

SEÑORITA.— La hija de su madre.

MARÍA.— (*Delirando.*) La madre, la hija, la madre de su hija; la hija, la madre, la hija de su madre. Qué cachumbambé. Ni el médico chino le pone fin a este lío.

SEÑORITA.— Pues bien… (*Mira a todos lados. Se oye como un suave rumor de maracas y claves.*) Es que no puedo arrepentirme luego. Usted cuando lo sepa tratará de vengarse.

MARÍA.— (*Riéndose. Histérica.*) ¿Vengarme? ¿Venganza? ¿Qué odiosa palabra has dicho? ¿Me has confundido con la mujer vampiro?

SEÑORITA.— Yo sé la carta que me estoy jugando.

MARÍA.— Pues juéguela.

SEÑORITA.— Miro más allá de todo.

MARÍA.— ¿Por las noches se te aparecen los espíritus de los muertos?

SEÑORITA.— ¿Es imprescindible que hable?

MARÍA.— Soy una tumba.

ERUNDINA.— Qué tipa más bruta.

SEÑORITA.— Bueno, después no me vengan con que yo dije o dejé de decir o dije más de lo que debía.

MARÍA.— Dilo todo.

ERUNDINA.— Sin pestañear.

SEÑORITA.— Lo contaré como me lo contaron. Esta mañana, serían las siete o las siete y media, llegué a casa de Dominga, la hija del primer marido de Carmelina; sí, de aquel sargentico que se creía en su tiempo un tenorio, y que luego se metió en un barco de polizón... Pues bien... Dominga llegó y lo sopló todo tan de golpe, porque ella, Dios me perdone, es igual que el noticiero de última hora..., por poco recojo a mamita del suelo patitiesa...

MARÍA.— ¿Qué fue lo que sopló?

SEÑORITA.— Que la mujer de Perico Piedra Fina se oponía.

MARÍA.— ¿A qué se oponía?

SEÑORITA.— Al matrimonio.

MARÍA.— ¿Al matrimonio de quién?

SEÑORITA.— ¿De quién va a ser? De su hija Esperancita.

MARÍA.— (Riéndose.) Al fin se casa ese trasto.

SEÑORITA.— Su padre, el viejo Perico, que era hijo de un Coronel en tiempos de don Tomás, está chiflado con la boda..., y hoy por la tarde, Julián...

MARÍA.— (Casi en un susurro.) Julián.

SEÑORITA.— (Con crueldad en la sonrisa.) Sí, Julián, Julián Gutiérrez, hoy, por la tarde, va a contraer nupcias con Esperancita, la hija de Perico Piedra Fina.

MARÍA.— ¿Que se casa Julián con la hija de ese garrotero?

ERUNDINA.— (En un grito.) Ya.

SEÑORITA.— (Caminando hacia el primer plano.) Yo no sabía si debía venir a darle las clases a los niños. Sospechaba que usted lo consentía... Hay tantos ejemplos... Pero...

MARÍA.— (*En el fondo.*) ¿Que Julián se casa? (*Risa histérica.*) ¿Que Julián se casa? Es para morirse de risa. Casarse con Esperancita.

ERUNDINA.— Si es un saco de huesos, madre mía. Un esperpento. Hay que tener gandinga.

MARÍA.— Es el fenómeno más grande del año. (*Pausa.*) Ay, señorita Amparo, ¿estoy encima o debajo de la tierra? (*Pausa.*) Sigue.

SEÑORITA.— Papá con sus ochenta años me sacó a la fuerza de la casa.

MARÍA.— No cojas el rábano por las hojas.

ERUNDINA.— Esperancita salió de un apuro. La pobre. Porque lo único que le quedaba era vestir santos.

MARÍA.— (*A* ERUNDINA.) No interrumpas.

ERUNDINA.— Déjame. Qué degenerado es el Julián.

MARÍA.— (*A* ERUNDINA.) Te voy a poner una mordaza en la boca. (*A la* SEÑORITA AMPARO.) Termina de una vez.

SEÑORITA.— (*En el primer plano del escenario.*) Mamá gritaba: ''Eres una imbécil. A tu edad hay que enfrentarse con la realidad. No me vengas con lagrimitas. El miedo métalo en el latón de la basura''.

MARÍA.— Ay, no des tantas vueltas.

ERUNDINA.— (*A la* SEÑORITA.) Qué pasmadora eres.

MARÍA.— Rápido.

SEÑORITA.— Ahora me pregunto si he obrado bien.

MARÍA.— Tantos remilgos, ¿para qué?

SEÑORITA.— Quisiera no tener que arrepentirme.

MARÍA.— Corre que el viento se evapora.

ERUNDINA.— Corre que el tiempo no es el aire.

MARÍA.— Corre que el tiempo no es la eternidad.

SEÑORITA.— En la calle iban gritando. (*Aparte.*) Esto se llama imprudencia.

MARÍA.— ¿Qué gritaban? ¿Quiénes gritaban?

ERUNDINA.— ¿Hasta cuándo, mujer de Dios?

SEÑORITA.— No puedo más, no puedo más.

MARÍA.— Te quedas a medias.

ERUNDINA.— El final, el final.

(*Las tres mujeres quedan enlazadas y comienzan a moverse rítmicamente. Esta escena debe mantener un ritmo de son.*)

SEÑORITA.— (*Mecánica.*) En la calle, en la plaza, en el parque, en
la bodega, en el cine, en el café, en la guagua, Chencha la gam-
bá, Rosa la China, Cachita Burundanga, la mujer de Antonio,
la mujer de Pedro, la de Chucho, la de Jacinto, la de José, me
han dicho, me dijeron, están diciendo, que eres, que eras, que
serás, que siempre, que ahora, que nunca, que jamás, que estás,
que estabas, que estarás, en la esquina de este solar sin nombre
esperando al llamado de la sangre. (*Las mujeres se separan. Pausa.*
MARÍA camina igual que una sonámbula.)
ERUNDINA.— (*Susurrante.*) María, María.
SEÑORITA.— (*Muy suave.*) María.
ERUNDINA.— (*En el tono anterior.*) María.
SEÑORITA.— (*En el tono anterior.*) María.
MARÍA.— (*Agotada.*) Déjenme. Déjenme coger un poco de aire, que
me ahogo en este horno.

(*La luz del escenario va disminuyendo, quedando en su totalidad a oscuras.*
La SEÑORITA AMPARO cae de rodillas, muy despacio. Sólo una luz toca a
MARÍA.)

MARÍA.— (*Como si hablara con otras personas.*) María, ¿qué has he-
cho? Tenía que saber.
ERUNDINA.— ¿Qué ibas a saber que no supieras?
MARÍA.— (*Agotada.*) Lo que tengo que hacer con el futuro.
ERUNDINA.— María dispone del futuro como si fuera un plato de
tamales.
MARÍA.— María lo ignora todo. María siempre luchará. María
quiere saber, saber, saber. (*Pausa.*) Ay, qué oscuro alrededor mío.
Julián, mi hermoso Julián. (*Pausa.*) ¿Será posible hallar un va-
lor, una medida, o algo, llámese como se llame en este mundo?
(*Pausa.*) Ando a tientas. Hijos míos. Enséñenme el camino. ¿Dónde
está mi camino? ¿Dónde carajo está?

(*ERUNDINA cae de rodillas en el suelo en el lado opuesto a la SEÑORITA*
AMPARO.)

ESCENA CUARTA

(Los dichos y el MUCHACHO vendedor de periódicos.
En ese instante la luz vuelve a su estado normal. Aparece el vendedor de periódicos,
revistas y billetes. MARÍA permanece inmóvil.)

MUCHACHO.— *(Pregonando a grito pelado.)* El 83, el 84. Mire este numerito, caballero.

ESCENA QUINTA

(Los dichos y el BARBERO.
Aparece, lateral derecho, el BARBERO, con tijeras en mano. Viste uniforme.)

BARBERO.— *(Moviendo ruidosamente las tijeras. Conversando con alguien.)* Caballero, que no se diga. Una tragedia. Lo que se llama una verdadera tragedia.

MUCHACHO.— Tragedia. Una tragedia. El 6283, matrimonio que
termina en tragedia. El 6284, matrimonio que termina en sangre. Óigalo bien.

BARBERO.— Óigalo bien. Se lo digo yo que conozco el solar de punta
a cabo. No grite tan alto. Recuerde las órdenes de Perico Piedra
Fina. *(Grandilocuente.)* El asqueroso dueño de este solar. Si sigue gritando, tendrá que pagar un peso de multa. Como lo oye. Ni un
quilo más, ni un quilo menos. A esto nos tiene acostumbrados.
Nunca nos deja tranquilos. Es una especie de inquisidor. En tiempo
de la Colonia, cuando los hombres eran tratados como bueyes,
jamás se mantuvo una situación tan alarmante... Ahora bien, usted ignora lo mismo que ella... Deja que María sepa que Perico...

ESCENA SEXTA

(Los dichos y la MUJER DE ANTONIO.
Aparece por el lateral derecho la MUJER DE ANTONIO, una mulata exuberante
que trae una enorme jaba y cartuchos llenos de viandas y frutas.)

MUJER.— Perico, mujer, Perico Piedra Fina. ¿Hablas de abusos?
¿Hablas de Julián?

BARBERO.— Julián ha sido siempre, no sé de qué, el rey en la esquina, en el billar, en la fonda de Estebita. Pregúntaselo a cualquiera.

MUJER.— Cualquiera lo sabe. ¿Sospechas? Julián es pura vitrina. Te lo aseguro, vieja; mira que conozco el percal. ¿De qué sirven entonces los fracasos? Julián, amiga mía, es de los que vienen y se ponen enseguida a pintarle a una, de dientes para afuera, mariposas en el aire. Si una, por hache o por be, se sugestiona, ahí mismo resbala y cae y luego..., a freír buñuelos. Un engaño.

BARBERO.— Engaño o injusticia. Como todas las perpetradas por Perico Piedra Fina. Se dice que, él mismo, ha dado una orden que parece una ley con sello oficial... En este caso particular, ¿qué puede alegar en contra de María en este mundo?

MUCHACHO.— «El Mundo». «El Mundo». Extra. Último minuto. Extra. Información con un reportaje gráfico sobre los acontecimientos más importantes del país.

MUJER.— En este país tener el pellejo prieto es una desgracia, Monga; y métase usted donde quiera.

BARBERO.— Dondequiera. Quiera o no, tendrá que salir del solar. Aquí el problema no es de "si no pagas el día quince aparece Perico y olvidándose de las consideraciones te tira los trastos a la calle". No. Aquí se debate otro asunto. Yo la considero. Una mujer sola con dos niñitos. No podrá hacer resistencia. Además, ¿quién se preocupa del buche amargo que te mata? Nadie.

MUJER.— Nadie puede pensar tal cosa. Cómo hay que aguantar humillaciones. Antonio fue el primero que me dijo cuando pasé por la tabaquería: "Julián y Perico..." (*Ruido de la bocina de una máquina.*) ¿Qué te parece? Yo me quedé fría.

BARBERO.— ¿Fría la tarde? Vamos, hombre, con este hermoso verano. Frío debe sentir María. No lo dude.

MUCHACHO.— (*Acercándose a MARÍA.*) No lo dude, juéguelo, señora. Es la suerte. El premio gordo. El premio grande. No lo olvide. El 6283, matrimonio que termina en tragedia. Extra. «Información». Cómprelo usted. El 84, sangre. El 6284, matrimonio que termina en sangre.

MUJER.— Sangre, sí, sangre; eso es lo que se merece. Julián no tiene perdón de Dios.

BARBERO.— ¿Dios? ¿Hay alguna prueba?

MUJER.— (*Gritando.*) ¿Prueba? Ahí la tienes. Mira hacia arriba.

BARBERO.— ¿Hacia arriba? La fiesta.

MUJER.— La fiesta. Ahora mismo llegaron los novios. Una fiesta que es una infamia. ¿Que me calle? Eso nunca. Lo grito. Lo grito a gaznate pelado y después que venga a verme Perico Piedra Fina. (*Pausa.*) Ay, me gustaría verte en un charco de sangre, Julián. (*Pausa.*) Para que sirva de escarmiento.

ESCENA SÉPTIMA

(*Los dichos y el BONGOSERO.*
Aparece por el lateral izquierdo el BONGOSERO. Trae un paño rojo amarrado al cuello. Da suaves golpecitos en el tambor.)

BONGOSERO.— (*Riéndose.*) Un escarmiento. Qué ingenua. Buenas agallas tiene el Juliancito. Ése se sale con las suyas, cada vez que se lo proponga, aunque parezca increíble. Ahí te doy un dato. Desde que Julián se llevó a María nunca más ha vuelto a dar un golpe. Para hombres de tal calaña, cada minuto es el último minuto.

MUCHACHO.— Último minuto. Extra.

MUJER.— ¿Extra matrimonial? ¿Crees que María sería capaz de soportar semejante posición?

BONGOSERO.— Posición. Posición. Cuántas palabras frente a una realidad.

BARBERO.— Una realidad. Eso es. Qué lujos se permite Julián.

MUJER.— (*En tono de chisme.*) Julián le entregará a Esperancita un anillo valorado en...

MUCHACHO.— Cien mil pesos.

BONGOSERO.— Cien mil pesos.

MUJER.— Cien mil pesos.

BARBERO.— Cien mil pesos.

MUCHACHO.— Compre este numerito. El número agraciado por la suerte. El 6274, matrimonio que termina en sangre. «El Mundo». «Bohemia», «Carteles», «El Mundo».

BONGOSERO.— El mundo es un círculo de sangre.

MUJER.— Sangre, sangre, sangre, siempre sangre. Muerte.

BONGOSERO.— Muerte no. La muerte se parece al fantasma de un chino.

BARBERO.— ¿Un chino?

BONGOSERO.— Sí, un chino.

MUCHACHO.— Un chino.

BARBERO.— Un chino.

BONGOSERO.— Un chino.

MUJER.— Ah, ya sé. María tiene un chino.

BONGOSERO.— María tiene un chino.

BARBERO.— María tiene un chino.

MUJER.— María tiene un chino.

(*Las luces comienzan a debilitarse gradualmente. La música del tambor se escucha. El CORO canta.*)

CORO.— María tiene un chino,
un chino, un chino, un chino,
un chino, una maldición.
Un chino, un chino, un chino,
un chino, un chino, un chino.
María tiene un chino,
un chino, una maldición.

ESCENA OCTAVA

(*MARÍA y el CORO.*)

MARÍA.— (*Gritando.*) Mentira. Mentira. Me están engañando. Déjenme sola. Julián me ama. Julián es mi marido. (*Pausa.*) Pero, ¿cómo se atreven a tanto? Si siguen corriendo esa bola entonces estoy perdida. ¿Están conmigo o no están? (*Pausa.*) ¿O será cierto que verdaderamente tengo un chino encima? Oh, no me persigas, Chino de Cantón. (*Pausa. Desesperada.*) Erundina. ¿Dónde está el espejo?

ERUNDINA.— (*Saliendo de un sueño.*) ¿El espejo?

ESCENA NOVENA

(*MARÍA, ERUNDINA, LA SEÑORITA AMPARO, y el CORO*).

MARÍA.— Sí, el espejo. (*ERUNDINA intenta levantarse.*) Espera. (*Como si viera a JULIÁN dentro del público.*) Julián. ¿Eres tú, Julián? Ay, qué alegría. Hace un instante estuve hablando de ti. Me paso la vida repitiendo tu nombre. Erundina me lo reprocha. Ella es vieja y no entiende. Yo le digo: Julián me ama. Julián es mi marido. Julián es el padre de mis hijos. Mi destino es Julián. (*Sonriéndose.*) Ella no recuerda lo que es el amor. (*Como si fuera a abrazarlo.*) ¿Qué me importa lo que soy yo y lo que era, qué me importa la libertad, si soy la dueña de tus brazos? (*Gesto como si JULIÁN la rechazara.*) ¿Qué te ocurre? ¿Te duele la cabeza? ¿Estuviste jugando? ¿Perdiste acaso? (*Intenta abrazarlo otra vez.*) No te desanimes. Peores tiempos hemos tenido. Acuérdate cuando mi hermano se ahorcó por una intriga de Perico Piedra Fina... Acuérdate. Yo juré vengarme. Todos en el tribunal declararon su inocencia. Hasta trataron de mezclarte... ¿Cómo iba a caer el mal en el vacío? Y lo condenaron...

ESCENA DÉCIMA

(*MARÍA, ERUNDINA, la SEÑORITA AMPARO, JULIÁN y el CORO. Aparece detrás de MARÍA la figura de JULIÁN. Viste guayabera blanca de hilo. MARÍA se vuelve hacia él y, enlazados, comienzan a bailar al compás de un extraño toque de tambor.*)

MARÍA.— Olvidemos las cosas desagradables. La vida es bella. Estos días de separación me han servido de mucho. He comprendido que eres tú y sólo tú la razón de mi vida. Trataré de ser más complaciente. ¿Quieres un juguito de piña o una tajadita de melón que, expresamente, he cortado para ti? ¿Te gusta el menú de hoy? Un potaje de frijoles negros con su pizquita de pimienta que es una gloria. Arroz blanco, muy desgranadito, como a ti te encanta. Carne asada con mucha cebolla. Eso sí, algo especial. La receta me la dio Serafina, la prima de Evangelina, que se fugó con un sobrino de Candelaria. Ah, y unas berenjenas rebozadas, que si los ángeles llegaran a imaginárselas se meterían de golpe en la tierra. De postre, unos casquitos de guayaba que ya se chuparán los dedos tú y los niños. ¿Deseas afeitarte, que te prepare el baño? ¿Le echo al agua unas goticas de Colonia o prefieres meterte en la ducha? Ay, Julián, ¿te cambiaste de camiseta...? ¿Y los calzoncillos? Ayer al mediodía, me puse a zurcir los calcetines y a poner algunos botones a las camisas... (*Dejan de bailar.*)

JULIÁN.— He venido a buscarte.

MARÍA.— Ay, espera un poco. Déjame abrazarte. (*Lo abraza.*) No debía decírtelo tantas veces. Te aprovechas de mi cariño. He pasado unas noches espantosas sin ti. Ah, mascarita, ¿a dónde te habías metido durante todo este tiempo? Los niños no se han cansado de preguntar: "¿Y papá? ¿Y papá?". (*JULIÁN vuelve a rechazarla.*) ¿Te has desilusionado? ¿Te doy asco?

JULIÁN.— Dejémonos de boberas. Nos están esperando.

MARÍA.— ¿Quiénes?

JULIÁN.— Ya lo sabrás.

MARÍA.— ¿A dónde vamos, Julián?

JULIÁN.— Vive la intriga.

MARÍA.— Dímelo.

JULIÁN.— ¿Desconfías? (*Cogiéndola por un brazo.*)

MARÍA.— (*Angustiada.*) ¿Quién nos espera? (*Pausa.*) ¿A dónde vamos?

JULIÁN.— Qué boba eres. De cualquier simpleza haces un fantasma. (*Riéndose.*) Pues..., iremos al paraíso.

(*MARÍA se queda paralizada. No sabe qué hacer ni decir. JULIÁN, riendo, desparece. Comienzan a oírse las voces del CORO, ERUNDINA, y la SEÑORITA AMPARO que buscan el espejo. Al oír la palabra "espejo" MARÍA la repite casi maquinalmente. Los coros adquieren mayor intensidad hasta alcanzar un clímax. MARÍA, en un arrebato, hace lo mismo buscándolo en el aire.*)

TELÓN

SEGUNDO ACTO

(Luz nocturna. ERUNDINA en la puerta de la habitación de MARÍA. Parece abrumada. Mira a todos los lados. Camina hacia el primer plano del escenario.)

ESCENA PRIMERA

(ERUNDINA, sola.)

ERUNDINA.— ¿Adónde se habrá metido a estas horas? ¿Habrá ido a ver a Madame Pitonisa y al Doctor Mandinga? ¡Qué barbaridad! *(Mira hacia el lateral derecho.)* Ay, María, María, ¿qué tornillo te falta? Ay, sí..., porque, ¿qué otra cosa se puede pensar? Me dijiste que buscara a Julián. Deseando no verme complicada, me negué. Pero tanto fue el dale que dale, que me convenciste. Subí a buscarlo. Allá va la negra a buscar al diablo. Pero el diablo no estaba en casa. *(En otro tono.)* Cuando regreso, ya María ha desaparecido. Ni que hubiera hecho un pacto con Changó. *(Pausa.)* Me tienes nerviosa. No te entiendo. No te entiendo, qué va. *(Transición.)* Bueno, qué ilusiones me hago. Entenderla. ¿Cuándo he sabido yo lo que pasa por esa cabeza de adoquín? *(Pausa.)*

ESCENA SEGUNDA

(ERUNDINA, UNA VOZ y luego LA SEÑORITA AMPARO.)

UNA VOZ.— ¿Cómo? ¿Que no se lo diga? Ahora verás.
ERUNDINA.— Oigo voces. Ay, qué lío andará formando, Ave María.

UNA VOZ.— Erundina, Erundina.

ERUNDINA.— ¿Quién va? (*Gritando.*) ¿Alguien me llama?

UNA VOZ.— Soy yo, mujer.

ERUNDINA.— Ah, tú. Asómate. (*Pasándose la mano por el vientre.*) ¿Qué se te antoja? (*Entra la SEÑORITA AMPARO.*)

SEÑORITA.— (*Indignada.*) Atrevida. No se lo mando a decir con nadie. ¿Cree que soy de ésas que se pasan la vida tirando muchachos al mundo? De eso, nada. Soy como soy.

ERUNDINA.— Ah, hija, es un decir. (*Pausa.*)

SEÑORITA.— ¿Se enteró de la última?

ERUNDINA.— ¿De qué?

SEÑORITA.— (*Cantando.*) Sorpresa.

ERUNDINA.— ¿Sorpresa?

SEÑORITA.— La que puede, puede.

ERUNDINA.— Cómo te gusta el chisme.

SEÑORITA.— (*Molesta.*) ¿Por qué?

ERUNDINA.— Porque sí.

SEÑORITA.— (*En el mismo tono.*) Explíquese.

ERUNDINA.— ¿Qué voy a explicarte?

SEÑORITA.— Lo que me ha dicho.

ERUNDINA.— ¿Es algo del otro mundo?

SEÑORITA.— Los insultos, no.

ERUNDINA.— ¿Qué insultos?

SEÑORITA.— No se haga la boba.

ERUNDINA.— ¿La mujer de Perico Piedra Fina llevaba otra vez el vestido de tafetán azul que le regaló su abuela a la ceremonia de la iglesia?

SEÑORITA.— Se cree que no me doy cuenta.

ERUNDINA.— ¿Qué cosa?

SEÑORITA.— Aprovecha la ocasión para humillarme.

ERUNDINA.— Ay, mujer, no te pongas así. ¿Qué vas a arreglar con tanto reperpero? (*En otro tono.*) ¿A Esperancita le salió un lobanillo en el huesito de la alegría?

SEÑORITA.— (*Divertida.*) Ya eso es viejo. Acuérdese del corre-corre que hubo: por poco queda en la mesa de operaciones.

ERUNDINA.— (*Agotada. Suspira.*) Pues no sé.

SEÑORITA.— Imagine algo, ¿no?

ERUNDINA.— ¿Que imagine?

SEÑORITA.— Imagine, sí. Ahí encontrará el sentido de la vida.

ERUNDINA.— Eso es lo que hago. (*Consigo.*) Para imaginaciones estoy yo. A ver, a ver... (*En otro tono.*) ¿El viaje de la luna de miel es a Nueva York? (*Comienza a oírse un toque de tambor.*)

SEÑORITA.— (*Divertida.*) Frío, frío. ¿A que no acierta?

ERUNDINA.— ¿Se partió la pata el viejo Perico?

SEÑORITA.— ¿Qué dices?

ERUNDINA.— (*Casi gritando.*) ¿Qué, Perico Piedra Fina se volvió a sacar la lotería?

SEÑORITA.— Qué cantaleta. Estos malditos tambores.

ERUNDINA.— ¿Vomitas o no vomitas?

SEÑORITA.— No le oigo.

ERUNDINA.— ¿Que si a la mujer de Perico le dieron una botella en el Ministerio de Estado?

SEÑORITA.— ¡Qué barbaridad! Cuidado. Mire que anda el apapipio que rompe olas.

ERUNDINA.— A mí, plin.

SEÑORITA.— Es algo referente a María.

ERUNDINA.— ¿A María?

SEÑORITA.— Informe de buena tinta y fresquecita.

ERUNDINA.— Dime. Cuéntame rápido.

SEÑORITA.— (*Recalcando su intención.*) Perico Piedra Fina...

ERUNDINA.— ¿Qué pasa con Perico?

SEÑORITA.— (*De golpe.*) Vino y habló con María.

ERUNDINA.— ¿Cuándo?

SEÑORITA.— Hace un rato. (*Se arregla el pelo.*)

ERUNDINA.— ¿Es cierto?

SEÑORITA.— Que un tren me pase por encima, si no es verdad.

ERUNDINA.— ¿Qué estuvieron hablando? (*En otro tono.*) ¿Quién te lo dijo?

SEÑORITA.— Un pajarito. (*Hace señas con las manos en el aire.*)

ERUNDINA.— Después te quejas y dices que te fastidio.

SEÑORITA.— (*Cantando.*) Es la revancha.

ERUNDINA.— (*Fuera de sí.*) No juegues, alma mía, que el horno no está para pastelitos.

SEÑORITA.— (*Indiferente, mirando hacia arriba.*) Imagina.

ERUNDINA.— Me huele mal este ajiaco.

SEÑORITA.— ¿No sospechas?

ERUNDINA.— Acaba de una vez.

SEÑORITA.— ¿No sabe?

ERUNDINA.— ¿Qué voy a saber si ya nadie me cuenta nada de nada?

SEÑORITA.— Dominga.

ERUNDINA.— (*Riéndose.*) ¿La que vende churros en el mercado? Ésa siempre, no sé por qué...

SEÑORITA.— No, vieja. La hija de Carmelina...

ERUNDINA.— (*Interrumpiendo.*) Ésa es mejor que la Gaceta Oficial.

SEÑORITA.— Ella los vio.

ERUNDINA.— ¿Hablaron aquí, en el solar?

SEÑORITA.— Ni pensarlo, mi cielo.

ERUNDINA.— ¿Entonces, dónde?

SEÑORITA.— (*Divertida, cantando.*) ¿Dónde, dónde...?

ERUNDINA.— (*Violenta.*) Sí. ¿Dónde?

SEÑORITA.— Por el malecón.

ERUNDINA.— Alabao sea Dios.

SEÑORITA.— El Juliancito anduvo con ellos.

ERUNDINA.— (*Consigo.*) Por el malecón. (*En otro tono.*) ¿Cómo María se atreve?

SEÑORITA.— Averigüe usted. (*La música de los tambores ha cesado. Entre risitas entrecortadas.*) ¿Y sabe usted lo que hizo? Le regaló al viejo Perico una botella de vino que ella mismo preparó. (*Pausa.*) Yo la vi llorando, ahorita, en la esquina del billar. (*Exagerando.*) Lucía desesperada. Me dio pena. Hubiera querido consolarla. Pero me contuve... En aquel instante me pareció tan desvalida, tan... (*Mímica exagerada.*) tan..., como una cosa que se desploma. (*Imitándola.*) Lloraba y decía: "El espejo, el espejo".

ERUNDINA.— (*Para sí.*) Ay, cómo se atreve..., cómo se atreve, sabiendo ella como sabe... ¿La habrán tirado al mar? ¿Adónde estará a estas horas? ¿Habrá sido comida por los tiburones? (*Gritando.*) Ay, mar, marcito, tiburón, tiburoncito, devuélvemela. ¿Adónde iré a buscarla...? Me presentaré en la estación de policía y lo digo todo.

SEÑORITA.— ¿Qué va a decir?

ERUNDINA.— (*Con gran aspaviento.*) Que se investigue, que se investigue.

SEÑORITA.— ¿Investigar, qué?

ERUNDINA.— (*Tono anterior.*) No sé. Algo.

SEÑORITA.— No se alarme por gusto.

ERUNDINA.— ¿Me quedo entonces con los brazos cruzados?

SEÑORITA.— Perdóneme, vieja.

ERUNDINA.— Ay, María. ¿Qué va a ser de tus hijos? (*Desesperada, dando vueltas.*) ¿Qué va a ser de esos niños? ¿Qué va a ser de mí? Ay, María, ¿qué destino es el tuyo? (*Gritando.*) ¿Dónde está el espejo?

SEÑORITA.— Cálmese.

ERUNDINA.— (*En arrebato.*) ¿Dónde está el espejo?

SEÑORITA.— (*Alarmada.*) ¿El espejo?

ERUNDINA.— Ay, sí. ¿Dónde? ¿Dónde está?

SEÑORITA.— No se ponga a ver visiones.

ERUNDINA.— Ésta es la última carta de la baraja. (*Haciendo mutis, entre gritos y sollozos.*) Que me busquen una camisa de fuerza.

ESCENA TERCERA

(*El* CORO.
Los personajes del CORO *van apareciendo, cada uno en sus puertas como en el Primer Acto.*)

MUJER.— (*Cantando.*) Perico Piedra Fina.

BARBERO.— (*Cantando.*) Perico Piedra Fina.

BONGOSERO.— (*Cantando.*) Perico Piedra Fina.

MUCHACHO.— (*Cantando.*) Perico Piedra Fina.

CORO.— (*Dando punto final al canto.*) Perico Piedra Fina.

ESCENA CUARTA

(*PERICO PIEDRA FINA y el* CORO.
Aparece PERICO PIEDRA FINA por el lateral izquierdo. Es un hombre grasiento, viscoso, voz aflautada. Tiene unos cincuenta años. Viste traje de dril cien y una corbata de colores estallantes. Trae sombrero de pajilla y un bastón.)

PERICO.— El que corta el bacalao en este solar. (*Acrobacia y golpe de bastón.*) Perico Piedra Fina.

ESCENA QUINTA

(*PERICO PIEDRA FINA, JULIÁN y el CORO.*
Aparece JULIÁN. Es un hombre joven, realmente hermoso. Alto, delgado, de unos
veintitantos años. Viste pantalón blanco y guayabera y zapatos de dos tonos. Trae
ostentosa cadena y anillos.)

JULIÁN.— (*Señalando a PERICO.*) Aquí lo tienen.

PERICO.— (*Hace una leve reverencia y señala a JULIÁN.*) Julián Gutiérrez,
el esposo de mi hija. Mírenlo bien.

JULIÁN.— (*Haciendo una reverencia exagerada.*) Aquí me tienen.

CORO.— (*Cantando en tono apagado.*)
Que se muera, que se muera.
Que le echen tierra
que lo tapen bien.

PERICO.— ¿A qué vienen esos cantos fúnebres? Hoy es día de fiesta. ¿Lo ignoraban? Se ha casado mi hija. Mi única hija. Esperancita. ¿Por qué ponen esas caras? No soy el coco. Me han confundido. (*A JULIÁN.*) ¿Tengo aspecto de velorio?

JULIÁN.— (*Sonriente.*) No haga caso. Es un chiste.

PERICO.— Ah, es un chiste.

JULIÁN.— Una forma de divertirse.

PERICO.— ¡Qué chistoso es un chiste!

JULIÁN.— Te apuntaste una, viejo.

CORO.— (*Susurrante.*)
Que se muera, que se muera.
Que le echen tierra
que lo tapen bien.

PERICO.— ¿Terminaron? (*Mirando a todos los personajes del coro.*) Ah,
bien. Estamos reunidos para celebrar un acontecimiento.

MUJER Y MUCHACHO.— ¿Un acontecimiento?

BARBERO Y BONGOSERO.— ¿Un acontecimiento?

JULIÁN.— ¿A qué tanta extrañeza?

PERICO.— ¿Otro chiste?

JULIÁN.— ¿No lo sabían?

MUJER Y MUCHACHO.— ¿Qué sabíamos?

BARBERO Y BONGOSERO.— ¿Qué sabíamos?

PERICO.— En realidad no podían saberlo.

MUJER.— Es un misterio.

BARBERO.— Es un misterio.

BONGOSERO.— Es un misterio.

MUCHACHO.— Es un misterio.

JULIÁN.— No, no es un misterio.

MUJER.— ¿Qué puede ser?

BARBERO.— ¿Qué puede ser?

BONGOSERO.— ¿Qué puede ser?

MUCHACHO.— ¿Qué puede ser?

PERICO.— (*Riéndose.*) El ser, el ser, el ser.

MUJER Y MUCHACHO.— ¿Quién es el ser?

BARBERO Y BONGOSERO.— ¿Quién es el ser?

PERICO.— (*Astutamente, divertido.*) Dejémonos de comedias. Soy un hombre práctico, que le digo al pan, pan y al vino, vino.

JULIÁN.— (*Acariciándose una sortija.*) Bien dicho.

PERICO.— (*A JULIÁN.*) ¿De qué manera hubiera podido sobrevivir a estos años? La vida es dura.

JULIÁN.— A eso le llamo yo estar en el duro.

PERICO.— Pues bien... (*Pausa. Apretándose la garganta con las manos.*) Oye, Julián, qué cosquillita me ha dado el vinito ese. (*Pausa.*) Para eliminar las interrupciones de un plumazo... (*Pausa.*) María...

MUJER.— María...

BARBERO.— María...

BONGOSERO.— María...

MUCHACHO.— María...

PERICO.— Sí, efectivamente, María...

MUJER Y MUCHACHO.— ¿Qué le pasa a María?

BARBERO Y BONGOSERO.— ¿Qué le pasa a María?

PERICO.— Caramba, no se impacienten. Pasar, no le pasa nada. Sencillamente, ha desaparecido. Entendámonos a cabalidad. María ha desaparecido porque María quiere dar un viajecito.

MUJER.— Un viajecito.

BARBERO.— Un viajecito.

BONGOSERO.— Un viajecito.

MUCHACHO.— Un viajecito.

PERICO.— ¿Acaso no tiene derecho a dárselo? Todos en este solar conocemos a María.

MUJER Y MUCHACHO.— Todos la conocemos.

BARBERO Y BONGOSERO.— Todos la conocemos.

PERICO.— (*Moviéndose lentamente.*) Para ella la libertad. (*Cínico.*) La libertad y nada más que la libertad.

CORO.— (*Al unísono, moviendo los brazos y el cuerpo.*) La libertad y nada más que la libertad.

PERICO.— En este caso, ¿por qué armar tanto barullo? Ella ha hecho lo que ha querido. ¿Es cierto lo que digo, o no es cierto, Julián?

JULIÁN.— ¿Quién se atreve a dudar?

PERICO.— ¿Me ha cogido alguien en una pifia? ¿No he hablado siempre con la verdad en la mano?

MUJER Y MUCHACHO.— La verdad en la mano.

BARBERO Y BONGOSERO.— La verdad en la mano.

PERICO.— Entonces, amigos míos... (*A JULIÁN.*) Dile a la gente, allá arriba, que manden un poco de ron... Ah, no te olvides del vinito. (*Hace mutis JULIÁN.*)

ESCENA SEXTA

(*PERICO PIEDRA FINA y el CORO.*)

PERICO.— Quiero una fiesta por todo lo alto. (*Pausa. Satisfecho.*) ¿Han visto a Julián? ¿Lo han visto realmente?

MUJER.— Lo hemos visto.

BARBERO.— Lo hemos visto.

BONGOSERO.— Lo hemos visto.

MUCHACHO.— Lo hemos visto.

PERICO.— Me alegro. Es un muchacho que no tiene un pelo de bobo. Por eso lo elegí. (*Golpeándose en el pecho.*) Es como yo. Lo he leído en sus ojos. No me equivoco. (*Pausa. Estupefacto.*) ¿Cómo me atrevo a afirmar tal cosa? ¿Saben quién es Perico Piedra Fina? (*Riéndose.*) Ya lo han olvidado. Somos gente que olvida. (*Pausa. En otro tono. Huyendo de una visión extraña.*) Oh, no, no. ¿Y si fuera capaz de traicionarme, de sacarme toda la plata y abandonar a mi hija y luego "si te he visto no me acuerdo"? (*En otro tono.*) No, no puede hacerlo. Jugaré. Lo tentaré. Lo dejaré siempre a medias. No hay nada más poderoso y que haga enloquecer más al hombre que la insatisfacción. Me pongo yo por ejemplo. Hace muchos, muchos años, allá por los tiempos de Mari Castaña, este Perico Piedra Fina que ven aquí tuvo un carrito de fritas en la calle de San Lázaro. (*Riéndose.*) El tiempo no pasa en balde. (*Mirando hacia arriba.*) ¿Parece un cuento de hadas, verdad...? (*Pausa.*) Sudores y sangre me ha costado. Los amigos de antes me miraban con envidia. "Ahí va Perico —dicen— el que vendió su alma al diablo". (*Riéndose.*) ¿Qué cosa es el alma? ¿Quién es el diablo? (*Pausa.*) Los amigos que ahora me dan golpes en el hombro y repiten: "Chico, eres hombre con suerte". (*Riéndose*). La suerte. Dígame. ¿Qué cosa, quién es la suerte? (*Pausa. Sombrío.*) Pero lo cierto, lo cierto, es que detrás de todo hay una pesadilla.

MUJER.— Una pesadilla.

BARBERO.— Una pesadilla.

BONGOSERO.— Una pesadilla.

MUCHACHO.— Una pesadilla.

PERICO.— ¿Qué nos está pasando? (*Da golpes con el bastón en el suelo.*) Música, alegría. Música. Que empiece la fiesta. Necesito un trago. (*Gritando.*) Que me traigan un trago. Que suenen los cueros allá arriba. Que me traigan un trago.

MUJER.— Que me traigan un trago.

BARBERO.— Que me traigan un trago.

BONGOSERO.— Que me traigan un trago.

MUCHACHO.— Que me traigan un trago.

ESCENA SÉPTIMA

(*PERICO PIEDRA FINA, JULIÁN y el CORO.*)

JULIÁN.— (*Entrando, muy alegre, gritando.*) Llegaron los tragos. (*Trae una bandeja con botellas y vasitos.*) Que viva el ron hasta el fin del mundo.

PERICO.— Gracias a Dios que llegaste. Qué mal rato, viejo. (*Mira a los personajes del coro. Pausa. Coge la botella con cierta precipitación. La huele. Pausa. En otro tono.*) ¿Qué hacían los criados? ¿Por qué te molestaste en traerlas tú mismo?

JULIÁN.— Estamos en la democracia. (*Empieza a cantar como un barí-tono desafinado.*)

PERICO.— Hay que mantener las distancias.

JULIÁN.— Un día es un día.

PERICO.— Tienes que aprender.

JULIÁN.— No se preocupe, viejo. (*Cantando.*) La vida es corta y el porvenir es mentira.

PERICO.— ¿Llegó algún otro invitado?

JULIÁN.— La gente no se cansa de preguntar por usted.

PERICO.— ¿Vino Manengue? ¿Trajo los documentos de la hipoteca?

JULIÁN.— ¿El sobrino del senador? Sí, señor.

PERICO.— ¿Los firmó al entregártelos?

JULIÁN.— (*Entregándole unos papeles que saca de un bolsillo de la guayabera.*) Puede verlos.

PERICO.— (*Revisando las firmas.*) Hay que cuidarse de los chanchullos.

JULIÁN.— Conmigo no hay salida.

PERICO.— Así me gusta.

JULIÁN.— (*En otro tono.*) ¿Cómo es posible que ese hombre aspire a ministro de la educación?

PERICO.— Cálmate, en boca cerrada no entran moscas. Ya llegará tu oportunidad. El que tiene padrino se bautiza.

JULIÁN.— Pero, viejo, es que uno se sulfura cuando es testigo de tantas cositas.

PERICO.— Déjalo a mi cuenta. (*Saca un fajo de billetes.*) Mira, Julián. Mira, aquí hay plata. (*Pausa. Grandilocuente.*) Mi reino es infinito. (*Pausa.*)

JULIÁN.— También llegó en un tremendo carro el hermano de Juanito Cien Botellas.

PERICO.— Perfecto.

JULIÁN.— Gente barín, viejo. Gente de copete en cantidad. Yo me decía: "Julián, éste es Julián, el que hace un mes andaba comiendo tierra". Y me miraba en el espejo. Estamos en el chémbalo, mi padre. La vida es un río de sorpresa. Ya soy otro Julián.

PERICO.— Eres el único encargado de mis negocios. (*Pausa.*) ¿Y Esperancita?

JULIÁN.— Está muy nerviosa... Por poco se echa a llorar y da un espectáculo. La tranquilicé diciéndole que en seguida subíamos.

PERICO.— No te preocupes. (*Se sienta.*)

JULIÁN.— Hay tanta gente que me da pena por ella.

PERICO.— Bah, todas las mujeres son iguales. Reparte el ron. Su madre se pasaba los días llora que te llora, hasta que se acostumbró. ¿Qué remedio no le quedaba? Buen vinito, eh, Julián. (*Contempla extasiado la botella.*) María tuvo un gesto amable. No esperaba que reaccionara de esa forma. Ella que tiene fama de ser una fiera. Lucía tan blandita... (*Sonriente y sarcástico.*) Regalarme una botella de vino. Linda botellita. ¿Qué marca es? No veo el sello... Ay, los espejuelos, ¿dónde los dejé? ¿Dónde? Es probable que se quedaran en la sacristía. Mi mujer tiene la culpa con sus apurillos de siempre. (*En otro tono. A JULIÁN.*) Después de todo, hemos hecho una jugada que le zumba el merequetén. Pero, ¿qué iba a hacer? ¿Quedarme como un comebolas mirando lucecitas de colores? No. (*Bebe de un solo trago.*) Perico Piedra Fina conoce lo que es el mundo. María, la pobre María, no tuvo tiempo de ponerse en acecho. Perico Piedra Fina sabe hasta dónde el jején puso el huevo. Sí, Julián, María te quiere demasiado..., y, por lo tanto, en cualquier instante, María hubiera saltado como una leona.

JULIÁN.— No exagere tanto. María tendrá que conformarse. Los únicos que verdaderamente me interesan son mis hijos.

PERICO.— ¿Tus hijos?

JULIÁN.— La verdad, mi socio.

PERICO.— (*Al público.*) ¿Y Esperancita?

JULIÁN.— Yo sé lo que me traigo entre manos.

PERICO.— (*Se levanta y se acerca a JULIÁN.*) Deja esos pensamientos. María quedará sola. Yo buscaré razones para quitárselos. Perico Piedra Fina es un bicho para dar golpes maestros.

JULIÁN.— En eso estoy de acuerdo con usted.

PERICO.— Oye, ¿quién se bebió el vino?

JULIÁN.— ¿El vino?

PERICO.— Se lo han bebido de un soplo.

JULIÁN.— Esperancita lo estuvo probando.

PERICO.— ¿Probando? No jeringues. Ella también le cogió el gustico. ¿Le vas a meter al último trago? Es de los buenos. (*Los personajes del coro permanecen atentos. Espiantes, satisfechos.*)

JULIÁN.— (*Malicioso.*) Prefiero estar en condiciones, viejo. Usted me entiende.

PERICO.— Bah, así te embullarías con mayor fuerza. La ilusión es importante. Me gustaría ver pronto la casa llena de nietos, nietos, muchos nietos...

JULIÁN.— Ahora me explico la matraquilla de Esperancita: "No te vayas, tengo sudores fríos, no te vayas". Menos mal que conseguí que se metiera en la cama un ratico.

PERICO.— (*Saca un pañuelo y se limpia el sudor de la frente.*) ¡Qué calor, madre mía! Esta noche parece de plomo. (*Pausa. Al coro.*) ¿No se divierten? Música. Hay que dejar los tambores sin fondo. Arriba. Hay que sacarles candela. Una noche así, uno se siente que ha conseguido la eternidad. (*Largas carcajadas.*) ¿No es verdad, María? (*Gritando.*) Yo soy el amo. Yo soy el rey.

JULIÁN.— ¿Tan pronto se le ha subido el vino a la cabeza?

PERICO.— Estás loco. Que venga la música. ¿Me oyes? Hay que divertirse y echar la casa por la ventana. (*Agarra a JULIÁN por el cuello.*) Más vino. No, no; espera. ¿Recuerdas lo que le dije esta tarde a María? ¿Recuerdas?

JULIÁN.— ¿Cómo voy a olvidarlo?

PERICO.— Vaya, uno... Uno...

JULIÁN.— Pero, viejo, a mí me llaman el inventor del sabor. Julián habla poco y nunca olvida.

PERICO.— ¿Recuerdas? ¿Recuerdas, entonces...? (*En otro tono. Como si hablara con MARÍA.*) Escucha, María. Vete. Prepara esta noche todas tus cosas y mañana te vas... sí, te vas con tus matules a cuestas. Si no haces lo que te ordeno, la policía vendrá a buscarte. Ten presente a tu padre muerto y a tu hermano muerto, ahorcado. Ellos no quisieron ponerse de acuerdo conmigo. Acuérdate. Vete, María. Vete. (*Pausa. En otro tono.*) ¿Qué te parece? ¿Me la comí o no me la comí?

JULIÁN.— (*Casi arrastrando a PERICO.*) Vamos, viejo, vamos.

PERICO.— Quita, quita. Tú lo que quieres es dominarme. ¿Ignoras que soy Perico Piedra Fina y que hago lo que me da la gana?

(*Se oye un grito espantoso.*)

JULIÁN.— ¿Qué habrá pasado? (*Hace mutis rápidamente.*)

ESCENA OCTAVA

(*PERICO PIEDRA FINA, el CORO y las voces de ERUNDINA y la SEÑORITA AMPARO.*)

PERICO.— A mí, ¿qué me importa? Que venga el diluvio universal. (*Pausa. El escenario se oscurece.*) Pamplinas, pamplinas. (*Golpea con el bastón.*) Gritos y más gritos. Es el olor del agua sucia que calienta. Eh, María, tú lo sabes muy bien, tan bien como yo. Aquí creciste. Aquí te vi año tras año, eh, María. (*Acrobacia con el bastón.*) Una suerte. (*Ríe.*) María, hermosa María. (*Tira la botella a un lado.*) A ti te gustan demasiado las historias bonitas. No te lo critico. Yo también sé de esas cosas; pero vuelvo siempre a la realidad... Y esa realidad ya la tengo planeada..., ten cuidado, porque todo el mundo me tiene miedo y se presta al juego... Yo te regalé el cuarto y tú se lo hipotecaste a Manengue y Manengue me lo vendió..., tremenda maraña. Aquí tengo los papeles, Julián me los entregó hace un momento. María, hermosa María. Eres la reina bruja, la madrastra de Blanca Nieves. Yo sé que mi camino..., mi camino es la..., muerte..., oigo sus pasos..., este maldito vino... ¿Dónde te has metido, Julián? (*Da un traspiés. Con hipo.*) Estoy haciendo el ridículo. Mi padre un coronel retirado que se moría de hambre. (*Canta.*) Ae, ae, ae. (*En otro tono.*) Ay, qué mareo, qué movimiento.... Yo soy un cubano libre... (*Casi cantando.*), que cuando canta se muere... (*Se ríe.*), en la noche..., un vendedor de fritas en el salón de los Pasos Perdidos. (*Cae al suelo, en medio de la escena, cerca de la puerta de MARÍA.*)

MUJER.— (*Al MUCHACHO.*) Dame un poco más.

BARBERO.— (*Divertido, a la MUJER.*) No seas gandía.

MUJER.— (*Al MUCHACHO.*) ¿Es tuyo el ron acaso?

MUCHACHO.— ¡Qué fresca eres! Si la oyera el marido.

MUJER.— Suelta la botella.

BONGOSERO.— Hay que gozar, mi socio, hasta fuerate.

ERUNDINA.— (*Gritando desde adentro.*) María, el espejo.

PERICO.— Un espejismo de muerte. No hables del espejo. No me mires así. Has envenenado el vino. Has envenenado la noche. Has envenenado el tiempo.

BARBERO.— (*Riéndose, a la MUJER.*) Aguanta que te haces tierra.

MUJER.— Esto es lo mío.

BARBERO.— (*Divertido.*) Ahí viene Antonio.

BARBERO.— (*Cantando.*) Ae, ae, ae.

MUJER.— Déjalo que venga.

MUCHACHO.— (*Cantando.*) Ae, ae, ae.

SEÑORITA.— (*Gritando desde adentro.*) Esperancita... Ha muerto Esperancita.

PERICO.— (*Levantándose.*) Has envenenado la muerte, María. (*Se arranca la corbata.*) Estoy solo. Ésta es una tumba. Un escalofrío. Un hueco profundo o una trampa. (*Pausa. Luego gritando.*) María, María. No detengas mi paso. Voy a devorar a tus hijos mulatos porque tú puedes levantar el fuego de la sangre. María, María. (*Haciendo mutis.*) Si hay justicia, Dios no tiene nada que perdonarme.

(*Los personajes del CORO comienzan a moverse. Hacen señales con las manos y el cuerpo como si estuvieran tapando un hueco. Golpes de tambor.*)

ESCENA NOVENA

CORO.— Que se murió, que se murió
que le echen tierra
que lo tapen bien. (*Se repite tres veces.*)

(*MARÍA entra violentamente.*)

ESCENA DÉCIMA

(*MARÍA y el CORO.*)

MARÍA.— He ganado la partida. Voy detrás del espejo, Perico Piedra Fina. Ahora a Julián le queda el regreso. (*Risa sarcástica.*) La locura o la muerte. (*La risa se convierte en un grito horrible, implacable.*)

TELÓN

TERCER ACTO

(*Madrugada. Una atmósfera rojiza envuelve la escena. Se oye a intervalos, un lejano tam tam. Sigilosamente entran por el lateral izquierdo MADAME PITONI- SA y el DOCTOR MANDINGA. Ella aprieta una jaba contra el vientre. Viste de blanco con muchos collares y pulseras. Pequeña, gorda y muy cargada de hombros. Contrasta notablemente con su acompañante. Éste es alto y corpulento. Bajo el bra- zo izquierdo lleva un paquete de yerbajos envueltos en papel de periódico. Viste un traje gris, raído y sucio. MADAME PITONISA y el DOCTOR MANDINGA son viejos y negros.*)

ESCENA PRIMERA

(*MADAME PITONISA y el DOCTOR MANDINGA.*)

MADAME.— Esto tiene que decidirse.

DOCTOR.— ¿Estás segura?

MADAME.— Ya lo creo que sí.

DOCTOR.— ¿Cómo lo sabes?

MADAME.— Lo huelo en el aire.

DOCTOR.— (*Balbucea, mirando a su alrededor.*) Pero esto está muy feo. (*La mira maliciosamente.*) Vieja pelleja. (*Se ríe.*) Contigo no hay quién pueda.

MADAME.— (*Susurrando.*) Cállate. ¡Qué barbaridad! No hables tan alto. (*En otro tono.*) Tú sabes que yo nunca me equivoco.

DOCTOR.— (*Alzando la voz.*) A la verdad que si hay pruebas, ésas las tengo yo.

MADAME.— (*Alardeando.*) Entonces, ¿para qué tanta agitación?...

48

DOCTOR.— ¿Y ella vendrá?

MADAME.— (*Susurrando, con mucho misterio.*) ¿Quién?

DOCTOR.— (*Imitando su tono.*) María.

MADAME.— (*Rápida, dispuesta a salir.*) Cuidado.

DOCTOR.— (*Con cierta torpeza, como si fuera sorprendido. Da unos pasos en puntillas de pies.*) Hay moros en la costa.

MADAME.— (*Molesta, secreteando.*) Ven para acá. Qué pazguato. (*El DOCTOR MANDINGA corre hacia ella en puntilla de pie.*) Mira que eres bruto. (*Se esconden. Pausa.*)

DOCTOR.— (*Sacando la cabeza del escondite que puede ser el lateral izquierdo.*) Por poquito me cogen in fraganti...

MADAME.— (*Saliendo del escondite.*) ¿Quién fue?

DOCTOR.— No sé... (*Sale del escondite.*)

MADAME.— (*Haciendo signos en el aire.*) Por los nueve demonios, por los huesos de todos los muertos..., y la trompa celeste...

DOCTOR.— ¿Qué le pasa, Madame?

MADAME.— (*Tratando de espiar, por todos los lados del escenario.*) Nada, hijo, nada. (*En otro tono.*) Sentí un corrientazo, un aire frío; algo terrible se acerca... Si es Erundina...; esa vieja no me puede ver ni en pintura... Vigila tú por ahí...

DOCTOR.— ¿Y usted cree que ella le haga eso?

MADAME.— ¿Quién, hijo, quién?

DOCTOR.— María.

MADAME.— ¿Podrá resistirse? (*Se sonríe.*)

DOCTOR.— Ella es fuerte.

MADAME.— Si me opongo a ella, terminará haciendo lo que deseo.

DOCTOR.— Primero hay que informarse para que el trabajo quede bien.

MADAME.— Nada de informaciones. Tú y yo lo sabemos todo. No necesitamos de esas boberías. Lo que pasó esta noche ya venía caminando... (*Mirando hacia todos los lados y hacia el piso.*) Hay sangre por todos los rincones. (*Se sonríe. Pausa.*) Ella tiene que llegar al final del final, más allá del final.

DOCTOR.— Anda muy mal; y eso es terrible.

MADAME.— Ayer le tiré las cartas.

DOCTOR.— Hay sangre. (*Da unos pasos hacia el fondo.*)

MADAME.— Ella tendrá que hacer de tripas corazón. Luego le tiré los caracoles; y aquello, mira, me erizo... (*Con ternura.*) Hay que ayudarla, Doctor Mandinga. (*En primer término del escenario.*) Esto es cosa seria. No te eches para atrás, que te conozco, Eleuterio. Acércate, no vaya a venir alguien y nos coja desprevenioos. (*Pone la jaba, con mucho esfuerzo, en el suelo.*) Esta reúma me va a dejar lista de un momento a otro.

DOCTOR.— (*Con torpeza.*) Si me lo hubiera dicho, la ayudo.

MADAME.— Déjame a mí, hombre. (*Registrando la jaba.*) Voy a regar los polvos. (*No encuentra lo que busca.*) ¡Qué trafajina! ¿Dónde los puse? Tú debes traerlos, ¿no? Ay, esta cabeza mía. Un día la pierdo. (*Registrando.*) A ver... Ten calma, Madame Pitonisa; por cualquier cosa te desesperas. A ver, ¿los traje o no los traje? (*Pausa. Gesticula.*) Lo más importante y lo olvidé.

DOCTOR.— Registre bien, Madame.

MADAME.— Eso estoy haciendo. ¿Tú los trajiste, verdad? (*El DOCTOR MANDINGA no se inmuta.*) Aquí están. (*Pausa. Abre la caja y la huele. En otro tono.*) Vamos, rápido. Hay que hacer un adelanto. Riega un poco de albahaca y de rompe-zaragüey. (*El DOCTOR MANDINGA saca de su paquete unos ramitos o gajos y comienza a sacudirlos, como si santiguara el escenario.*) A los espíritus infernales... (*Esparce los polvos por el escenario.*) A través del mal en esta tierra, en este infierno, el sufrimiento, la purificación... A través del mal..., la tierra... A través del mal..., el infierno... A través del mal en esta tierra, en este infierno.... A través del mal en esta tierra, en este infierno, el sufrimiento, la purificación. (*Se detiene en el centro del escenario, gira dos veces sobre sí misma. El DOCTOR MANDINGA está en el fondo del escenario, resoplando y pronunciando palabras ininteligibles.*) Acércate, espíritu purificador... (*Vuelve a girar sobre sí misma. Pausa. En trance.*) Por los nueve demonios... (*El DOCTOR MANDINGA da tres patadas misteriosas en el suelo.*) Por los nueve demonios que asisten cada ventana. Por los nueve demonios que se ocultan en todas las puertas. Por los nueve demonios que agitan cada pensamiento. Espíritu purificador, abre camino. Abre camino en la tierra y en la eternidad.

(*Pausa. Lentamente la luz se hace menos intensa. MADAME PITONISA y el DOCTOR MANDINGA hacen mutis por el lateral izquierdo.*)

ESCENA SEGUNDA

(*MARÍA, sola.*
Entra MARÍA. Su rostro y sus movimientos reflejan desconcierto y angustia.)

MARÍA.— (*Buscando.*) ¿Alguien? (*Pausa.*) Nadie, nada... ¿Será posible que yo al final...? Si al menos alguien... (*Casi musitando.*) Esto es un círculo cerrado. (*Da unos pasos hacia el primer plano.*) Julián, Julián... (*En otro tono; débilmente.*) Esta noche me parece interminable; es como si el tiempo, las horas, los minutos y yo misma, no existiéramos y sólo fuéramos un vacío oscuro, sin fondo... oh, madrugada roja, más roja que la sangre que ha manchado este solar... y yo, aquí, esperando, esperando, esperando; pero ¿a quién? Sí, ya sé que no ha de venir, si es inútil toda esperanza; que no ha de venir, si mis palabras no significan nada, ni lágrimas, ni... (*Se ahoga en sollozos.*) ¿Qué puedo hacer?..., ¿qué haré? (*Se arrodilla. Luego se sienta. Solloza.*) Lo he intentado todo. He hecho lo imposible y lo imposible me falla...

ESCENA TERCERA

(*MARÍA, MADAME PITONISA y el DOCTOR MANDINGA.*)

MADAME.— (*Entrando, con majestad.*) Deja de lamentarte tanto.
MARÍA.— (*Asombrada.*) ¿Cómo, tú aquí?
MADAME.— He venido porque me necesitas.
MARÍA.— ¿Cómo lo sabes? ¿Quién te lo dijo?
MADAME.— Para enterarme de las cosas nadie tiene que decírmelas. ¿Dudas? ¿No tienes fe? Pobre de aquél que la ha perdido. (*Pausa.*) Tú tienes que llegar al final...
MARÍA.— (*Casi musitando.*)..., del final, más allá del final. (*Llorando, desesperada.*) Ay, Madame Pitonisa, Madame... (*Se inclina sobre los pies de MADAME PITONISA.*)
MADAME.— (*Sentenciosa.*) Falta poco. (*Se sienta en un escalón más alto que el de MARÍA. MARÍA apoya su cabeza en las piernas de MADAME PITONISA.*)
DOCTOR.— ¡Qué oscuridad!

MADAME.— Deja las lágrimas. Anda, levanta la cabeza.

DOCTOR.— (*Hace signos en el aire.*) Un poco de luz para este ser.

MARÍA.— (*Con lágrimas.*) No ha venido. Yo pensé que aparecería entre las sábanas blancas, indignado, insultándome, dispuesto a lo peor; pero cerca, tan cerca de mí que... No sabes los esfuerzos que he hecho.

DOCTOR.— (*Abre el paquete de los yerbajos y comienza a moverlo en el aire.*) Entre cielo y tierra... (*Barre hacia la puerta del fondo.*)

MARÍA.— Dando vueltas y más vueltas, suplicando, me arrastraría besando el polvo, las paredes, las piedras, si me lo pide. Doy mi sangre por verlo, por saber lo que piensa, y si todavía, aunque sea muy poco, siente algo, Madame, algo...

MADAME.— No sigas. Cálmate.

MARÍA.— Ahí, desnudo, mirándome con rabia, apretándome el cuello, rechazándome, humillándome... ¡No importa! ¡Es él! ¡Imagínate lo que he sufrido!

DOCTOR.— (*Se arrodilla. Con la mano derecha da tres golpes en el piso.*) Invoco a los espíritus dañinos e infernales...

MADAME.— (*A MARÍA, fingiendo compasión.*) Lo imagino, María. (*En otro tono.*) Eres una niña... ¡Con lo que he tratado de ayudarte!

MARÍA.— Si no me estoy quejando de usted, es de él, de Julián... Siempre ha creído que valgo poca cosa, al menos, eso es lo que me ha dicho, no una vez, sino cien, cien mil. Y eso me hace perder los estribos; y yo quiero romper y le grito y le exijo y le digo que no volveré a verlo nunca más y él me dice que sí, que si yo le digo eso es lo que se hará; y se queda como si ni lo más mínimo hubiera pasado, pero no puedo resistir y vuelvo, aunque haya jurado un millón de veces que no lo haría, y lo busco y le exijo y le digo que sí, que él tiene la razón, que soy una estúpida, que él es mil veces mejor que yo. Ahora, esto es terrible, Madame...

MADAME.— (*Con mucha ternura.*) Cogiste el camino equivocado, María.

DOCTOR.— (*Invocando.*) Por el espanto, las pesadillas y Belzebuth.

MARÍA.— (*Evocando el pasado. Obsesionada.*) Aquella noche entró, ya le había dicho que no, que no podía ser lo que se proponía, que existían condiciones y condiciones, que Erundina dijo que no, que era una locura, que papá estaba enfermo, que iba a gritar, que mi hermano dormía en el otro cuarto, que me dejara tranquila; y él no me hizo caso..., yo no pude aguantar, sus palabras me envolvían... Oía un ruido, una música, y yo le decía que no. (*Pausa. Vencida.*) Lo dejé entrar...

MADAME.— (*Fingiendo compasión.*) Los años pasan y sigues igual.

DOCTOR.— (*Invocando.*) Por los ahorcados, condenados y ultrajados.

(*Simultáneamente.*)

MARÍA.— (*A MADAME.*) Mi hermano siempre me aconsejó desde el principio; él veía lo que venía...

MADAME.— ¡Con razón!

MARÍA.— ..., y papá y Erundina y Salustiano...

MADAME.— (*Rápida, interrumpiendo.*) No me vas a negar que yo también...

MARÍA.— (*Rápida, interrumpiendo.*) Sí, Madame. Lo sé y se lo agradezco. Pero yo...

MADAME.— (*Secamente.*) Acepta y olvida. (*MARÍA se levanta.*)

DOCTOR.— (*Invocando.*) Por las parrillas al rojo vivo y las calderas de aceite y las tumbas que se abren y los muertos que se levantan y el horror que sobrevive y el sufrimiento y la guerra y la muerte. Por el espanto, las pesadillas y Belzebuth.. (*En un grito.*) Luz y progreso para el alma en pena.

MARÍA.— (*Desesperada.*) No, eso no. No puedo aceptar. No puedo olvidar. Eso es demasiado fácil. Jamás me decidiré por una cosa semejante. ¿Acaso lo que he vivido es un juego inútil? ¿Crees que lo que he sufrido, mis sueños, mis desvelos, se pueden borrar y quedarse como si no hubiera pasado nada? Me niego. ¿Lo oyes? Me niego. ¿Crees que con olvidar basta? ¿Y mis hijos? ¿Quién puede borrarlos? Ellos están ahí. Gritan, piden, exigen, reclaman. A eso hay que enfrentarse. (*Pausa. Da unos pasos hacia el primer plano del escenario. Por un instante se transforma. Dulce. Íntima.*) Cada vez que los veo, veo la imagen de Julián. Ellos son Julián. No sólo yo... Ellos también necesitan de Julián. El destino es Julián.

MADAME.— (*Entre risas burlonas.*) Pero, ¿qué estás diciendo, Ma-

ría? ¿Hablas en serio? No, no. Te burlas de mí. (*Entre carcajadas.*)
Si ésa es la verdad, no puedo creerla.

MARÍA.— (*Con cierta amargura.*) Sí, ésa es la verdad. Yo no soy yo,
soy otra. Mis pensamientos, mis alegrías, mi desesperación, mis
hijos, si he llegado hasta el crimen, todo, todo lo mío es Julián.
Mi vida no tiene otro sentido.

MADAME.— (*Con gran piedad.*) ¡Ay, hija mía, pones el dedo en la
llaga! ¿No te das cuenta que todo eso es falso, que tiene que ver
muy poco con la realidad? ¡Piensa, detente en lo que haces, en
lo que dices, en lo que ocultas, en lo que te rodea, en lo que hace
y dice Julián! ¿No ves que es un error? ¿Qué es lo que defiendes?
Dime la causa, lo que tú crees, lo que tú piensas. ¿Tener a Julián? ¿Lo tienes? ¿Lo has tenido alguna vez? ¡Todo ha sido igual
que ahora!… (*Pausa breve. Con intención.*) ¿Y tú? Dime, ¿cuál es
tu sitio? (*Pausa breve.*) ¿Es tu destino ese triste papel de andar siempre en el vacío, en el aire, pendiente de sus deseos, de sus mez-
quindades, de si llega, de si está con otra, de no saber nada de
nada? ¿Acaso tu destino es ése, nada?

MARÍA.— (*Furiosa.*) Váyanse, déjenme. Eres igual que Erundina.
Eres igual que todos. Todos dicen lo mismo. ¿Por qué no me dejas en paz? ¿Crees que no tengo salidas? ¿Crees que no podré
arreglarme como antes? (*Con sarcasmo.*) No sabía que los demás
se ocuparan tanto de la felicidad o la desgracia de uno. Además,
¿qué les importa? ¿Porque he contado lo que sufro y lo que me
atemoriza, se imaginan que estoy pidiendo protección?…

(*MADAME PITONISA y el DOCTOR MANDINGA, en primer plano, comienzan a girar sobre sí mismos y a musitar con sentido rítmico, como si fuera
un cántico, al unísono o alternativamente.*)

MADAME.— Emperador Lucifer, dueño y señor de todos los espíritus rebeldes, te ruego que seas favorable en la apelación que te
hago…

DOCTOR.— Yo te ruego también a ti, príncipe Belzebuth, que me
protejas en mi empresa…

MADAME.— ¡Oh Conde Astaroth!, sé propicio y haz que esta
noche…

DOCTOR.— Yo te ruego que dejes tu morada donde quieras que te halles para venir a hablarme...

MADAME.— Y que conceda..., la fuerza y la voluntad...

MARÍA.— (*Como una furia.*) No crean que será tan fácil; no crean que me podrán vencer.

MADAME.— (*En sus invocaciones, con acento lastimero.*) A María...

DOCTOR.— (*Imitándola.*) A María...

MARÍA.— (*Acorralada como una furia.*) No soy María. No soy nadie. No soy nada. Soy yo.

(*MARÍA, de pronto, ha ido cayendo en trance. MADAME PITONISA y el DOCTOR MANDINGA continúan sus invocaciones y girando como si fueran cuerpos aéreos desde el primer plano hasta el fondo del escenario y en sentido contrario.*)

MADAME.— De lo contrario, te obligaré por la fuerza de Alpha y Omega...

DOCTOR.— Y de los ángeles de la luz, Adonay, Eloín y Jehová, a que me obedezcas.

religión

MADAME.— Obedéceme prontamente.

DOCTOR.— O serás eternamente atormentada.

(*MARÍA, en trance, da vueltas por el escenario, mientras habla con los secretos demonios de JULIÁN.*)

MARÍA.— (*Con ansiedad.*) ¡Julián! (*Iluminándosele el rostro.*) Oh, Julián... (*Como si JULIÁN la golpeara.*) ¿Qué haces? ¿Estás loco? ¿Por qué? ¿Por qué?... (*Ahogándose entre sollozos.*) ¡Oh, no, no...! No sigas. Espera, te lo suplico. (*Como si sacara dinero del pecho.*) Toma. Ahí tienes. Es tuyo. Todo. Sí, sí. Yo te explicaré. Te lo diré. No guardo nada. Soy buena. Te juro que soy buena contigo. Perico Piedra Fina está tramando algo en contra mía. Lo sé; pero tú me quieres, ¿verdad? Sé que no te importa que mi padre sufra y se esté muriendo y que a mi hermano lo hayan metido en la cárcel..., por un robo que no ha cometido. Fui yo, Julián, yo..., lo hice por ti... No te rías. Es así... (*Explicándole.*) Tú eres hombre y necesitas resolver, y como tú no puedes hacer lo que hacen los otros... (*Apasionada.*) Te necesito, amor mío. No puedo quedarme sola ahora... No me abandones. Haz lo que quieras; yo te seguiré a pesar de que tú... Me someto. Nada vale la pena en este mundo si no eres tú. Seré tu sombra, cualquier cosa. (*Pausa *larga. MARÍA se detiene. Ha visto claramente todo su pasado de horror, de pesadilla. MADAME PITONISA y el DOCTOR MANDINGA al fondo como dos sombras. Con profunda intensidad.*) Te has ido, y no regresas. (*Pausa.*) Me vengaré. Sí, es lo único que puedo hacer. Al fin comienzo a ver claro, Madame Pitonisa. (*MADAME PITONISA no se mueve.*) Tú tenías toda la razón. Mi destino no es Julián. ¿Dónde está el espejo? (*Gritando.*) Erundina, Erundina. (*Comenzando a reconocerse en el espejo.*) Tengo un cuerpo. Aquí está. Ésa es mi imagen. (*Se burla amargamente.*) Mi cuerpo es el espejo. (*Comienza a reírse.*) El espejo. Ahí está señalándome lo que debo hacer, diciéndome: "No tengas miedo. Ten confianza. La vida, tu vida es lo único que posees y lo único que vale". ¿Cómo es posible que hayas estado ciega durante tanto tiempo? ¿No será todo esto un espejismo? No, no... (*Su risa es como un estallido de locura.*) ¡Qué boba, qué boba soy!... Ah, si supieras, Julián..., si supieras que ya no te deseo, que ya no representas nada. (*Largas carcajadas.*)

(*Pausa. MARÍA cae de rodillas, en primer plano, en el centro del escenario. MADAME PITONISA trae un enorme cuchillo con el mango negro. Se acerca a MARÍA por el lado izquierdo... El DOCTOR MANDINGA trae un pequeño muñeco de cera. Se acerca a MARÍA por el lado derecho.*)

MADAME.— (*A MARÍA, susurrante.*) Ahí tienes. (*Le entrega el cuchillo.*)

DOCTOR.— (*A MARÍA, susurrante.*) Clávaselo. (*Le entrega el muñeco de cera.*)

MARÍA.— (*Mirando el cuchillo y el muñeco, temerosa.*) No, ahora no.

MADAME.— Debes hacerlo.

DOCTOR.— No pierdas la oportunidad.

MADAME.— Haz la invocación que tú conoces.

DOCTOR.— Para que desaparezca.

MADAME.— Ten fuerza.

DOCTOR.— Un poco de voluntad.

MADAME.— Anda, dilo de una vez y para siempre. (*Comienza la invocación.*) Espíritu dañino e infernal... (*Hace mutis.*)

MARÍA.— (*Repitiendo débilmente la invocación.*) Espíritu dañino e infernal, te conjuto a que pongas tus diversas cualidades al servicio mío para atormentar y hacer desaparecer a...

(*MARÍA, el muñeco de cera y el cuchillo caen al suelo.*)

ESCENA CUARTA

(*ERUNDINA y LA SEÑORITA AMPARO.*)

ERUNDINA.— Menos mal que se durmieron.

SEÑORITA.— Me siento culpable. Cuando empezaron a gritar: "Quiero que venga mamá", no sabía qué decirles...

ERUNDINA.— Deja eso. No me mortifiques.

SEÑORITA.— ¿Habló ella? ¿La aconsejó? ¿Qué le dijo?

ERUNDINA.— Nada hice. Nada dijo.

SEÑORITA.— Pero..., ¿no habíamos quedado?...

ERUNDINA.— Es preferible así.

SEÑORITA.— Pero... Nosotras... Es nuestro deber. Podríamos detenerla.

ERUNDINA.— ¿Quién puede detener al aire y al fuego que se desatan?

SEÑORITA.— Tienes razón... (*Pausa. Señala hacia MARÍA.*) Mire, ahí está María.

ERUNDINA.— Vamos, hay que dejarla que piense, que piense.

SEÑORITA.— Debemos decirle que los niños, entre sueños la llaman...

ERUNDINA.— No, es mejor así. Es necesario que se las arregle sola, que se encuentre. (*Hacen mutis.*)

ESCENA QUINTA

(*MARÍA, sola.*)

MARÍA.— (*Desesperadamente.*) No puedo, no puedo. (*Pausa.*) Sin embargo, tengo que hacerlo. (*Respira hondo.*) Tengo que hacerlo, Madame Pitonisa. Tengo que hacerlo, Erundina. Tengo que hacerlo, Doctor Mandinga. Tengo que hacerlo, hijos míos. (*Pausa.*) Sí, es necesario que lo haga. Es necesario que me levante contra esa María que me arrastra y me humilla. (*Se levanta.*) Ya sé que no son los otros; eres tú, María, quien me empuja al vacío. Tú eres mi enemiga. Yo soy la otra, la que está en el espejo, la que estaba esperando y tenía miedo y no quería salir y se escapaba y no veía

que estaba sola; sola, aunque no lo quisiera, aunque creyera que
no podía soportar la soledad. (*Enérgica.*) Déjame. Ahora comprendo.
Ahora empiezo a descubrir lo que me rodea, lo que era mío y
rechazaba. Ahora no tengo miedo. Sé que ando a tientas; pero
éste es mi camino y no tengo miedo. Ahora sé que el amor es también tan fuerte como la vida y la muerte y que tal vez vida, muerte y amor sean una misma cosa. Ahora sé qué soy. (*Breve risa histérica.*) Que soy, que ya no existen ataduras, ni temores, ni
humillaciones, porque sólo sabiendo, yo soy yo; que ya no me importan ni el bien ni el mal, que toda esa patraña la he borrado;
ahora soy; que tus brazos, Julián, que tu cuerpo, Julián, son una
triste historia; yo que he estado aferrándome a un fantasma, que
necesito la vida, sí, la vida: en el horror, en la sangre, en la ternura, en la indiferencia, en el crimen. Sé que necesito la vida, que
este cuerpo me empuja hacia la vida, que antes estaba muerta y
que ahora soy María, soy yo. (*Pausa. Repentinamente ausente.*) ¿Dónde están mis hijos? (*En un grito.*) Erundina. (*Pausa. Otro grito.*) Señorita Amparo. (*Pausa.*) ¿Dónde se han metido? (*Pausa. Con odio,
pero tranquila.*) Me vengaré, Julián. No podrás detenerme. Si he
matado a los que creí piedras en mi camino... Será lo que tú no
esperas ni imaginas. Llegaré al final del final, más allá del final.
(*Gritando.*) Mis hijos. ¿Dónde están mis hijos? (*Pausa. Otro tono.*) Ahora no es el amor; o quizás, sí; un amor que va más allá de ti y
de mí y de las palabras; un amor que exige el sacrificio y el odio;
un amor que lo destruye todo para siempre empezar de nuevo.
(*Pausa larga.*) Silencio. Ahí están mis hijos. Que nadie los despier-
te. Julián ha muerto y ellos seguirán dormidos para siempre. (*Hace
gesto de silencio.*) Mi vida empieza, Julián. Mi vida empieza, hijos
míos. María se ha encontrado. (*Como si viera aparecer multitud de espejos en el escenario.*) Un espejo, ahí. Un espejo, allí. Otro espejo, aquí.
Estoy rodeada de espejos y yo también soy un espejo. (*Se ríe. Pausa.*) Silencio..., y es tanta la sangre. La sangre. La sangre... (*Con
un repentino temor.*) ¡Ay, que me ahogo en la sangre!..., que me ahogo en un patio de sangre. (*En un grito espantoso.*) Vengan a detener
la sangre. (*Cae de rodillas, de espaldas al público.*)

ESCENA SEXTA

(*MARÍA y el CORO.*

BARBERO y MUCHACHO entran por el lateral izquierdo; MUJER DE ANTO-NIO y BONGOSERO entran por el lateral derecho; MARÍA en el centro del escenario.)

MUJER.— (*Mirando a todos lados.*) ¿Alguien ha visto a María?

MUCHACHO.— (*Al público.*) ¿Alguien ha visto a María?

MUJER.— Es necesario que alguien la aconseje.

MUCHACHO.— Las declaraciones vendrán. Vendrán días negros, más negros que los que hemos pasado.

BARBERO.— No hablen del pasado.

MUJER.— El pasado no cuenta. ¿Qué importa que María haya tenido una vida heroica? Eso no vale ni un comino.

MUCHACHO.— Aquí lo único que hacemos es gritar, gritar.

BARBERO.— (*Ocupando su sitio.*) Gritar, gritar; ésa es la verdad.

MUJER.— (*Gritando.*) ¿Dónde estás, María?

BARBERO.— En un solo caballo andamos.

BONGOSERO.— Andamos, no; nos hundimos.

BARBERO.— No precipites una desgracia más.

MUCHACHO.— Hay que detener a María.

MUJER.— María, vuelve atrás.

MUCHACHO.— Refrénate.

BARBERO.— No sigas en esa nube.

BONGOSERO.— La violencia es un arma de doble filo.

MUJER.— Piensa.

BARBERO.— Reflexiona.

MUCHACHO.— Tienes dos niños hermosos.

BONGOSERO.— Dos hijos, que son el futuro.

MUJER.— Sacrifícate.

BARBERO.— Críalos.

MUJER.— Ponlos luego a luchar entre los hombres.

BONGOSERO.— Así hacen todos los padres desde que el mundo es mundo.

MUJER.— No vayas al crimen.

BARBERO.— No seas una madre asesina.

MUCHACHO.— No mancilles tu sangre.

BONGOSERO.— Que no te ciegue la pasión.

MUJER.— (*Melodramática.*) Detente. (*En tono solemne.*) No repitas la historia de Cuca Miraflores, la querida del Coronel Pancho Pujilato... (*En tono de chisme.*) Antonio me ha contado que esa pobre mujer..., hace muchos, pero muchísimos años y parece que fuera hoy..., después de darle fuego a la casa, con sus dos hijos dormidos, salió corriendo y se tiró al mar.

BONGOSERO.— Un mar de sangre nos rodea.

BARBERO.— ¿Qué podemos hacer?

MUJER.— Sangre, maldita sangre...

MUCHACHO.— (*Gritando.*) María, María...

BONGOSERO.— Bastante hizo con librarnos de Perico Piedra Fina, de su sombra, de su bastón.

MUJER.— Ay, María, estamos en deuda contigo...

BARBERO.— Nosotros, cuando lleguen las investigaciones, diremos: fue un accidente.

CORO.— (*Reconociendo a MARÍA.*) Escúchanos, María. No te hundas en la sangre.

ESCENA SÉPTIMA

(*MARÍA, el CORO y VOCES DE NIÑOS.*)

MARÍA.— (*Levantándose y recogiendo el puñal.*) La sangre es un espejo que me salva.

VOZ DE NIÑO.— (*Dentro, llorando.*) Mamá, mamá.

OTRA VOZ DE NIÑO.— Mamita, ven.

MARÍA.— (*Haciendo mutis con gran majestad.*) No teman, hijos míos, van a dormir, mis niños van a dormir, mis niños van a dormir, mis niños van a dormir.

CORO.— (*Tono solemne, casi cantando.*)

> Sangré sangré sangré sangré
> no te hundas en la sangre
> sangré sangré sangré sangré
> no te hundas en la sangre
> sangré sangré sangré sangré
> ay sangre ay perdición.

(*Los personajes del CORO caen de rodillas.*)

ESCENA OCTAVA

(*MARÍA, JULIÁN y el CORO.*
MARÍA entra con las manos ensangrentadas, JULIÁN entra por el lateral izquierdo,
con el rostro desencajado.)

JULIÁN.— (*Furioso. Manoteando.*) Al fin te encuentro. Bonita jugada.
(*Moviendo la cabeza y mirándola de arriba a abajo.*) ¿Quién iba a sospe-
charlo? María, la buenota de María. Sin lugar a dudas eres una
fiera. (*Escena muda de MARÍA.*) Mira, déjate de payasadas. (*Escena*
muda de MARÍA.) No me fastidies, porque soy capaz de romperte
el alma. (*Escena muda de MARÍA.*) Y no es que me las dé de come-
gente, sino que hago lo que me da la gana. (*Dándose golpes en el pe-*
cho.) Soy hombre a todo. En realidad, si dejaba que me resolvie-
ras era porque casi me lo pedías a gritos. Sí, chica, sí, ¿y qué?
(*Escena muda de MARÍA.*) No huyas, que no te voy a pegar. ¿Crees
que no lo sé? Me has usado como un imbécil. (*Escena muda de MA-*
RÍA.) ¿Pero, ven acá, tú piensas que soy bobo o me chupo el dedo?
Le diste un vino envenenado al pobre viejo... y luego, la hija, sin
sospechar siquiera, también cayó en la trampa. (*Escena muda de MA-*
RÍA.) Tu propósito era matarme, ¿verdad? Te falló la puntería.
Mira a ver lo que dices. Todo el mundo comenta lo que hiciste.
Vendrá la policía..., y vamos a ver cómo te las arreglas. Yo no quiero
vérmelas otra vez con esa gente. (*Escena muda de MARÍA.*) Vengo
a buscar a mis hijos. Son míos. Me los llevaré lejos, muy lejos,
a un sitio donde la imagen de este solar sea una borrosa pesadilla.
(*Escena muda de MARÍA.*) Al grano, ¿dónde están? Me los darás a
las buenas o a las malas. (*Hace mutis. Pausa. En un grito, dentro.*) ¿Qué
has hecho, María? (*Llorando.*) ¿Qué has hecho?

(*Comienza un toque de tambor. Los personajes del CORO se levantan al compás*
de la música y van rodeando a MARÍA, que intenta escapar. Esta escena debe
sugerirse: no hacer hincapié en la danza.)

CORO.— (*Cantando furiosamente.*) Asesina. Asesina. Asesina. Asesina.

(*Los personajes del* CORO *entablan una lucha desesperada con* MARÍA, *que se defiende. Los personajes, uno a uno, tratan de vencerla.* MARÍA *lucha frenéticamente.*)

MARÍA.— (*Tensa, jadeando. En un grito salvaje.*) Soy Dios.

(*Los personajes del* CORO *la ven caer vencida. La arrastran hasta el primer plano; luego, horrorizados, la levantan como un trofeo.*)

CAE EL TELÓN

La Habana, 1959-1960

La noche de los asesinos

Dos actos

Para María Angélica Álvarez
Para José Rodríguez Feo

PREMIO DE TEATRO CASA DE LAS AMERICAS (1965)

JURADO

Emilio Carballido
Antonio Larreta
Bernardo Canal Feijóo
Néstor Raymondi
Abelardo Estorino

Ay de tanto! Ay de tan poco! Ay de ellos!
CÉSAR VALLEJO

... cada uno es para sí un monstruo de sueños.
ANDRÉ MALRAUX

... este mundo humano entra en nosotros, participa en la danza de los dioses, sin retroceder, ni mirar atrás, so pena de convertirse como nosotros mismos: en estatuas de sal...
ANTONIN ARTAUD

... Can we only love
Something created by our own imagination?
Are we all in fact unloving and unlovable?
Then one is alone, and if one is alone
Then lover and beloved are equally unreal
And the dreamer is no more real than his dreams.
T.S. ELIOT

PERSONAJES

Lalo
Cuca
Beba

(Los personajes, al realizar las incorporaciones de otros personajes, deben hacerlo con la mayor sencillez y espontaneidad posibles. No deben emplearse elementos caracterizadores. Ellos son capaces de representar al mundo sin necesidad de ningún artificio. Téngase esto en cuenta para la elaboración del montaje y dirección escénicas. Estos personajes son adultos y sin embargo conservan cierta gracia adolescente, aunque un tanto marchita. Son, en último término, figuras de un museo en ruinas.)

TIEMPO: Cualquiera de los años '50.

ESCENARIO: Un sótano o el último cuarto-desván. Una mesa, tres sillas, alfombras raídas, cortinas sucias con grandes parches de telas floreadas, floreros, una campanilla, un cuchillo y algunos objetos ya en desuso, arrinconados, junto a la escoba y el plumero.

LA NOCHE DE LOS ASESINOS fue estrenada el 4 de noviembre de 1966 en Teatro Estudio, Sala Hubert de Blanck, bajo la dirección de Vicente Revuelta, con escenografía y vestuario de Raúl Oliva, e interpretada por Miriam Acevedo (Cuca), Ada Nocetti (Beba) y Vicente Revuelta (Lalo). Asesor de la dramaturgia: Wanda Garatti. Premio de Teatro, Concurso Literario de la Casa de las Américas, 1965.

Premio Gallo de La Habana, máxima distinción recibida por el espectáculo en el Festival de Teatro Latinoamericano Casa de las Américas, 1966.

PRIMER ACTO

LALO.— Cierra esa puerta. (*Golpeándose el pecho. Exaltado, con los ojos muy abiertos.*) Un asesino. Un asesino. (*Cae de rodillas.*)

CUCA.— (*A BEBA.*) ¿Y eso?

BEBA.— (*Indiferente. Observando a LALO.*) La representación ha empezado.

CUCA.— ¿Otra vez?

BEBA.— (*Molesta.*) Mira que tú eres... ¡Como si esto fuera algo nuevo!

CUCA.— No te agites, por favor.

BEBA.— Tú estás en Babia.

CUCA.— Papá y mamá no se han ido todavía.

BEBA.— ¿Y eso qué importa?

LALO.— Yo los maté. (*Se ríe. Luego extiende los brazos hacia el público en ademán solemne.*) ¿No estás viendo ahí dos ataúdes? Mira: los cirios, las flores... Hemos llenado la sala de gladiolos. Las flores que más le gustaban a mamá. (*Pausa.*) No se pueden quejar. Después de muertos los hemos complacido. Yo mismo he vestido esos cuerpos rígidos, viscosos..., y he cavado con estas manos un hueco bien profundo. Tierra, venga tierra. (*Rápido. Se levanta.*) Todavía no han descubierto el crimen. (*Sonríe. A CUCA.*) ¿Qué te parece? (*Le acaricia la barbilla con gesto pueril.*) Comprendo: te asustas. (*Se aparta.*) Contigo es imposible.

CUCA.— (*Sacudiendo los muebles con el plumero.*) No estoy para esas boberías.

LALO.— ¿Cómo? ¡Consideras un crimen una bobería! ¡Qué sangre fría la tuya, hermanita! ¿Es cierto que piensas así?

CUCA.— (*Firme.*) Sí.

LALO.— ¿Entonces qué cosa es para ti importante?

CUCA.— Deberías ayudarme. Hay que arreglar esta casa. Este cuarto es un asco. Cucarachas, ratones, polillas, ciempiés..., el copón divino. (*Quita un cenicero de la silla y lo pone sobre la mesa.*)

LALO.— ¿Y tú crees que sacudiendo con un plumero vas a lograr mucho?

CUCA.— Algo es algo.

LALO.— (*Autoritario.*) Vuelve a poner el cenicero en su sitio.

CUCA.— El cenicero debe estar en la mesa y no en la silla.

LALO.— Haz lo que te digo.

CUCA.— No empieces, Lalo.

LALO.— (*Coge el cenicero y lo pone otra vez en la silla.*) Yo sé lo que hago. (*Coge el florero y lo pone en el suelo.*) En esta casa el cenicero debe estar encima de una silla y el florero en el suelo.

CUCA.— ¿Y las sillas?

LALO.— Encima de las mesas.

CUCA.— ¿Y nosotros?

LALO.— Flotamos, con los pies hacia arriba y la cabeza hacia abajo.

CUCA.— (*Molesta.*) Eso me luce fantástico. ¿Por qué no lo hacemos? Estás inventando algo maravilloso. Quien te oiga, ¡qué pensará! (*En otro tono. Más dura.*) Mira, Lalo, si sigues fastidiando, vamos a tener problemas... Vete. Déjame tranquila. Yo haré lo que pueda hacer y se acabó.

LALO.— (*Con intención.*) ¿No quieres que te ayude?

CUCA.— No le busques más los cinco pies al gato.

LALO.— No te metas entonces con mis cosas. Yo quiero tener el cenicero, ahí. El florero, ahí. Déjamelos. Eres tú quien trata de imponerse; no yo.

CUCA.— ¡Ah, sí! ¡Qué lindo! ¿Ahora soy yo la que me impongo? ¡Vaya, hombre! ¡Esto no tiene precio! ¿Así que yo...? Mira, Lalo, no sigas, por favor. El orden es el orden.

LALO.— No hay peor sordo que el que no quiere oír.

CUCA.— ¿Qué dices?

LALO.— Lo que oíste.

CUCA.— Pues, chico, no entiendo. Ésa es la pura verdad. No sé lo que te traes entre manos. Todo eso me parece sin pies ni cabeza.

En fin, que me hago un lío tremendo y entonces no soy capaz de hacer ni decir nada. Además, todo eso es terrible, si es como me lo figuro. A nada bueno nos puede conducir.

LALO.— ¿Otra vez el miedo? En el mundo, esto métetelo en esa cabeza de chorlito que tienes, si quieres vivir tendrás que hacer muchas cosas y entre ellas olvidar que existe el miedo.

CUCA.— ¡Como si eso fuera tan fácil! Una cosa es decir y otra vivir.

LALO.— Pues intenta que lo que digas esté de acuerdo con lo que vivas.

CUCA.— No me atosigues más. Déjate de sermones, que eso no te sienta bien. (*Sacudiendo una silla.*) Mira como está esta silla, Lalo. ¡Quién sabe cuánto tiempo hace que no se limpia! Hasta telarañas, qué horror.

LALO.— Qué barbaridad. (*Acercándose cautelosamente, lleno de intención.*) Los otros días me dije: "Debemos limpiar"; pero, después nos entretuvimos en no sé qué bobería y..., fíjate, fíjate ahí... (*Pausa. Con intención.*) ¿Por qué no pruebas?

CUCA.— (*Casi de rodillas junto a la silla, limpiándola.*) No me metas en eso.

LALO.— Arriésgate.

CUCA.— No insistas.

LALO.— Un ratico.

CUCA.— Yo no sirvo.

(*BEBA, que estaba en el fondo, limpiando con un trapo algunos muebles viejos y cacharros de cocina, avanza hacia el primer plano con una sonrisa hermética, sus gestos recuerdan por momentos a LALO.*)

BEBA.— Veo esos cadáveres y me parece mentira. Es un espectáculo digno de verse. Se me ponen los pelos de punta. No quiero pensar. Nunca me he sentido tan dichosa. Míralos. Vuelan, se disgregan.

LALO.— (*Como un gran señor.*) ¿Han llegado los invitados?

BEBA.— Subían las escaleras.

LALO.— ¿Quiénes?

BEBA.— Margarita y el viejo Pantaleón.

(*CUCA no abandona su labor, aunque, por momentos, se queda abstraída contemplándolos.*)

LALO.— (*Con desprecio.*) No me gusta esa gente. (*En otro tono. Violento.*) ¿Quién les avisó?

BEBA.— ¡Qué sé yo!... No, no me mires así. Te juro que nc he sido yo.

LALO.— Entonces, fue ella. (*Señala a CUCA.*) Ella.

CUCA.— (*Limpiando todavía el mueble.*) ¿Yo?

LALO.— Tú, sí, tú. Mosquita muerta.

BEBA.— A lo mejor fueron ellos los que decidieron venir.

LALO.— (*A BEBA.*) No trates de defenderla. (*A CUCA, que se levanta y se limpia el sudor de la frente con el brazo derecho.*) Tú, siempre tú, espiándonos. (*Comienza a girar en torno a CUCA.*) Asegurándote de nuestros pasos, de lo que hacemos, de lo que decimos, de lo que pensamos. Ocultándote detrás de las cortinas, las puertas y ventanas... (*Con una sonrisa despectiva.*) La niña mimada, la consentida, trata de investigar. (*Entre carcajadas violentas.*) Dos y dos son cuatro. Sherlock Holmes enciende su pipa lógica. (*Como un exabrupto.*) Qué asco... (*En otro tono. Suave, como un gato en acecho.*) Nunca estás conforme. ¿Qué quieres saber?

CUCA.— (*Llena de miedo, no sabe cómo meterse en situación.*) Yo, Lalo, yo..., a la verdad que... (*Bruscamente.*) No la cojas conmigo.

LALO.— Entonces, ¿por qué buscas? ¿Por qué te mezclas a esa gente miserable?

CUCA.— (*Con los ojos llenos de lágrimas.*) Si quieres que te demuestre que yo no tenía ninguna intención...

LALO.— Eso es lo que no te perdono.

CUCA.— (*Tratando de seguir en situación. Con cierta soberbia.*) Son mis amigos.

LALO.— (*Con furioso desdén.*) Tus amigos. Me das lástima. (*Con una sonrisa triunfal.*) No creas que me engañas. Es estúpido. Haces el ridículo. Te opones, pero quieres esconderte como la gatica de María Ramos. Ya sé que no tienes valor para decir las cosas como son... (*Pausa.*) Si eres nuestra enemiga, enseña tus dientes: muerde. Rebélate. ~ actitud dictatorial

CUCA.— (*Fuera de situación.*) No sigas.

LALO.— Hazlo.

CUCA.— Me sacas de quicio.

LALO.— Ten coraje.

CUCA.— (*Sofocada.*) Perdóname, te lo suplico.

LALO.— (*Imperativo.*) Vamos, arriba.

BEBA.— (*A LALO.*) No la atormentes.

LALO.— (*A CUCA.*) Dame tu rostro.

CUCA.— Me da vueltas la cabeza.

LALO.— Ponte frente a frente.

CUCA.— No puedo.

BEBA.— (*A LALO.*) Déjala un rato.

CUCA.— (*Sollozando.*) No tengo la culpa. Soy así. No puedo cambiar. Ojalá pudiera.

LALO.— (*Molesto.*) ¡Qué comebolas eres!

BEBA.— (*A CUCA.*) Ven, vamos... (*La aparta y la acompaña hasta una silla.*) Sécate esas lágrimas. ¿No te da vergüenza? Él tiene toda la razón. Quieras o no, tu atrevimiento es culpable. (*Pausa. Le alisa los cabellos con las manos.*) A ver, a ver. (*En tono muy amable.*) No pongas esa cara. Sonríete, chica. (*En tono maternal.*) No debiste haberlo hecho; pero si te decidiste, entonces hay que llegar hasta lo último. (*Haciendo un chiste.*) Esa naricita coloradita parece un tomatico. (*Dándole un golpecito a la nariz con el índice de la mano derecha.*) Bobita, qué bobota eres. (*Se sonríe.*)

CUCA.— (*Aferrándose a BEBA.*) No quiero verlo.

BEBA.— Cálmate.

CUCA.— No quiero oírlo.

BEBA.— Él no se come a nadie.

CUCA.— El corazón... Óyelo, parece que va a estallar.

BEBA.— Bah, no seas niña.

CUCA.— Te lo juro, hermanita.

BEBA.— Debes acostumbrarte.

CUCA.— Quisiera echar a correr.

BEBA.— Eso pasa al principio.

CUCA.— No puedo aguantarlo.

BEBA.— Después resulta fácil.

CUCA.— Siento asco.

LALO.— (*Con un caldero en las manos, haciendo una invocación.*) Oh, Afrodita, enciende esta noche de vituperios.

CUCA.— (*A BEBA, angustiada.*) Ha empezado de nuevo.

BEBA.— (*A CUCA, conciliadora.*) Déjalo; no le hagas caso.

CUCA.— Me dan ganas de escupirlo.

BEBA.— No lo pinches, que salta.

LALO.— (*Como un emperador romano.*) Oh, asistidme; muero de hastío.

(*CUCA, incapaz de ponerse al mismo nivel de LALO, lo repudia en tono de burla.*)

CUCA.— ¡Qué hazaña más extraordinaria! Es igualito que tu tío Chicho. ¿Verdad, hermana? (*Con asco.*) Eres un monstruo.

LALO.— (*Como un señor muy importante.*) Mientras los dioses callan, el pueblo chilla. (*Tira el caldero hacia el fondo.*)

CUCA.— (*Como la madre. En tono de sarcasmo.*) Tira, rompe, que tú no eres quien paga.

LALO.— (*Con una sonrisa. Hacia la puerta.*) ¡Oh, qué sorpresa!

BEBA.— (*A CUCA.*) ¿Te sientes mejor? (*CUCA mueve la cabeza afirmativamente.*)

LALO.— (*Saludando a unos personajes imaginarios.*) Pasen, pasen... (*Como si les estrechara las manos.*) Oh, qué tal... ¿Cómo está usted?

BEBA.— (*A CUCA.*) ¿Te decides? (*CUCA mueve la cabeza afirmativamente.*)

LALO.— (*A BEBA.*) Están ahí.

BEBA.— (*A LALO.*) Déjalos, que ya se irán.

LALO.— (*A BEBA.*) Han llegado a pasmarnos.

CUCA.— (*A los personajes imaginarios.*) Buenas noches, Margarita.

LALO.— (*A CUCA.*) Vienen a olfatear la sangre.

BEBA.— (*A los personajes imaginarios.*) ¿Cómo están ustedes?

CUCA.— (*A LALO.*) Tú siempre con tu mala intención.

BEBA.— (*A CUCA. Como la madre.*) No enciendas la candelita. (*A los personajes imaginarios.*) El asma es una enfermedad pirotécnica. Seguramente sigue haciendo estragos.

LALO.— (*A CUCA.*) Esto no te lo perdonaré.

CUCA.— (*Como si prestara atención a lo que hablan los personajes imaginarios. Con una sonrisa malvada a LALO. Entre dientes.*) Ojo por ojo y diente por diente.

BEBA.— (*Como la madre. A LALO, entre dientes.*) Disimula, muchacho.

LALO.— (*A BEBA.*) Es un insulto. (*En otro tono. Con una sonrisa hipócrita a los personajes imaginarios.*) ¿Y usted, Pantaleón? Hacía tiempo que no lo veía. ¿Estaba perdido?

BEBA.— (*Acosando a los personajes imaginarios.*) ¿Cómo anda de la orina? A mí me dijeron los otros días...

CUCA.— (*Acosando a los personajes imaginarios.*) ¿Funciona bien su vejiga?
BEBA.— (*Asombrada.*) ¿Cómo? ¿Todavía no se ha operado el esfínter?
CUCA.— (*Escandalizada.*) Oh, pero, ¿es así? ¿Y la hernia?
LALO.— (*Con una sonrisa hipócrita.*) Usted, Margarita, se ve de lo mejor. ¿Le sigue creciendo el fibroma? (*A BEBA.*) Atiéndelos tú.
BEBA.— (*A LALO.*) No sé qué decirles. Se me agotó el repertorio.
LALO.— (*Secreteando. Empujándola.*) Cualquier cosa. De todas formas quedarás mal. (*Va hacia el fondo.*)
BEBA.— (*Mira a LALO, angustiada. Pausa. Inmediatamente después se entrega a la comedia de los fingimientos.*) Qué linda está usted. Me luce que la primavera le da..., no sé..., un aire especial, una fuerza, qué sé yo... Hace calor, ¿verdad? Estoy entripada. (*Se ríe.*) Ay, Pantaleón, qué sinvergüencita es usted. Es un villanazo. Sí, sí. No se haga el chivo loco. La verruga se le ha puesto de lo más hermosa.
LALO.— (*Como PANTALEÓN.*) No exagere, que no voy a creerle. Los años, mi hijita, lo van a uno deteriorando y acaban por hacerlo un trapo, que es lo peor del caso. (*Se ríe, malicioso.*) Si tú me hubieras conocido en mis buenos tiempos, cuando las vacas gordas... Ay, si aquella época resucitara... Pero qué va, pido un imposible. (*Con un tono especial.*) Hoy tengo un dolorcito clavado aquí... (*Señala hacia la región abdominal.*) Es como una punzadita, la punta de un alfiler... (*Suspira.*) Estoy viejo, hecho un carcamal. (*En otro tono.*) Y esto cada día va peor. Los hijos no respetan ni perdonan.
BEBA.— (*Como MARGARITA, molesta.*) No digas eso, hombre. Parece mentira. (*Secreteando.*) ¿Cómo vas a nombrar la soga en casa del ahorcado? (*Con una sonrisa.*) ¿Qué pensarán estos muchachos tan lindos y tan simpáticos? (*A CUCA.*) Ven acá, muñeca. ¿Por qué te escondes? ¿A quién le tienes miedo? ¿Quién es el coco? (*CUCA no se mueve.*) Ven acá, ¿soy acaso una vieja muy fea? Ven acá, no te pongas majadera, linda. Dime una cosa, ¿y tus papitos? ¿Dónde está tu mamita?
LALO.— (*Saltando de la silla. Violento, al público.*) Ya lo ven. ¿No lo dije? A eso vinieron. Los conozco. No me equivoco. (*A CUCA. Acusador.*) Son tus amigos. Sácalos de aquí. Quieren averiguar... (*Gritando.*) Que se vayan al diablo. ¿Me oyes? Se acabó.

(*CUCA no sabe qué hacer, se mueve, gesticula, quiere decir algo, pero no se atreve o no puede.*)

BEBA.— (*Como MARGARITA. A CUCA.*) No quiero irme tan pronto. Hemos venido a hacer la visita de costumbre. La debíamos desde el mes antes pasado. Además, estoy tan desmejorada. Tu madre debe de tener algunas hojitas de llantén que me regale y un trocito de palosanto.

LALO.— (*Frenético.*) Diles que se vayan, Cuca. Diles que se vayan al carajo. (*Como si tuviera un látigo y los amenazara.*) Fuera, fuera de aquí. A la calle.

CUCA.— (*A LALO.*) No seas grosero.

BEBA.— (*Como MARGARITA. Dando gritos ahogados de rebeldía.*) Nos atropellan. Esto es una infamia, hijos del diablo.

CUCA.— (*A LALO. Dueña de la situación.*) Tú, por lo visto, pierdes los estribos muy fácilmente.

BEBA.— (*A los visitantes imaginarios.*) Les ruego que lo disculpen.

CUCA.— (*A LALO.*) Ellos no te han hecho nada.

BEBA.— (*A los personajes imaginarios.*) Tiene los nervios muy alterados.

CUCA.— (*A LALO.*) Eres un inconsciente.

BEBA.— (*A los personajes imaginarios.*) El doctor Mendieta le ha mandado mucho reposo.

CUCA.— (*A LALO.*) Qué falta de tacto, de educación y de todo.

BEBA.— (*A los personajes imaginarios.*) Es un ataque inesperado.

CUCA.— (*A LALO, que se ríe con cierto disimulo.*) Esto no tiene perdón de Dios.

BEBA.— (*A los personajes imaginarios.*) Adiós, Margarita. Buenas noches, Pantaleón. No se olvide. Mamá y papá fueron a Camagüey y no sabemos cuándo... Esperamos que vuelvan pronto. Adiosito. (*Les tira un beso con fingida ternura. Pausa. A LALO.*) ¡Qué mal rato me has hecho pasar! (*Se sienta al fondo y comienza a lustrar unos zapatos.*)

CUCA.— (*Sutilmente amenazadora.*) Cuando mamá lo sepa...

LALO.— (*En un exabrupto.*) Ve a decírselo, anda. (*Llamando.*) Mamá, papá. (*Se ríe.*) Mamita, papito. (*Desafiante.*) No te demores. Anda. Sóplaselo en los oídos. Seguramente te lo agradecerán. Vamos, corre. (*Coge por un brazo a CUCA y la lleva hasta la puerta. Vuel-*

ve hacia el primer plano.) Eres una calamidad. Nunca te decides a fondo. Quieres y no quieres. Eres y no eres. ¿Crees que siendo así ya basta? Siempre hay que jugársela. No importa ganar o perder. (*Sarcástico.*) Pero tú quieres ir al seguro. El camino más fácil. (*Pausa.*) Y ahí está el peligro. Porque en ese estira y encoge, te quedas en el aire, sin saber qué hacer, sin saber lo que eres y, lo que es peor, sin saber lo que quieres.

CUCA.— (*Segura.*) No te des tantos golpes en el pecho.

LALO.— Por mucho que quieras no podrás salvarte.

CUCA.— Tú tampoco podrás.

LALO.— No serás tú quien me detenga.

CUCA.— Cada día que pasa te irás poniendo más viejo..., y aquí, aquí, aquí, encerrado entre telarañas y polvo. Lo sé, lo veo, lo respiro. (*Con una sonrisa malvada.*)

LALO.— Sí, y ¿qué?

CUCA.— Hacia abajo, hacia abajo.

LALO.— Esto es lo que tú quieres.

CUCA.— No me hagas reír.

LALO.— Es la verdad.

CUCA.— Hago lo que quiero.

LALO.— Al fin saltó el gallito de pelea.

CUCA.— Digo lo que pienso.

LALO.— Tú no te das cuenta que lo que yo propongo es simplemente la única solución que tenemos. (*Coge la silla y la mueve en el aire.*) Esta silla, yo quiero que esté aquí. (*De golpe pone la silla en un sitio determinado.*) Y no aquí. (*De golpe coloca la misma silla en otro lugar determinado.*) Porque aquí (*Rápidamente vuelve a colocarla en el primer sitio.*) me es más útil: puedo sentarme mejor y más rápido. Y aquí (*Sitúa la silla en la segunda posición.*) es sólo un capricho, una bobería y no funciona... (*Coloca la silla en la primera posición.*) Papá y mamá no consienten estas cosas. Creen que lo que yo pienso y quiero hacer es algo que está fuera de toda lógica. Quieren que todo permanezca inmóvil, que nada se mueva de su sitio... Y eso es imposible; porque tú, Beba y yo... (*En un grito.*) Es intolerable. (*En otro tono.*) Además, se imaginan que yo hago estas cosas por contradecirlos, por oponerme, por humillarlos...

CUCA.— En una casa, los muebles...

LALO.— (*Rápido, enérgico.*) Eso es una excusa. ¿Qué importa esta casa, qué importan estos muebles si nosotros no somos nada, si nosotros simplemente vamos y venimos por ella y entre ellos igual que un cenicero, un florero o un cuchillo flotante? (*A* CUCA.) ¿Eres tú acaso un florero? ¿Te gustaría descubrir un día que eres realmente eso? ¿O que como eso te han estado tratando buena parte de tu vida? ¿Soy yo acaso un cuchillo? Y tú, Beba, ¿te conformas con ser un cenicero? No, no. Eso es estúpido. (*Con ritmo mecánico.*) Ponte aquí. Ponte allá. Haz esto. Haz lo otro. Haz lo de más allá. (*En otro tono.*) Yo quiero mi vida: estos días, estas horas, estos minutos... Quiero andar y hacer cosas que deseo o siento. Sin embargo, tengo las manos atadas. Tengo los pies atados. Tengo los ojos vendados. Esta casa es mi mundo. Y esta casa se pone vieja, sucia y huele mal. Mamá y papá son los culpables. Me da pena, pero es así. Y lo más terrible es que ellos no se detienen un minuto a pensar si las cosas no debieran ser de otro modo. Ni tú tampoco. Y Beba mucho menos... Si Beba juega, es porque no puede hacer otra cosa.

CUCA.— Pero, ¿por qué te ensañas con papá y mamá? ¿Por qué les echas toda la culpa?

LALO.— Porque ellos me hicieron un inútil.

CUCA.— Eso no es cierto.

LALO.— ¿Para qué voy a mentir?

CUCA.— Tratas de encubrirte.

LALO.— Trato de ser lo más sincero posible.

CUCA.— Eso no te da derecho a exigir tanto. Tú también eres terrible. ¿Recuerdas cuáles eran tus juegos? Destruías todas nuestras muñecas; inventabas locuras; querías que nosotras fuéramos tu sombra, o algo peor, igual que tú mismo.

LALO.— Era la única manera de librarme del peso que ellos me imponían.

CUCA.— No puedes negar que siempre te han cuidado, que siempre te han querido.

LALO.— No quiero que me quieran de esa forma. He sido cualquier cosa para ellos, menos un ser de carne y hueso.

(*BEBA, desde el fondo, limpiando los zapatos imita al padre.*)

BEBA.— (*Como el padre.*) Lalo, desde hoy limpiarás los pisos. Zurcirás mi ropa. Te advierto que tengas mucho cuidado con ella. Tu madre está enferma y alguien tiene que hacer estas cosas. (BEBA *va hacia el fondo y continúa lustrando los zapatos.*)

CUCA.— Mamá y papá te lo han dado todo...

LALO.— (*A CUCA.*) ¿A costa de qué...?

CUCA.— Pero, tú, ¿qué quieres?... Recuerda, Lalo, lo que ganaba papá. Noventa pesos. ¿Qué más querías que te dieran?

LALO.— ¿Por qué me dijeron desde el principio: "No vayas con Fulanito al colegio"; "No salgas con Menganito", "Perensejo no te conviene"? ¿Por qué me hicieron creer que yo era mejor que cualquiera? Mamá y papá creen que si nosotros tenemos un cuarto, una cama y comida, ya es suficiente; y, por lo tanto, tenemos que estar agradecidos. Han repetido mil veces hasta cansarme que muy pocos padres hacen lo mismo, que sólo los niños ricos pueden darse la vida que nosotros nos damos.

CUCA.— Compréndelos... Ellos son así... Después había que sacudirse.

LALO.— Yo no pude. Creí demasiado en ellos. (*Pausa.*) ¿Y mis deseos? ¿Y mis aspiraciones?

CUCA.— Desde chiquito quisiste salirte siempre con la tuya.

LALO.— Desde chiquito, desde que era así, me dijeron: "Tú tienes que hacer esto"; y si lo hacía mal: "¿Qué se puede esperar de ti?". Y entonces vengan golpes y castigos.

CUCA.— Todos los padres hacen lo mismo. Eso no significa que tú tengas que virar la casa al revés.

LALO.— Quiero que las cosas tengan un sentido verdadero, que tú, Beba, y yo podamos decir: "Hago esto"; y lo hagamos. Si queda mal: "Es una lástima. Trataré de hacerlo mejor". Si queda bien: "Pues, ¡qué bueno! A otra cosa mariposa". Y hacer y rectificar y no tener que estar sujeto a imposiciones ni pensar que tengo la vida prestada, que no tengo derecho a ella. ¿No has pensado nunca lo que significa que tú puedas pensar, decidir y hacer las cosas por tu propia cuenta?

CUCA.— Es que nosotros no podemos...

LALO.— (*Violento.*) No podemos. No podemos. ¿Vas a repetirme el cuento que me metieron por los ojos y los oídos hace un millón de años?

CUCA.— Mamá y papá tienen razón.

LALO.— Yo también la tengo. La mía es tan mía y tan respetable como la de ellos.

CUCA.— ¿Te rebelas?

LALO.— Sí.

CUCA.— ¿Contra ellos?

LALO.— Contra todo.

(*En ese instante vuelve BEBA a repetir la aparición del padre. Estas intervenciones de BEBA deben ser aprovechadas al máximo desde el punto de vista plástico.*)

BEBA.— (*Como el padre.*) Lalo, lavarás y plancharás. Es un acuerdo que hemos tomado tu madre y yo. Ahí están las sábanas, las cortinas, los manteles y los pantalones de trabajo... Limpiarás los orinales. Comerás en un rincón de la cocina. Aprenderás; juro que aprenderás. ¿Me has oído? (*Vuelve hacia el fondo.*)

CUCA.— ¿Por qué no te vas entonces de la casa?

LALO.— ¿A dónde diablos me voy a meter?

CUCA.— Deberías probar.

LALO.— Ya lo he hecho. ¿No te acuerdas? Siempre he tenido que regresar con el rabo entre las piernas.

CUCA.— Prueba otra vez.

LALO.— No... Reconozco que no sé andar en la calle; me confundo, me pierdo... Además, no sé lo que me pasa, es como si me esfumara. Ellos no me enseñaron; al contrario, me confundieron...

CUCA.— Entonces, ¿cómo quieres disponer, gobernar, si tú mismo confiesas...?

LALO.— Lo que conozco es esto; a esto me resigno.

CUCA.— Te aferras...

LALO.— Me impongo.

CUCA.— Estás dispuesto, por lo tanto, a repetir...

LALO.— Cuantas veces sea necesario.

CUCA.— ¿Y llegar hasta lo último?

LALO.— Es mi única salida.

CUCA.— Pero, ¿tú crees que la justicia no va a meter las narices
en esto? ¿Crees que vas a poder tú solo contra ella?

LALO.— No sé; aunque, quizás...

CUCA.— ¿De qué manera?

LALO.— Espera y verás.

CUCA.— Pues yo no te apoyo. ¿Me entiendes? Los defenderé a ca-
pa y espada, si es necesario. A mí no me interesa nada de eso.
Yo acepto lo que mamá y papá dispongan. Ellos no se meten conmigo. Me dan lo que se me antoja..., hasta pajaritos volando. Allá
tú, que eres el más cabeciduro. Bien dice papá que eres igual que
los gatos, que cierras los ojos para no ver la comida que te dan.
(*Da unos pasos.*) Apártate. Jamás participaré en tu juego. (*A BE-
BA.*) Conmigo no cuentes, tú tampoco. (*En otro tono.*) Ay, líbra-
me, Dios mío, de esa voracidad. (*Pausa.*) Ellos son viejos y saben
más que yo de la vida... Me parece una vejación, una humilla-
ción. Ellos han luchado, se han sacrificado; merecen nuestro respeto al menos. Si en esta casa algo anda mal, es porque tenía que
ser así... No, no, yo no puedo oponerme.

LALO.— (*Divertido. Aplaudiendo.*) Bravo. Estupenda escenita.

BEBA.— (*Divertida. Aplaudiendo.*) Merece un premio.

LALO.— Hay que inventarlo.

BEBA.— La niña promete.

LALO.— Pero es imbécil.

BEBA.— Es sensacional.

LALO.— Es una idiota.

BEBA.— Es una santa. (*Aplauden rabiosamente y en tono de burla.*)

CUCA.— Búrlense. Ya llegará mi hora, y no tendré piedad.

LALO.— ¿Así que ésas tenemos?

CUCA.— Haré lo que me dé la gana.

LALO.— Haz la prueba.

CUCA.— Tú no me mandas. (*Da unos pasos atrás, apartándose.*)

LALO.— (*Sarcástico.*) Estás cogiendo miedo. (*Se ríe.*)

CUCA.— (*Furiosa.*) Tengo manos, uñas, dientes.

LALO.— (*Agresivo, retador.*) Ahora soy yo el que manda.

CUCA.— No te acerques.

LALO.— Harás lo que yo diga. (*La coge por un brazo y comienzan a
forcejear.*)

CUCA.— (*Furiosa.*) Suéltame.

LALO.— ¿Me obedecerás?

CUCA.— Abusador.

LALO.— Harás lo que se me antoje.

CUCA.— Me haces daño.

LALO.— ¿Sí o no?

CUCA.— Te aprovechas... (*Totalmente vencida.*) Sí, haré lo que me mandes.

LALO.— Rápido. Levántate.

CUCA.— (*A BEBA.*) Ayúdame.

(*BEBA da unos pasos acercándose a CUCA. LALO en un gesto la detiene. CUCA hace un simulacro de que no puede levantarse.*)

LALO.— Que se levante ella sola.

BEBA.— (*A LALO.*) Perdónala.

LALO.— (*En un grito.*) No te metas.

BEBA.— (*Desesperada.*) Ay, gritos y más gritos. No puedo más. Vine aquí a ayudarlos o a divertirme. Porque no sé qué hacer... Vueltas y más vueltas... Uno parece un trompo; y si no, esos gritos de los mil demonios por cualquier bobería: por un vaso de agua, por un jabón que se cayó al suelo, por una toalla sucia, por un cenicero roto, porque va a faltar el agua, porque no hay tomates... No me explico cómo pueden vivir así... ¿Acaso no existen cosas más importantes? Y yo me pregunto: ¿Para qué existen las nubes, los árboles, la lluvia, los animales? ¿No debemos detenernos algún día en todo eso? Y corro y me asomo a la ventana... Pero mamá y papá siguen gritando: "Esa ventana, el polvo, el hollín... ¿Qué estará pensando esa niña? Entra, que vas a coger un catarro". Si me voy a la sala y enciendo el radio: "Están gastando mucha corriente y el mes pasado y el antes pasado se gastó tanto y no se puede seguir gastando. Apaga eso. Ese ruido me atormenta". Si me pongo a cantar esa cancioncita que has inventado últimamente: "La sala no es la sala"..., entonces arde la casa, es un hormiguero revuelto y siguen, siguen gritando mamá y papá contra Lalo, Lalo contra mamá, mamá contra Lalo, Lalo contra papá, papá contra Lalo y yo en el medio. Al fin vengo y me meto aquí... Pero ustedes no tienen eso en cuenta y siguen discutiendo, como si esta casa se pudiera arreglar con palabras, y terminan fajándose también. Ay, no aguanto más. (*Decidida.*) Me voy. (*LALO la sujeta por un brazo.*) Déjame. No quiero saber nada. Sorda, ciega. Muerta, muerta.

LALO.— (*Con cierta ternura, aunque firme.*) No digas eso.

BEBA.— Es lo que quiero.

LALO.— Si tú quisieras ayudarme, quizás podríamos salvarnos.

BEBA.— (*Lo mira repentinamente alucinada.*) ¿Qué estás diciendo? (*Se aferra a sus brazos.*) Sí, hoy podemos.

(*Rápidamente LALO coge dos cuchillos. Los observa de filo y comienza a frotarlos entre sí.*)

BEBA.— (*A LALO.*) ¿Vas a repetir la historia?

CUCA.— (*A BEBA.*) Por favor, no sigan.

(*BEBA debe moverse en distintos planos del escenario. Cada personaje exige una posición distinta.*)

BEBA.— (*Como una vecina chismosa.*) ¿Sabes una cosa, Cacha? La noticia apareció en el periódico. Sí, hija, sí. Pero la vieja Margarita, la de la esquina, y Pantaleón, el tuerto, lo vieron todo, con pelos y señales, y me contaron.

LALO.— (*Frotando con cierta firmeza los dos cuchillos.*) Ric-rac, ric-rac, ric-rac, ric-rac, ric-rac, ric-rac.

BEBA.— (*Como un comerciante español, borracho.*) El viejo Pantaleón y Margarita lo saben todo... Hay que joderse. Qué clase de hijos vienen al mundo. Dicen que ellos estaban como si nada... El fin del mundo se acerca, lo digo yo. Ya lo dice el refrán: "Cría cuervos..." (*Se ríe en tono burlón.*) ¿Ha visto la fotografía en primera plana?

LALO.— (*Frotando violentamente los dos cuchillos.*) Ric-rac, ric-rac, ric-rac, ric-rac, ric-rac, ric-rac, ric-rac.

BEBA.— (*Como MARGARITA hablando con sus amigas.*) Nosotros fuimos a eso de las nueve, o de las nueve y media... La hora de las visitas... Pues bien, hija; yo desde que entré me dije: "Pá su escopeta. Aquí pasa algo raro". Tú sabes como yo soy. Tengo un olfato, tengo una vista... Y efectivamente... Qué espectáculo, niña. (*Ho-rrorizada.*) Qué manera de háber sangre. Era espantoso. Mira cómo se me ponen los pelos. Me erizo de pies a cabeza... Yo no sé, mi amiga, porque si uno pudiera... Figúrate, qué situación... Porque uno a la verdad no puede y entonces..., es horrible, vieja... Y después un reguero, mira, es increíble... Creo que había unas jeringuillas... ¿No es verdad, Pantaleón? Y pastillas y ámpulas... Esos muchachos son de mala sangre, y eso les viene de atrás. Ay, Consolación, pregúntale a Angelita, las cosas que ella vio hace unos días... Qué barbaridad. Y unos padres tan buenos, tan abnegados. Pero él, ese Lalo, es el cabecilla. No cabe la menor duda. Él fue, él y nadie más que él... Ah, si vieras el cuchillo. Qué cuchillo... Un matavaca, ángel del cielo.

LALO.— (*Abstraído en su quehacer.*) Ric-rac, ric-rac, ri-rac, ric-rac, ric-rac, ric-rac, ric-rac, ric-rac, ric-rac.

BEBA.— (*Como PANTALEÓN.*) Yo se lo dije a Margarita: "Mujer, hay que tener contención". Enseguida empezó hablando de que si los hijos, de que si estos tiempos eran malos... Usted sabe cómo es ella. Esa lengua que no para un minuto. Ellos... No, ellos no. Mentira. Él, Lalo... Aunque a veces me inclino a pensar que, bueno, quién sabe quién fue... Pero, yo..., mi hijito, casi lo afirmaría... Porque las muchachitas..., me luce que no... Si tú hubieras visto, mi socio, la cara que puso Lalo... Era increíble. Una furia... Sí, sí, el diablo... Poco faltó para que nos entrara a golpes. Y yo, con mi artritis... Pero qué va, eso sí que no. Él, haga lo que haga, a mí eso me tiene sin cuidado, allá con su conciencia... Pero meterse con nosotros... Dios lo libre a él. El muy sinvergüenza, el muy degenerado... Ah, si llegas a ver el charco de sangre..., y el olor... ¡Qué raro es todo, verdad! (*Con una risita histérica.*) No quieras haber visto aquello... Era horrible... Horrible, sí... Horrible es la palabra... Nosotros debemos hacer algo. (*Grandilocuente.*) Protestamos contra ese hijo desnaturalizado. (*En otro tono.*) ¿Qué le parece?

LALO.— (*Continuando en su extraño quehacer.*) Ric-rac, ric-rac, ric-rac, ric-rac, ric-rac, ric-rac, ric-rac, ric-rac, ric-rac, ric-rac.

(*LALO ha seguido frotando los cuchillos. Este acto, aparentemente simple, debe ir creando, acompañado de los sonidos emitidos por el propio LALO, un clímax delirante. CUCA se transforma en un vendedor de periódicos. BEBA va hacia el fondo.*) *la acción movido constantly*

CUCA.— (*Gritando.*) Avance. Última noticia. El asesinato de la calle Apodaca. Cómprelo, señora. No se lo pierda, señorita. Un hijo *elemento de humor* de treinta años mata a sus padres. ¡Mira..., cómo corrió la sangre!... El suplemento con fotografías. (*Casi cantando.*) Les metió a los viejos cuarenta puñaladas. Cómprelo. Última noticia. Vea las fotos de los padres inocentes. No deje de leerlo, señora. Es espantoso, caballero. Avance. (*Va hacia el fondo.*) Última noticia. (*Lejano.*) Tremendo tasajeo...

LALO.— (*Continuando en su labor.*) Ric-rac, ric-rac, ric-rac, ric-rac, ric-rac, ric-rac, ric-rac, ric-rac, ric-rac, ric-rac, ric-rac.

(*Pausa. BEBA desde el fondo avanza hacia un primer plano.*)

BEBA.— (*Como el padre.*) Lalo, ¿qué has estado haciendo? ¿Y esa cara? ¿Por qué me miras así? Dime, ¿con quién anduviste? ¿Y esos cuchillos? ¿Qué vas a hacer? Responde. ¿Te has tragado la lengua? ¿Por qué has llegado tarde?

LALO.— (*Como un adolescente.*) Papá, unos amigos...

BEBA.— (*Como el padre.*) Dame acá. (*Le quita violentanente los cuchillos.*) Siempre con porquerías. (*Probando el filo de un cuchillo.*) Corta, ¿eh? ¿Vas a matar a alguien? Dime, respóndeme. No te quedes ahí como un pazguato. ¿Tú te has creído que te gobiernas? ¿Crees que voy a dejar que te gobiernes? ¿Crees que no tienes que pedirme permiso para nada? ¿No te he repetido una y mil veces que éstas no son horas de andar por ahí? (*Lo abofetea.*) ¿Cuándo aprenderás a obedecer? ¿Cuándo?... ¡Ya ningún tipo de amenaza te detiene! ¿Entrarás por el aro, sí o no? ¿No ves a tu madre sufriendo, con el corazón en la boca? ¿Quieres, dime, matarnos de sufrimientos? ¿Qué te propones?... No tienes consideración conmigo... No sigas haciendo muecas. (*Lo empuja hacia una silla.*) Siéntate ahí. ¿Quieres probar otra vez el cuarto oscuro? (*LALO hace un gesto.*) No me contestes. ¡Esta falta de respeto! ¡Yo, que te lo he dado todo, mal hijo! Mala entraña. Yo, que me sacrifico... Y eso que algunas veces tu madre me echa en cara que salgo con los amigos y con las compañeras de trabajo. Más de un negocio me ha salido mal por ti, por ustedes... ¿No están viendo los sacrificios? Treinta años... Treinta años detrás de un buró, en el Ministerio, comiéndome los hígados con los jefes, pasando mil necesidades... No tengo un traje, no tengo un par de zapatos de salir..., para que ahora nos pagues de esta manera. Treinta años, que no es cosa de juego. Treinta años soñando, para que ahora el hijo salga un vago, un mataperro... Que no quiere trabajar, que no quiere estudiar... Dime, ¿qué es lo que quieres? ¿Qué has estado haciendo?

LALO.— (*Tembloroso.*) Estuvimos leyendo...

BEBA.— (*Como el padre.*) ¿Leyendo, qué?... ¿Leyendo? ¿Cómo leyendo...?

LALO.— (*Cabizbajo.*) Una revista de aventuras, papá.

(*CUCA avanza desde el fondo segura, con malvada intención, hacia el primer plano. BEBA va hacia el fondo.*)

CUCA.— (*Como la madre.*) Revistas. Revistas. Revistas. Eso es mentira. Inventa otra. Di la verdad. (*BEBA, como el padre, se acerca de una manera agresiva a LALO.*) No, Alberto, no le pegues. (*A LALO, en otro tono.*) Me alegro que esto te haya pasado. Me alegro, me alegro. (*En otro tono.*) ¿Dónde está el dinero que tenía escondido en el aparador? (*Escena muda de LALO.*) ¿Lo cogiste? ¿Lo gastaste? ¿Lo perdiste? (*Con odio.*) Ladrón. Eres un canalla. Eres un sinvergüenza. (*Con lágrimas en los ojos.*) Se lo diré a tu padre. No, no me digas nada. (*Escena muda de LALO.*) Es una desgracia. (*En otro tono.*) Te matará, si lo sabe. (*En otro tono.*) Ay, Virgen Santísima, ¿qué habré hecho yo para que me castigues así? (*Furiosa, a LALO.*) A ver, dame el dinero. (*Escena muda de LALO.*) Suéltalo o llamo a la policía... (*Registra los bolsillos de LALO, que está completamente anonadado. Gritando.*) Ladrón. Mil veces ladrón. Se lo diré a tu padre. Debía golpearte. Arrastrarte. Meterte en un Reformatorio. (*LALO está de espaldas al público.*)

BEBA.— (*Desde el fondo, como una niña.*) Mamá, mamá, ¿esto es un elefante?

LALO.— (*Como el padre.*) Beba, ven acá, enséñame las manos. (*BEBA avanza hacia el primer plano. Le enseña las manos.*) Esas uñas hay que cortarlas... ¿Cuándo dejarás de ser tan...? (*A CUCA.*) Dame acá unas tijeras, mujer. (*CUCA se acerca a LALO y le secretea al oído.*) ¿Cómo? ¿Qué me dices?... ¿Es cierto eso? ¿Y Lalo...? ¿Dónde se ha metido?... (*CUCA y LALO miran a BEBA con malvada intención.*) ¿Es cierto lo que dice tu madre? Confiesa, anda. Confiesa o... ¿Así que te has levantado el vestido y le has enseñado los pantalones a un montón de mataperros? ¿Será posible? (*Escena muda de BEBA.*) Eres sucia. (*CUCA, como la madre, se sonríe.*) Te voy a... (*Entre LALO y CUCA acorralan a BEBA.*) Serás una cualquiera, pero no mientras yo viva. ¿Me oyes? (*Sacudiéndola por los hombros.*) Óyelo bien. Te voy a matar, por puerca. (*Pausa.*) ¿Dónde está tu hermano? (*Llamándolo.*) Lalo, Lalo... (*A CUCA.*) ¿Dices que te ha robado?

BEBA.— (*Saliendo de situación.*) No puedo. La cabeza me va a estallar.

LALO.— (*Imperativo.*) Sigue, no te detengas.

CUCA.— (*Sarcástica.*) Hazle caso al mandamás.

BEBA.— (*Angustiada.*) Aire, un poco de aire.

LALO.— (*A BEBA.*) Ahora sonaba el timbre de la puerta.

(*BEBA cae derrumbada en una silla.*)

CUCA.— (*Como la madre.*) ¿Has oído, Alberto?

BEBA.— (*Desesperada.*) Por favor, creo que voy a arrojar.

LALO.— (*Molesto.*) Ésta lo echa todo a perder.

CUCA.— (*Como la madre.*) Chist. Un momento, muchachos. El timbre de la puerta ha vuelto a sonar.

LALO.— (*Como el padre. Saludando a un personaje imaginario que entra por la puerta.*) Entre usted, Angelita. Dichosos los ojos...

CUCA.— (*Como la madre. A BEBA.*) Dime, cariño. Anda, dime, cielito, ¿qué te pasa? (*Mímica de abnegación y cuidado.*)

LALO.— (*Como el padre. Al personaje imaginario.*) Déjese de cumplidos, Angelita. (*En su tono de voz hay un acento de cordialidald y espontaneidad convincentes.*) Ésta es su casa. Siéntese.

CUCA.— (*Como la madre. A BEBA.*) Ponte cómoda, nenita. ¿Quieres una almohadita? (*Sus palabras denotan gran sinceridad.*) ¿No te molesta esa posición? ¿Por qué no te echas para atrás?

LALO.— (*Como el padre.*) ¿Y Lalo? ¿Dónde se habrá escondido? Ay, Angelita, no sabe usted lo que son estos chiquillos. Son tres, pero dan guerra por un batallón.

CUCA.— (*Como la madre. A LALO.*) Alberto, yo creo que... (*Al personaje imaginario.*) Perdone usted, Angelita, que no la haya atendido, pero la niña me luce que está mala del estómago.

LALO.— (*Como el padre.*) ¿Le pusiste el termómetro? (*CUCA afirma con la cabeza.*)

CUCA.— (*Como la madre.*) Esto es terrible.

LALO.— (*Al personaje imaginario.*) ¿No se lo decía yo a usted hace un segundo? Son peores que el diablo; pero conmigo no pueden. Tengo mano de hierro y un látigo. Bueno, es un decir.

CUCA.— (*Como la madre. Angustiada. A LALO.*) ¿Qué podemos hacer?

LALO.— (*Como el padre.*) ¿Tiene fiebre? (*CUCA niega con la cabeza.*) ¿Le has dado un cocimiento de manzanilla?

CUCA.— (*Como la madre.*) No quiere probar nada.

LALO.— (*Como el padre.*) Oblígala.

CUCA.— (*Como la madre.*) Todo lo vomita.

LALO.— (*Como el padre.*) Hazle un té negro.

CUCA.— (*Como la madre.*) Ay, Angelita, usted no se puede imaginar los sufrimientos, las angustias... ¿Para qué tendrá uno hijos?

LALO.— (*Como el padre. Empuñando una taza. Obligándola.*) Tómatelo. (*BEBA rechaza la taza.*) Quieras o no, te lo tomarás.

BEBA.— (*En un grito. Fuera de situación.*) Déjame ya. (*Se levanta como una furia. A un primer plano.*) Ustedes son unos monstruos. Los dos son iguales. (*Gritando hacia el fondo del escenario.*) Yo quiero irme. Déjenme salir. (*CUCA y LALO intentan detenerla, pero ella llega hasta la puerta. Gritando.*) Mamá, papá, sáquenme de aquí. (*Cae llorando junto a la puerta.*) Sáquenme de aquí.

LALO.— (*Como el padre.*) Pero, ¿esto qué cosa es?

CUCA.— Bonito espectáculo. (*Acercándose a BEBA.*) Tú, precisamente tú..., que siempre me has estado empujando: "Hazlo, no seas boba. Nos divertiremos". Es increíble. Lo estoy viendo y me parece mentira. Vamos, levántate. (*La ayuda a levantarse. Como la madre.*) Recuerda que estás delante de una visita. (*Al visitante imaginario.*) Son tan malcriados, tan insoportables... (*A BEBA. Llevándola hasta la silla donde estaba sentada.*) Muñeca mía, tienes que ser una niña buena, una niña educada...

BEBA.— (*Como una niña.*) Me quiero ir.

CUCA.— (*Como la madre.*) ¿A dónde quieres ir, nenita?

LALO.— (*Fuera de situación. Violento.*) Esto no es así. Esto no sirve.
CUCA.— (*Como la madre.*) No te sulfures, Alberto.
LALO.— (*Fuera de situación.*) Me dan deseos de estrangularla.
CUCA.— (*Como la madre.*) Hay que tener paciencia.
BEBA.— (*Llorando.*) Tengo miedo.
LALO.— (*Fuera de situación.*) ¿Miedo a qué? ¿Por qué llora?
CUCA.— (*Como la madre.*) No le hagas caso. Es lo mejor, Alberto.
LALO.— (*Como el padre. Con gestos torpes.*) Es que algunas veces... (*Se golpea la rodilla derecha.*) Compréndeme, mujer.
CUCA.— (*Como la madre.*) ¿Cómo no voy a comprenderte? (*Suspira.*) Ay, Alberto, tú también eres un niño. ¿No es verdad, Angelita?
BEBA.— (*Como una furia. Se levanta.*) Quiero hacer algo. Quiero explotar. Quiero irme. Pero no soporto este encierro. Me ahogo. Voy a morir y no quiero sentirme aplastada, hundida en este cuarto. Prefiero cualquier cosa, ay, pero no puedo más... No me interesa esto. Por favor, yo les suplico, déjenme, déjenme.

(*CUCA se acerca a BEBA y le echa el brazo por los hombros. Su rostro y sus gestos muestran una gran ternura disimulada.*)

CUCA.— (*Como la madre.*) Vete, amor mío. Estás un poquito nerviosa. (*BEBA se queda en el fondo oscuro. CUCA regresa con una sonrisa que se convierte en una carcajada.*) ¿Ha visto usted cosa igual? Tal parecía que la estábamos torturando. ¡Qué cabeza tienen estos muchachos...! (*Se sienta. Se arregla el pelo.*) Mire cómo estoy. Debo lucir una mona salida del circo. ¡No he tenido tiempo hoy ni de respirar! ¡Qué lucha, Angelita, qué lucha! Perdone que no la haya atendido antes... (*Oye lo que dice el personaje imaginario.*) Aunque usted es como de la familia. (*Sonríe hipócritamente.*) Pero así y todo, a mí me gustan los detalles... ¿Verdad, Alberto? No te agites por gusto, viejo, que hay que tener calma. (*LALO se levanta.*) ¿A dónde vas? Mira a ver lo que haces. (*LALO la mira con atención.*) Ah, sí, comprendo. (*LALO va hacia lo oscuro.*) Fue a darles una vueltecita a esos vejigos que me traen al trote. Hay que andar con cuatro ojos, que digo cuatro, cinco, ocho, diez... Hay que espiarlos, vigilarlos, estar siempre en acecho, porque son capaces de las mayores porquerías.

(En ese momento entra LALO con un velo de novia, un tanto raído y sucio. LALO imita a la madre en su juventud, el día de la boda de la iglesia. Al fondo, BEBA tararea la marcha nupcial. Los movimientos de LALO no pueden ser exagerados. Se prefiere, en este caso, un acento de ambigüedad general.)

LALO.— *(Como la madre.)* Ay, Alberto, tengo miedo. El olor de las flores, la música... Ha venido mucha gente, ¿verdad? No vino tu hermana Rosa, ni tampoco tu prima Lola... ¡Ellas no me quieren! ¡Lo sé, Alberto, lo sé...! Han estado hablando horrores: que si yo, que si mamá es esto y lo otro... ¡Qué sé yo...! ¿Tú me quieres, verdad, Alberto? ¿Te luzco bonita...? Ay, me duele el vientre. Sonríete. Ahí están el canchanchán de el Dr. Núñez, y su mujer... ¿Tú crees que la gente lleve la cuenta de los meses que tengo? Si se enteran, me moriría de vergüenza. Mira, te están sonriendo las hijas de Espinosa..., esas pu... Ay, Alberto, tengo un mareo y me duele el vientre, sujétame, no me pises la cola que me voy a caer... Ay, pipo, yo quiero sacarme este muchacho... Es verdad que tú te decidiste por él; pero yo no lo quiero. Ay, que me caigo... Alberto, Alberto, estoy haciendo el ridículo... No debimos habernos casado hoy, otro día mejor... Ay, esa música y el olor de esas flores, qué asco. Y ahí viene tu madre, la muy hipó... Ay, no sé... Alberto; me falta la respiración... ¡Esta maldita barriga! Quisiera arrancarme este...

CUCA.— *(Como la madre. Con odio, casi masticando las palabras.)* Me das asco. *(Le arranca el velo violentamente.)* No sé cómo pude parir semejante engendro. Me avergüenzo de ti, de tu vida. ¿Así que quieres salvarte? No, chico; deja eso de la salvación... Ahógate. Muérete. ¿Crees que voy a soportar que tú, que tú, te permitas el lujo de criticarme, de juzgarme delante de las visitas? ¡No te das cuenta de lo que eres! ¡Si apenas sabes dónde tienes las narices! *(Al personaje imaginario. En otro tono.)* Perdone usted, Angelita. No se vaya, por favor. *(Con el tono anterior: duro, firme.)* Durante mucho tiempo te he rogado que me ayudaras. Hay muchas cosas que limpiar en esta casa: los platos, la fiambrera, el polvo y las manchas de agua de los espejos. Y mucho que hacer: zurcir, bordar, coser... *(LALO se acerca a CUCA.)* Apártate. Quieres virarme la casa patas arriba y eso no te lo permitiré, ni aún después de muerta. El cenicero a la mesa. (*Pone el cenicero en la mesa.*) El florero a la mesa. (*Pone el florero en la mesa.*) ¿Qué te has creído? Ahora mismo se lo diré a tu padre... (*Con asco y rencor.*) Miserable, ¿qué será de ti sin nosotros? ¿De qué te quejas? ¿Crees que somos estúpidos? Si piensas eso, yo te digo que no somos mejores, ni peores, que los demás. Pero si lo que te propones es que nos dejemos mangonear por ti, te advierto que cogiste el camino equivocado. ¿Sabes cuántas cosas he sacrificado, cuántas concesiones he hecho por mantener esta casa? ¿Crees que renunciaremos tan fácilmente a nuestros derechos...? Si quieres, vete. Yo misma te prepararé las maletas. Ahí tienes la puerta.

(*CUCA permanece de espaldas al público. LALO se acerca a la mesa y contempla el cuchillo con cierta indiferencia. Lo coge. Lo acaricia. Lo clava en el centro de la mesa.*)

LALO.— ¿Hasta cuándo, hasta cuándo?
BEBA.— No te impacientes.
LALO.— Si fuera posible hoy.
BEBA.— Qué bobo eres.
LALO.— Ahora mismo.

(*LALO se levanta rápidamente. De un golpe arranca el cuchillo del centro de la mesa. Mira a sus dos hermanas y se precipita hacia el fondo.*)

BEBA.— No lo hagas.
CUCA.— Eso te va a pesar.
BEBA.— Ten cuidado.
CUCA.— (*Canta muy débilmente.*) La sala no es la sala. La sala es la cocina.

(*Las dos hermanas están situadas: BEBA, en el lateral derecho; CUCA, en el lateral izquierdo. Ambas a la vez, de espaldas al público, emiten un grito espantoso, desgarrador. Entra LALO. Las hermanas caen de rodillas.*)

LALO.— (*Con el cuchillo entre las manos.*) Silencio. (*Las dos hermanas comienzan a cantar en un murmullo apagado: "La sala no es la sala. La sala es la cocina. El cuarto no es el cuarto. El cuarto es el inodoro".*) Ahora me siento tranquilo. Me gustaría dormir, dormir, siempre dormir... Sin embargo, eso lo dejaré para mañana. Hoy tengo mucho que hacer. (*El cuchillo se le escapa de las manos y cae al suelo.*) ¡Qué sencillo es, después de todo...! Uno entra en el cuarto. Despacio, en puntillas. El menor ruido puede ser una catástrofe. Y uno avanza, suspendido en el aire. El cuchillo no tiembla, ni la mano tampoco. Y uno tiene confianza. Los armarios, la cama, las cortinas, los floreros, las alfombras, los ceniceros, las sillas lo empujan hacia los cuerpos desnudos, resoplando quién sabe qué porquería. (*Pausa. Decidido.*) Ahora hay que limpiar la sangre. Bañarlos. Vestirlos. Y llenar la casa de flores. Después, abrir un hueco muy hondo y esperar que mañana... (*Pensativo.*) ¡Qué sencillo y terrible!

(*Las hermanas han terminado de cantar. CUCA recoge el cuchillo y comienza a limpiarlo con el delantal. Pausa larga.*)

CUCA.— (*A BEBA.*) ¿Cómo te sientes?
BEBA.— (*A CUCA.*) Regular.
CUCA.— (*A BEBA.*) Cuesta un poco de trabajo.
BEBA.— (*A CUCA.*) Lo malo es que uno se acostumbra.
CUCA.— (*A BEBA.*) Pero, algún día...
BEBA.— (*A CUCA.*) Es como todo.
LALO.— Abre esa puerta. (*Se golpea el pecho. Exaltado. Con ios ojos muy abiertos.*) Un asesino. Un asesino. (*Cae de rodillas.*)
CUCA.— (*A BEBA.*) ¿Y eso?
BEBA.— La primera parte ha terminado.

APAGÓN

SEGUNDO ACTO

(*Al abrirse el telón, LALO, de rodillas, de espaldas al público, con la cabeza inclinada hacia el vientre. CUCA, de pie, mirándolo y riéndose. BEBA, impasible, coge el cuchillo que está en la mesa.*)

CUCA.— (*A BEBA.*) Míralo. (*A LALO.*) Así quería verte. (*Riéndose.*) Ahora me toca a mí. (*Largas carcajadas.*)

LALO.— (*Imperioso.*) Cierra esa puerta.

CUCA.— (*A LALO. Cerrando la puerta.*) ¡Qué insoportable eres! ¡No te resisto, viejo!

BEBA.— (*A CUCA. Mirándo a LALO con desdén.*) Me parece ridículo.

CUCA.— (*A LALO.*) ¿Qué te pasa? Oiga, jovencito, lo que voy a decir: tenemos que seguir. No te pienses que esto se va a quedar a medias como otras veces. Estoy cansada de que siempre quede pendiente.

LALO.— (*Cabizbajo.*) Siempre hay que empezar.

CUCA.— Está bien, lo acepto; pero, al mismo tiempo, te repito que hoy...

LALO.— (*Molesto.*) Sí, sí... Lo que tú dispongas.

CUCA.— Lo que yo disponga, no; lo que tiene que ser. ¿O es que ahora soy yo la inventora de todo esto? ¡Qué gracioso!

BEBA.— (*Molesta. A CUCA.*) Pero a ti te encanta...

CUCA.— (*Ofendida.*) ¿Qué quiere la niña que haga?

BEBA.— Cualquier cosa menos eso.

CUCA.— No, muñeca mía, ha llegado mi hora y tengo que llegar hasta el final.

91

BEBA.— Entonces, ¿tengo o no tengo razón?

CUCA.— A mí qué me importa.

BEBA.— Entonces, me voy.

CUCA.— Tú te quedas.

BEBA.— No me hagas perder la paciencia.

CUCA.— No me amenaces.

BEBA.— Puedo arañar y patear.

LALO.— Está bueno ya de discusión.

CUCA.— (*A BEBA.*) Tú te vas a quedar quietecita.

BEBA.— Ay, ¿sí?, no me digas. Pues ¿puedes creer que no? ¿Qué te parece? Yo no voy a podrirme entre estas paredes que odio. Allá ustedes, que les gusta revolver la porquería. Tengo veinte años y cualquier día me largo para no volver y entonces haré lo que me dé la gana. ¿Cómo te suena eso...? (*Pausa.*) Al principio no querías, ahora eres capaz de matar por lograr tus propósitos. Es como si estuviera en juego la salvación de tu alma. Sí, salvarte... No me mires así. ¿Salvarte, de qué? ¿Acaso tu pellejo? (*Con intención.*) Por eso llamaste a la policía. Por eso también dentro de unos momentos empezarán las investigaciones y los interrogatorios. ¿Hizo usted eso? No, no. ¿No lo hizo? Eh, sargento... ¿Cómo es posible? Sin embargo, encontramos una señal. Ahí están las huellas. El delito ha sido cometido entre ustedes. ¿Creen que somos unos comemierdas? ¿Piensan tomarnos el pelo? (*En otro tono.*) No quiero mezclarme en esto.

CUCA.— Tienes que llegar hasta el final.

BEBA.— Esto nunca termina.

CUCA.— No te desesperes.

BEBA.— Estoy cansada. Siempre es lo mismo. Dale para aquí. Dale para allá. ¿Por qué continuamos en este círculo...? (*En otro tono. Más íntima.*) Además, no quiero que me inmiscuyan... (*Cambia el tono.*) No le veo la gracia.

CUCA.— Todo lo que dices es pura bazofia. Si no te conociera creería de pe a pa ese miserable discursito. (*Como la madre.*) ¡Buena perla me has salido tú! (*En otro tono.*) ¿Te imaginas que me voy a quedar con los brazos cruzados viendo lo que éste ha hecho? Yo defiendo la memoria de mamá y papá. Las defiendo, cueste lo que cueste.

BEBA.— No me toques.

CUCA.— (*Autoritaria como la madre.*) Pon el cuchillo en su sitio. (*BEBA obedece, deja caer el cuchillo en un extremo del escenario.*) Así no.
BEBA.— (*Furiosa.*) Hazlo tú.
CUCA.— (*Con sorna y una sonrisita maligna.*) Contrólate. (*En otro tono.*) Anda, cada cosa en su sitio. (*Cambia el tono.*) Todavía falta lo mejor. (*BEBA coloca el cuchillo de una manera satisfactoria.*) Hay que tener mucha precaución.
BEBA.— (*Furiosa.*) Conmigo no cuentes.
CUCA.— (*Ordenando mentalmente la habitación.*) Las lámparas, las cortinas... Es cuestión matemática.
BEBA.— (*Furiosa.*) Vete a buscar a otro. O hazlo tú misma todo.
CUCA.— Tú has participado desde el principio. No puedes negarte.
BEBA.— Eso lo veremos.
CUCA.— (*Autoritaria, como la madre.*) Nada puede fallar.
BEBA.— Ojalá ocurra lo imprevisto.
CUCA.— También cuento con eso. (*A LALO.*) Levántate. (*LALO no responde.*)
BEBA.— (*Furiosa.*) Déjalo. ¿No ves que sufre? (*LALO emite un leve quejido o ronquido.*)
CUCA.— No te metas en esto.
BEBA.— Debías esperar. Quizás... Sólo un momento.
CUCA.— Yo sé lo que hago.
BEBA.— (*En tono sutil de sarcasmo.*) Me parece muy bien; pero recuerda que yo estoy en guardia, dispuesta, en cualquier momento...
CUCA.— (*Rápida, furiosa.*) ¿A qué?
BEBA.— A saltar.
CUCA.— ¿No me digas? ¿Así que tú te opones...? Pues, oye bien claro lo que te voy a decir: no pienses que voy a dejarte intervenir en algo que no sea tu parte. Tú eres sólo un instrumento, un resorte, una tuerca. (*En otro tono.*) Debías alegrarte de que así sea. (*Pausa. Otro tono.*) No me pongas esa cara. (*Con cierto tono amenazador.*) Bueno, pues atente a las consecuencias. En esta casa todo está en juego. Ayúdame a dar los últimos toques. (*Moviéndose, intentando arreglar, disponer. Enumerando.*) El florero, el cuchillo, las cortinas, los vasos..., el agua, las pastillas. Dentro de un momento, entrará la policía... La jeringuilla y las ámpulas... Nosotras nada tenemos que hacer; entonces, a desaparecer..., a volatilizarse, si es necesa-

rio. (*BEBA da unos pasos con intención de salir. CUCA la detiene.*) No, muñeca linda. No te hagas la boba. Tú me entiendes. (*Frente al tono de sarcasmo de CUCA, BEBA se contrae.*) ¿Qué? ¿No estás conforme? ¿Quieres meter la cuchareta...? Nosotras seremos invisibles. ¿Tienes algo que añadir? Nosotras somos inocentes. ¿Pretendes tomar partido? (*A LALO.*) Levántate. Se hace tarde. (*A BEBA.*) ¿Vas a defender lo indefendible? ¿Acaso éste no es un asesino? (*A LALO.*) Arréglate un poco. Pareces un cadáver. (*LALO se levanta torpemente. BEBA pone un paquete de barajas sobre la mesa y luego las esparce. A BEBA.*) Jamás se me hubiera ocurrido semejante cosa.

LALO.— (*Todavía de espaldas al público. A BEBA.*) Tráeme un poco de agua.

CUCA.— (*Imperiosa.*) No, no puede ser. (*Acercándose a LALO, arreglándole las ropas. Con cierta ternura.*) Tienes que esperar. (*Como la madre.*) Ese cuello, qué barbaridad... Pareces un pordiosero.

LALO.— Tengo la boca reseca.

BEBA.— (*Como la madre, con cierta ternura.*) Has dormido muy mal.

LALO.— Necesito salir un momento.

CUCA.— (*Violenta.*) De aquí tú no sales.

LALO.— Necesito un momento.

CUCA.— No necesitas nada. Todo está dispuesto. ¿Qué piensas...? ¿Quieres hacerme una mala jugada? Pues no te dejaré.

(*CUCA intenta detener a LALO, que quiere escapar. Lo agarra por el cuello de la camisa. Ambos empiezan a forcejear violentamente. BEBA, por un momento, queda perpleja; luego, la lucha entablada va adquiriendo para ella un diabólico interés y comienza a dar vueltas alrededor de CUCA y LALO.*)

LALO.— Suéltame.

CUCA.— Antes muerta.

LALO.— Te engallas.

CUCA.— Arriesga el pellejo.

LALO.— Me arañas.

CUCA.— Éste es el juego. Vida o muerte. Y no puedes escapar. Soy capaz de todo con tal de que te juzguen.

(*BEBA corre hacia el fondo oscuro donde está situada la puerta.*)

BEBA.— (*Gritando.*) La policía, la policía.

(*Los dos hermanos dejan de forcejear. LALO cae, derrotado, en una silla. BEBA está junto a la puerta, cerrada. En el otro extremo de la puerta, también al fondo, está CUCA.*)

CUCA.— (*En el tono anterior, con furia.*) Jamás te perdonaré. Eres culpable. Culpable. Si tienes que morir, que así sea.
BEBA.— Chist. Silencio. (*Pausa larga.*)

(*BEBA y CUCA comienzan a moverse con gestos lentos, casi de cámara lenta. Son ahora los dos policías que descubrieron el crimen.*)

CUCA.— (*Como un policía.*) Esto está muy oscuro.
BEBA.— (*Como otro policía.*) Esto huele mal.
CUCA.— (*Como un policía.*) Hay manchas de sangre por todas partes.
BEBA.— (*Como otro policía.*) Me luce que han matado a dos puercos, en lugar de cristianos.
CUCA.— (*Como un policía.*) Gente puerca, ¿verdad?
BEBA.— (*Como otro policía.*) Gente sin corazón.

(*Las dos hermanas avanzan como si estuvieran caminando por una oscura galería. LALO permanece en la silla. Las hermanas se detienen ante él y hacen como si enfocaran el rostro con la luz de una linterna de mano.*)

BEBA.— (*Como otro policía, en señal de triunfo.*) Agarramos al pez.
CUCA.— (*Como un policía, en señal de triunfo.*) Trabajo nos ha costado. (*A LALO, con violencia.*) De pie, vamos, rápido. (*LALO, molesto por la luz, trata de ponerse las manos en el rostro.*)
BEBA.— (*Como otro policía. Con vulgaridad.*) Eh, chiquito... Si no quieres quedar acribillado, no te muevas.
CUCA.— (*Como un policía. Con insolencia.*) Vamos, levántese.
BEBA.— (*Como otro policía. Con insolencia.*) Has caído, mi socio. (*LALO se pone de pie y levanta las manos.*) Hay que actuar rápido.
CUCA.— (*Como un policía.*) Regístralo.
BEBA.— (*Como otro policía.*) El tipo es peligroso. (*Tantea sobre la ropa, el cuerpo, de LALO.*) Los documentos... El carnet de identidad, ¿dón-

de está? (*Saca un documento imaginario.*) ¿Cómo te llamas? (*LALO no contesta.*) ¿No sabes que estás detenido? Responde a la justicia. ¿De quién eran esos gritos?

CUCA.— (*Como un policía.*) ¿Mataste a alguien?

BEBA.— (*Como otro policía.*) Entonces, ¿por qué hay tanta sangre?

CUCA.— (*Como un policía.*) ¿Vives con tus padres?

BEBA.— (*Como otro policía.*) ¿Tienes algún hermano o hermana? Contesta.

CUCA.— (*Como un policía.*) Te los llevaste en la golilla, ¿verdad? Responde, que te conviene.

LALO.— (*Muy vagamente.*) No sé.

BEBA.— (*Como otro policía.*) ¿Cómo que no sabes? ¿Vives solo?

CUCA.— (*Como un policía.*) ¿Y toda esa ropa...? (*En otro tono.*) Déjalo, Cuco. (*Se sonríe.*) Ya tendrá tiempo de hablar.

BEBA.— (*Como otro policía.*) A éste no hay quien lo salve, mi hermano. (*Se ríe. Grosero.*) Éste es un delincuente de marca mayor. Seguramente robó primero; y luego, no satisfecho, decidió matarlos. (*A LALO.*) ¿A tus padres, no?... Casi me lo imagino. ¿Los envenenaste? (*Coge en sus manos el tubo de pastillas y vuelve a colocarlo en la mesa.*) ¿Cuántas pastillas...? (*LALO no responde. Sonríe de vez en cuando.*) Vamos, escupe... Si hablas, puede que el castigo sea menor. (*A CUCA, enseñándole la jeringuilla.*) ¿Has visto? Es probable que...

CUCA.— (*Como un policía.*) A todas luces éste es un crimen de los gordos. (*A LALO.*) ¿Dónde están los cadáveres? (*A BEBA.*) No hay rastro alguno.

BEBA.— (*Como otro policía.*) ¿Dónde los escondiste? ¿Los enterraste?

CUCA.— (*Como un policía.*) Hay que registrar la casa de arriba a abajo. En cualquier rincón...

BEBA.— (*Como otro policía.*) ¿Por qué los mataste? Responde. ¿Te maltrataban?

LALO.— (*Secamente.*) No.

CUCA.— (*Como un policía.*) Ya era hora, muchacho. ¿Por qué los mataste?

LALO.— (*Muy seguro.*) Yo no hice eso.

CUCA.— (*Como un policía.*) Qué descaro.

BEBA.— (*Como otro policía.*) ¿Estaban durmiendo?

CUCA.— (*Como un policía.*) No me irás a decir mayor cinismo. ¿Así que tú no asesinaste a nadie? ¿A tus padres? ¿A tus hermanos? ¿Algún pariente? (*LALO se encoge de hombros.*) Entonces, dime, ¿qué has hecho?

BEBA.— (*Como otro policía.*) ¿Los ahogaste con las almohadas?

CUCA.— (*Como un policía.*) ¿Cuántas puñaladas les diste?

BEBA.— (*Como otro policía.*) ¿Cinco, diez, quince?

CUCA.— (*Como un policía.*) No me irás a decir que todo ha sido un juego. Aquí están las manchas de sangre. Tú mismo estás embarrado de pies a cabeza. ¿Serás capaz de negarlo? ¿Te niegas al interrogatorio? (*En otro tono.*) Yo casi he visto el crimen... (*Rápido, casi insólito.*) ¿Dónde están tus padres? ¿Encerrados en un baúl? (*Pausa. Reconstruyendo la escena.*) Tú ibas despacio, en puntillas, para no hacer ruido, en la oscuridad... Tus padres roncando a pierna suelta y tú aguantando la respiración y en la mano el cuchillo que no tiembla...

LALO.— (*Con orgullo.*) Eso no es así. Usted miente.

CUCA.— (*Como un policía.*) Entonces..., ¿qué? (*Agotada.*) Ah, esta casa es un laberinto.

BEBA.— (*Como otro policía, que ha estado escudriñando aquí y allá la habitación.*) Aquí está la prueba. (*Señala hacia el cuchillo.*) Estamos en la pista. (*Se agacha para cogerlo.*)

CUCA.— (*Como un policía, gritando.*) No lo toques.

BEBA.— (*Como otro policía.*) Hay que tomarle las huellas digitales. (*Coge el cuchillo con un pañuelo y lo pone encima de la mesa.*)

CUCA.— (*Como un policía.*) Si éste sigue negando...

BEBA.— (*Como otro policía. Furioso.*) Esto lo arreglo yo de un plumazo. (*A LALO.*) Ven acá, ¿te decides a hablar..., o...? Mira que no quiero emplear la violencia. ¿Quiénes tú crees que somos nosotros? ¿Piensas que estamos pintados en la pared? (*En tono amenazador y persuasivo a la vez.*) Habla, que te conviene. Yo creo que ya va terminando la hora de las contemplaciones. (*En tono más amistoso.*) Habla, total, que es por tu bien. (*Mirando a CUCA.*) Nosotros eso lo tomamos en consideración. No te preocupes. (*CUCA entra a un lateral del escenario, en actitud investigadora.*) Ya verás lo tranquilo que te vas a sentir cuando nos lo cuentes todo con pelos y señales. Es muy sencillo, sencillísimo. (*En tono casi familiar.*) ¿Cómo lo hiciste? ¿Por qué lo hiciste? ¿Te maltrataban de palabras o...? ¿No hubo, acaso, un robo o alguna trastada por el estilo? ¿Qué fue lo que pasó en realidad? ¿Lo has olvidado acaso? Trata de recordar... A ver, tómate el tiempo que quieras.

LALO.— (*Con gran soberbia.*) Ninguno de ustedes puede comprender...

BEBA.— (*Como otro policía. Persuasivo, con una sonrisa.*) ¿Por qué dices eso?... (*Más íntimo.*) Vamos, chico, confiesa.

CUCA.— (*Como un policía. Fuera del escenario. Gritando.*) No te calientes la sangre, Cuco. Aquí está el paquete. (*Entra a escena. Limpiándose las manos, una con la otra.*) ¡Si vieras!; es un espectáculo bochornoso, qué digo, horrible. Se le paran los pelos al gallo más pintado. (*Reconstruyendo la escena.*) Ahí están la pala y el azadón... Abrió un hueco enorme. No sé cómo pudo hacerlo solo... Y allí, al fondo, los dos cuerpos y un poco de tierra encima. (*Acercándose a LALO. Dándole una palmada en el hombro.*) Conque el caballerito no hizo nada. (*BEBA se dirige al mismo lugar por donde salió CUCA.*) Sí, sí, comprendo. (*Con una sonrisa de satisfacción.*) El caballerito es inocente. (*En otro tono.*) Pues bien... (*Lo mira fijamente, con desprecio.*) El caballerito tiene sus horas contadas. (*Tono vulgar.*) Has firmado tu sentencia, mi hermano.

BEBA.— (*Entrando a escena. Dejando de actuar como el otro policía.*) Es espantoso.

CUCA.— (*Como un policía, tono vulgar.*) No te pongas dramático.

BEBA.— Me quedé fría.

CUCA.— (*Como un policía.*) El chiquito se las trae.

BEBA.— Sentí un escalofrío.

CUCA.— (*Como un policía. A BEBA.*) Vamos, arriba. No te dejes caer. (*A LALO, con desprecio.*) Eres un... Me dan deseos de... (*A BEBA.*) A levantar el acta.

BEBA.— ¿Cómo...? Pero si no ha confesado.

CUCA.— (*Como un policía.*) No es necesario.

BEBA.— Yo creo que sí.

CUCA.— (*Como un policía.*) Hay pruebas suficientes.

BEBA.— Debemos intentarlo... (*Acercándose a LALO.*) Lalo, es necesario que digas, que hables. ¿Por qué? ¿Por qué, Lalo?

CUCA.— (*Como un policía.*) No te ablandes.

BEBA.— (*A LALO. Casi suplicante.*) ¿No comprendes que es un requisito, que es importante la confesión? Di lo que quieras, lo que se te ocurra, aunque no sea lógico, aunque sea un disparate; di algo, por favor. (*LALO permanece impenetrable.*)

CUCA.— (*Como un policía.*) A la Estación. El acta. El informe... (*Con pasos graves, BEBA se dirige a la mesa y se sienta.*)

(*La escena, a partir de este momento, debe adquirir una dimensión extraña. Los elementos que se emplean en ella son: los sonidos vocales, los golpes sobre la mesa y el taconeo acompasado, primero de BEBA y luego de los dos personajes (BEBA y CUCA), en el escenario. Debe aprovecharse hasta el máximo.*)

CUCA.— (*Dictando, automáticamente.*) En el local de esta Estación de Policía, y siendo...

BEBA.— (*Moviendo las manos sobre la mesa, repite automáticamente.*) Tac-tac-tac-tac. Tac-tac-tac-tac. Tac-tac-tac-tac.

CUCA.— (*En el tono anterior.*) ...ante el Sargento de Carpeta que suscribe, se presentan el Vigilante n.º 421, Cuco de Tal y el Vigilante n.º 842, Bebo Mascual, conduciendo al ciudadano que dice nombrarse...

BEBA.— (*En la forma anterior.*) Tac-tac-tac-tac. Tac-tac-tac-tac. Tac-tac-tac-tac. (*CUCA mueve los labios como si continuara dictando.*) Tac-tac-tac-tac.

CUCA.— (*En el tono anterior.*) Manifiestan los dos vigilantes a un mismo tenor que: "Encontrándose de recorrido por la zona correspondiente a su posta..."

BEBA.— (*Golpeando con las manos la mesa, repitiendo automáticamente, con gran sentido rítmico.*) Tac-tac-tac-tac. Tac-tac-tac-tac. Tac-tac-tac-tac. Tac-tac-tac-tac. (*CUCA mueve los labios como si continuara dictando.*)

CUCA.— (*En el tono anterior.*) ...escucharon voces y un gran escándalo...

BEBA.— (*En la forma anterior.*) Tac-tac-tac-tac. Tac-tac-tac-tac.

CUCA.— (*En el tono anterior.*) ...que reñían, que discutían, que se lamentaban...

BEBA.— (*En la forma anterior.*) Tac-tac-tac-tac. Tac-tac-tac-tac.

CUCA.— (*En el tono anterior.*) ...y habiendo escuchado un grito de socorro...

BEBA.— (*Golpeando con las manos sobre la mesa, taconeando y repitiendo con gran sentido rítmico, automáticamente.*) Tac-tac-tac-tac. Tac-tac-tac-tac. (*CUCA mueve los labios como si continuara dictando.*) Tac-tac-tac-tac.

CUCA.— (*En el tono anterior.*) ...que al entrar en la susodicha habitación...

BEBA.— (*En la forma anterior.*) Tac-tac-tac-tac. Tac-tac-tac-tac.

CUCA.— (*En el tono anterior.*) ...dos cuerpos que presentaban...

BEBA.— (*En la forma anterior.*) Tac-tac-tac-tac.

CUCA.— (*En el tono anterior.*) ...contusiones y profundas heridas de primer grado...

BEBA.— (*En la forma anterior.*) Tac-tac-tac-tac. Tac-tac-tac-tac. (*CUCA empieza a golpear sobre la mesa, a repetir, como BEBA, el taconeo y el tecleo oral, hasta que la escena alcanza un breve instante de delirio. Pausa. BEBA y CUCA vuelven a una actitud aparentemente normal. CUCA le muestra un papel a LALO.*)

CUCA.— (*Autoritaria.*) Firme aquí.

(*Pausa. LALO mira el papel. Mira a CUCA. Coge el papel, con cierto desprecio. Lo observa detenidamente.*)

LALO.— (*Furioso, firme, desafiante.*) No acepto. ¿Me entienden? Todo esto es una porquería. Todo esto es una infamia. (*Pausa. En otro tono, casi burlón.*) Me parece magnífico, admirable, que así, de buenas a primeras, ustedes traten, empleando los medios más asquerosos, de hacerme un interrogatorio. Es lo más lógico. Es casi..., diría, lo más natural. Pero, ¿qué quieren? ¿Piensan acaso que voy a firmar ese mamotreto de mierda? ¿Eso es la ley? ¿Eso es la justicia? ¿Qué saben ustedes de todo eso? (*Gritando. Rompe el acta.*) Basura, basura, basura. Eso es lo digno. Eso es lo ejemplar. Eso es lo respetable. (*Patea y pisotea con rabia los papeles rotos. Pausa. En otro tono. Con una sonrisa amarga y casi con lágrimas en los ojos.*) Es muy simpático, muy digno, muy ejemplar que ustedes ahora digan: culpable. Y ya. Basta, a otra cosa. Pero que hagan lo que hacen... (*A CUCA.*) ¿Es que acaso no le satisface lo que ha pasado? ¿Por qué pretende endilgarme una serie de invenciones, sin ton ni son? ¿O es que cree o se imagina que soy bobo de remate? ¿Qué partido quiere sacar...? (*En una burla simiesca.*) ¿Piensa que estoy muerto de miedo? Pues oígalo bien claro: no. No tengo miedo. (*BEBA agita la campanilla.*) Soy culpable. Sí, culpable. Júzgueme. Haga lo que quiera. Estoy en sus manos. (*BEBA vuelve a mover la campanilla como un juez. LALO, en otro tono, menos violento, pero siempre en una actitud arrogante.*) Si el señor juez me permite...

BEBA.— (*Como un juez.*) Ruego al público que mantenga la debida compostura y silencio, o de lo contrario, tendré que desalojar la sala y continuar las sesiones a puertas cerradas. (*A CUCA.*) Tiene la palabra el señor fiscal.

CUCA.— (*A BEBA.*) Muchas gracias, señor juez. (*A LALO.*) El señor procesado conoce las dificultades con que hemos tropezado desde el inicio para el esclarecimiento de los sucesos acaecidos en la nefasta madrugada... del... (*BEBA agita la campanilla.*)

BEBA.— (*Como un juez.*) Ruego, al señor fiscal, sea más explícito, y concrete más al formular su exposición.

CUCA.— (*Como un fiscal.*) Perdone, señor juez, pero...

BEBA.— (*Moviendo la campanilla.*) Le ruego al señor fiscal que se atenga exclusivamente al interrogatorio.

CUCA.— (*Como un fiscal. A BEBA.*) Señor juez, el procesado, durante el interrogatorio anterior, ha empleado una cantidad sorprendente de evasivas, lo que hace imposible cualquier intento de aclarar...

BEBA.— (*Como un juez. A CUCA. Golpea fuertemente la mesa.*) Aténgase al cuestionario de orden.

CUCA.— (*Como un fiscal. Solemne.*) Le repito al señor juez que el procesado obstaculiza sistemáticamente todo intento de esclarecer la verdad. Por tal motivo, someto a la consideración de la sala las siguientes preguntas: ¿puede y debe burlarse a la justicia? ¿La justicia no es la justicia? ¿Si podemos burlarnos de la justicia, la justicia no deja de ser la justicia?... ¿Si debemos burlarnos de la justicia, es la justicia otra cosa y no la justicia?... En realidad, señores de la sala, ¿tendremos que ser clarividentes?

BEBA.— (*Como un juez. Implacable, golpeando la mesa.*) Exijo al señor fiscal que no se extralimite en sus funciones.

CUCA.— (*Como un fiscal, alardeando ante el público de sus recursos teatrales.*) Ah, señoras y señores, el señor procesado, como todo culpable, teme que el peso de la justicia...

LALO.— (*Furioso, pero conteniéndose.*) Estás haciendo trampas. Te veo venir. Quieres hundirme, pero no podrás.

CUCA.— (*Como un fiscal. Solemne y furioso. A BEBA.*) Señor juez, el procesado está actuando de una manera irreverente. En nombre de la justicia exijo la compostura adecuada. ¿Qué pretende el procesado? ¿Crear el desconcierto? Si ése es su propósito, tenemos que calificarlo abiertamente de intolerable. Los oficios de la ley y la justicia mantienen un tono lógico. Nadie puede quejarse de sus métodos. Están hechos a la medida del hombre. Pero el procesado, a lo que parece, no entiende, o no quiere entender, o quizás en su ánimo existan zonas turbias..., o tal vez, prefiera esconderse, agazaparse en los subterfugios de la tontería y la agresividad. Reclamo que cada uno de los integrantes de este jurado y la sala en general tenga una clara conciencia de su actitud y que a la hora de emitirse el veredicto seamos equilibrados, pero al mismo tiempo implacables. Señoras y señores, el procesado, por una parte, declara abiertamente su culpabilidad; es decir, afirma haber matado. Este hecho lamentable rebasa los límites de la naturaleza y adquiere una dimensión exasperante, para cualquier ciudadano normal que transite las calles de nuestra ciudad; por otro lado, el procesado niega, claro que de una forma indirecta, y desvía la sucesión encadenada de los hechos, empleando las más disímiles argucias: contradicciones, banalidades y expresiones absurdas. Como por ejemplo: no sé; quizás; puede ser; sí y no. ¿Ésa es una respuesta? O también el manido recurso de: si yo tuviera clara conciencia de las cosas... Esto es inadmisible, señores del jurado. (*Avanzando hacia el primer plano, con gran efecto de teatralidad.*) La justicia no puede detenerse pasivamente ante un caso semejante, donde toda la abyección, la malevolencia y la crueldad se reúnen. He aquí, señoras y señores, al más repugnante asesino de la historia. Vedlo. ¿No siente repulsión cualquier criatura frente a este detritus, frente a esta rata nauseabunda, frente a este escupitajo deleznable? ¿No se siente la necesidad del vómito y del improperio? ¿Puede la justicia cruzarse de brazos? Señoras y señores, señores del jurado, señores de la sala, ¿podemos admitir que un sujeto de tal especie comparta nuestras ilusiones y nuestras esperanzas? ¿Acaso la humanidad, es decir, nuestra sociedad, no marcha hacia el progreso resplandeciente, hacia una alborada luminosa? (*LALO intenta balbucear algunas palabras, pero el torrente oratorio de CUCA impide cualquier acto, gesto o palabra.*) Vedlo, indiferente, imperturbable, ajeno a cualquier sentimiento de ternura, comprensión o piedad. Ved ese rostro. (*En un grito.*) Un rostro impasible de asesino. El procesado niega haber cometido el asesinato por dinero, es decir, para robar, o para convertirse en el usufructuario de la pequeña pensión de sus padres. ¿Por qué mató, entonces? Porque, en realidad, no existe ningún móvil concluyente. ¿Tendremos entonces que convenir en que fue por odio? ¿Por venganza? ¿Por puro sadismo? (*Pausa. LALO se mueve impaciente en su silla. CUCA, en un tono mesurado.*) ¿Puede la justicia admitir que un hijo mate a sus padres?

LALO.— (*A BEBA.*) Señor juez..., yo quisiera, yo desearía...

CUCA.— (*Como un fiscal.*) No, señores del jurado. No, señores de la sala. Mil veces no. La justicia no puede admitir tamaño desacato. La justicia impone la familia. La justicia ha creado el orden. La justicia vigila. La justicia exige las buenas costumbres. La justicia salvaguarda al hombre de los instintos primitivos y corruptores. ¿Podemos tener piedad de una criatura que viola los principios naturales de la justicia? Yo pregunto a los señores del jurado, yo pregunto a los señores de la sala: ¿existe acaso la piedad? (*Pausa.*) Pero nuestra ciudad se levanta, una ciudad de hombres silenciosos y arrogantes avanza decidida a reclamar a la justicia el cuerpo de este ser monstruoso... Y será expuesto a la furia de hombres verdaderos que quieren la paz y el sosiego. (*En tono grandilocuente.*) Por lo tanto exijo al procesado que contribuya a poner orden en el conocimiento de la realidad de los hechos. (*A LALO.*) ¿Por qué mató a sus padres?

LALO.— Yo quería vivir.

CUCA.— (*Violenta.*) Ésa no es una respuesta. (*Rápida.*) ¿Cómo lo hizo? ¿Les dio algún brebaje, un tóxico, primero? ¿O los ahogó entre las almohadas, sabiendo que estaban indefensos, y después los remató? ¿Cómo puso las almohadas? ¿Qué papel juegan esta jeringuilla y estas pastillas? ¿Son acaso pistas falsas? Explique usted, señor procesado. (*Pausa.*) ¿Los mató a sangre fría, planeando paso a paso los detalles del crimen, o fue en un rapto de violencia? Diga usted. ¿Solamente empleó este cuchillo? (*Agotado.*) En fin, señor procesado, ¿por qué los mató?

LALO.— Yo me sentía perseguido, acosado.

CUCA.— (*Como un fiscal.*) ¿Perseguido? ¿Por qué? ¿Acosado? ¿Por qué?

LALO.— No me dejaban tranquilo un minuto.

CUCA.— (*Como un fiscal.*) Sin embargo, los testigos presentes confiesan...

LALO.— (*Interrumpiendo.*) Los testigos mienten...

CUCA.— (*Como un fiscal. Interrumpiendo.*) ¿Niega usted la declaración de los testigos?

LALO.— (*Firme.*) Esa noche no hubo nadie presente.

BEBA.— (*Como un juez. A LALO.*) El procesado debe ser más exacto en sus respuestas. Es fundamentalmente necesario. ¿Es cierto eso que acaba de afirmar...? El Tribunal exige veracidad y concreción. El Tribunal espera que el procesado acate, en el mejor sentido, estas exigencias de orden... Tiene la palabra el señor fiscal.

CUCA.— (*Como un fiscal.*) ¿Y sus familiares más allegados...? ¿Su abuela, por ejemplo, sus tías..., en fin, sus parientes? ¿Se veían frecuentemente? ¿Qué tipo de relación mantenían con ellos?

LALO.— No teníamos ninguna.

CUCA.— (*Como un fiscal.*) ¿Por qué?

LALO.— Mamá odiaba a la familia de papá y papá no se llevaba bien con la familia de mamá.

CUCA.— (*Como un fiscal.*) ¿No exagera el procesado en esos cargos?

LALO.— Ningún pariente nos visitaba... Mamá nunca quiso que vinieran a casa. Decía que eran hipócritas y envidiosos, que antes muerta. Papá pensaba lo mismo de los hermanos y primos y cuñados de mamá... Tampoco dejaban que los visitáramos...

CUCA.— (*Como un fiscal.*) Eso no parece tener mucho fundamento. ¿Por qué...?

LALO.— Nos repetían que nosotros valíamos más, que toda esa gente era baja, que no tenía condición...

CUCA.— (*Como un fiscal.*) Pero usted, ¿nunca intentó establecer una relación, un contacto...?

LALO.— Una vez lo intenté, pero me salió mal...

CUCA.— (*Como un fiscal.*) ¿Conoce usted a la testigo señora Angelita...? (*Al público.*) Su nombre, por favor. Gracias. ¿A la testigo señora Ángela Martínez?

LALO.— Sí.

CUCA.— (*Como un fiscal.*) Estuvo en su casa, ¿antes o después de los hechos?

LALO.— Antes. (*Pausa.*) Serían como las seis de la tarde.

CUCA.— (*Como un fiscal.*) Ella, en sus declaraciones, insiste en que ustedes jugaban de una manera especial... ¿Qué tipo de juego tenían en la casa? (*Pausa.*) ¿No había en él algo... enfermizo? (*Pausa.*) Responda: ¿no era un juego monstruoso?

LALO.— (*Firme.*) No sé.

CUCA.— (*Como un fiscal.*) Sus padres, según tengo entendido, se quejaban...

LALO.— Toda la vida, desde que tengo uso de razón, oí siempre las mismas quejas, los mismos sermones, la misma cantaleta.

CUCA.— (*Como un fiscal.*) Habría alguna razón.

LALO.— A veces sí, a veces no... Una razón machacada hasta el inifinito se convierte en una sinrazón.

CUCA.— (*Como un fiscal.*) ¿Eran sus padres tan exigentes?

LALO.— No entiendo.

CUCA.— (*Como un fiscal.*) La pregunta es la siguiente: ¿qué tipo de relación tenía usted con sus padres?

LALO.— Creo haberlo dicho ya: me pedían, me exigían, me vigilaban.

CUCA.— (*Como un fiscal.*) ¿Qué pedían? ¿Qué exigían? ¿Qué vigilaban?

LALO.— (*Desesperado.*) No sé. No sé. (*Repitiendo. Automáticamente.*) Lava los platos, lava los manteles, lava las camisas. Limpia el florero, limpia el orinal, limpia los pisos. No duermas, no sueñes, no leas. No sirves para nada.

CUCA.— (*Como un fiscal.*) ¿Creen los señores del jurado y los señores de la sala que ésos sean motivos capaces de provocar tal enajenación que un individuo se sienta impelido por ellos al asesinato?

LALO.— (*Balbuceante.*) Yo quería...

CUCA.— (*Como un fiscal.*) ¿Qué quería usted? (*Pausa.*) Responda.

LALO.— (*Sincero.*) La vida.

CUCA.— (*Como un fiscal. Con sarcasmo.*) ¿Le negaban sus padres la vida? (*Al público.*) ¿No es ésa una evasiva del procesado?

LALO.— (*Apasionado.*) Yo quería, anhelaba, deseaba desesperadamente hacer cosas por mí mismo.

CUCA.— (*Como un fiscal.*) ¿Sus padres se oponían?

LALO.— (*Seguro.*) Sí.

CUCA.— (*Como un fiscal.*) ¿Por qué?

LALO.— Decían que yo no tenía dos dedos de frente, que era un vago, que jamás podría hacer algo de valor y provecho.

CUCA.— (*Como un fiscal. Con mucha parsimonia.*) ¿Qué cosas eran las que usted quería realizar? ¿Quiere explicarse el procesado?

LALO.— (*Atormentado, esforzándose, un poco confundido.*) Es muy difícil... No sé. Era algo. ¿Sabe usted? Algo. ¿Cómo podré decirlo? Es que yo sé que existe, que está ahí; pero no puedo ahora. (*CUCA se sonríe con cierta malvada intención.*) Mire... Sé que es otra cosa, pero es que... (*Seguro.*) Yo trataba, por todos los medios, de complacerlos... Una vez cogí una pulmonía... No, no debo decirlo..., es que... Las cosas siempre salían mal. Yo no quería que fueran así; pero no podía hacer otra cosa; y entonces...

CUCA.— (*Como un fiscal.*) Entonces, ¿qué?...

LALO.— Me gritaban, me golpeaban, me castigaban, horas interminables en un cuarto oscuro, me repetían una y mil veces que debía morir, que estaban esperando que me fuera de casa para ver si me moría de hambre, para ver qué iba a hacer.

CUCA.— (*Con una sonrisa cínica.*) ¿Está usted seguro de lo que dice?

LALO.— Sí.

CUCA.— (*Como un fiscal. En otro tono.*) Hable, hable. Prosiga.

LALO.— Yo era muy desgraciado.

CUCA.— (*Como un fiscal.*) ¿Por qué?

LALO.— La casa se me caía encima. Yo sentía que se iba derrumbando, a pesar de que mis padres no se dieran cuenta, ni mis hermanas, ni los vecinos.

CUCA.— (*Como un fiscal.*) No entiendo. ¿Qué quiere decir exactamente?

LALO.— Aquellas paredes, aquellas alfombras, aquellas cortinas y las lámparas y el sillón donde papá dormía la siesta y la cama y los armarios y las sábanas..., todo eso, lo odiaba, quería que desapareciera.

CUCA.— Usted odiaba todo eso. Y a sus padres, por supuesto, los odiaba también, ¿no es así?

LALO.— (*Abstraído.*) O quizás lo mejor era huir. Sí, irme a cualquier parte: al infierno o a la Cochinchina.

CUCA.— (*Como un fiscal. Exagerando el tono declamatorio.*) Señores del jurado, señores de la sala...

LALO.— (*Prosigue, como hipnotizado.*) Un día, jugando con mis hermanas, de repente, descubrí... (*Pausa.*)

CUCA.— (*Como un fiscal. Parece cobrar un súbito interés por la divagación de* LALO.) ¿Qué descubrió?

LALO.— (*En el mismo tono anterior.*) Estábamos en la sala; no, miento... Estábamos en el último cuarto. Jugábamos... Es decir, representábamos... (*Sonríe como un idiota.*) A usted le parecerá una bobería, pero... Yo era el padre. No, mentira. Creo que en ese momento era la madre. Era todo un juego... (*En otro tono.*) Pero, allí, en ese momento, llegó hasta mí esa idea... (*Vuelve a sonreír como un idiota.*)

CUCA.— (*Como un fiscal. Con creciente interés.*) ¿Qué idea?

LALO.— (*Con la misma sonrisa.*) Es muy fácil; pero resulta complicado. Uno no sabe realmente si dice lo que siente. Yo... (*Mueve las manos como si tratara de explicarse en ese movimiento.*) Yo sabía que lo que los viejos me ofrecían no era, no podía ser la vida. Entonces, me dije: "Si quieres vivir tienes que..." (*Debe detenerse, hacer gesto de apuñalar, o crispar los puños, como triturando algo.*)

CUCA.— (*Como un fiscal.*) ¿Qué sintió en aquel momento?

LALO.— (*Como un bobo.*) No sé, imagínese usted.

CUCA.— (*Como un fiscal.*) ¿No sintió miedo?

LALO.— De repente, creo que sí.

CUCA.— (*Como un fiscal.*) ¿Y luego?

LALO.— Luego, no.

CUCA.— (*Como un fiscal. En otro tono, un poco irónico.*) ¿Se acostumbró a la idea?

LALO.— Me acostumbré.

CUCA.— (*Como un fiscal. Vuelve a reaccionar violentamente.*) ¿Cómo? (*Dando un golpe sobre la mesa.*) Esto es inaudito, señores de la sala.

LALO.— Sí, es cierto. Me acostumbré. (*A medida que LALO avance en el monólogo se irá transformando.*) Parece terrible, sin embargo... Yo no deseaba que fuera así; pero la idea me daba vueltas y más vueltas, llegaba y se iba, y volvía otra vez. Al principio quise borrarla... ¿usted me comprende...? Y ella insistía: "Mata a tus padres. Mata a tus padres". Creí que iba a enloquecer, le aseguro que sí. Corría y me metía en la cama. A veces me entraban unas calenturas... Sí, tuve fiebre. Pensé que me desinflaría como un globo, que reventaba, que era el diablo quien me hacía señas; y temblaba entre las sábanas... Si usted supiera... No dormía; noches y más noches en vela. Tenía escalofríos... Y era espantoso porque vi que la muerte se me acercaba, poco a poco, detrás de la cama, entre las cortinas y entre las ropas del armario y se convirtió en mi sombra y me susurraba entre las almohadas: "Asesino", y luego desapareció como por encanto; y me ponía delante del espejo y contemplaba a mi madre muerta en el fondo de un ataúd y a mi padre ahorcado que se reía y me gritaba; y por las noches sentía las manos de mi madre en las almohadas, arañándome. (*Pausa.*) Todas las mañanas sufría al despertarme: era como si yo me levantara de la muerte abrazado a dos cadáveres que me perseguían en sueños. Por momentos estaba tentado..., pero, no..., no..., ¿irme de la casa?, ¡ni pensarlo! Ya sabía a lo que estaba sometido..., siempre tuve que regresar y siempre decía que no lo volvería a hacer. Ahora estaba decidido a no reincidir en esa loca aventura...¡Todo, menos eso! Entonces se me metió en la cabeza que debía arreglar la casa a mi manera, disponer... La sala no es la sala, me decía. La sala es la cocina. El cuarto no es el cuarto. El cuarto es el inodoro. (*Pausa breve.*) ¿Qué otra cosa podía hacer? Si no era esto, debía destruirlo todo, todo; porque todos eran cómplices y conspiraban contra mí y sabían mis pensamientos. Si me sentaba en una silla, la silla no era la silla, sino el cadáver de mi padre. Si cogía un vaso de agua, sentía que lo que tenía entre las manos era el cuello húmedo de mi madre muerta. Si jugaba con un florero, caía de repente un enorme cuchillo al suelo. Si limpiaba las alfombras, no podía nunca terminar, porque era un coágulo de sangre. (*Pausa.*) ¿No ha sentido usted alguna vez algo parecido? Y me ahogaba, me ahogaba. No sabía dónde estaba ni qué era todo aquello. ¿A quién contarle estas cosas? ¿Podía confiar en alguien? Estaba metido en un hoyo y era imposible escapar... (*Pausa.*) Pero tenía la peregrina idea de que podría salvarme... No sé de qué... Quizás, bueno es un decir... Uno quiere explicarlo todo y casi..., por lo regular, se equivoca... Quizás yo quería salvarme de aquel ahogo, de aquel encierro... Poco después, sin saber cómo, esto se fue transformando. Oí un día una voz, no sé de dónde. Si esto me estaba ocurriendo, era algo grave, extraño, desconocido para mí y debía hablarlo, porque, quizás inesperadamente, ocurriría

una catástrofe y no era cuestión de confiar en mis fuerzas, pero...,
no... Nadie comprendería. Se reirían, se burlarían. Oía entonces
las carcajadas y los chistes de mis hermanas por los cuartos y en
los corredores y en los patios de la casa... Y así, junto a las carcajadas y chistes de mis hermanas, sentí que miles de voces repetían al unísono: "Mátalos", "Mátalos". No, no crea que es un
cuento de camino. Se lo juro, es la verdad. Sí, la verdad... (*Como
un iluminado.*) Desde entonces conocí cuál era mi camino y fui des-
cubriendo que todo, las alfombras, la cama, los armarios, el espejo, los floreros, los vasos, las cucharas y mi sombra, en un murmullo, reclamaban: "Mata a tus padres". (*Lo dice casi en éxtasis
musical.*) "Mata a tus padres". La casa entera, todo, todo, me exigía ese acto heroico. (*Pausa.*)

CUCA.— (*Violenta.*) Me voy. Estás jugando sucio.

LALO.— Hay que llegar al final.

CUCA.— Yo no puedo permitirte...

LALO.— Tú también has tratado de aprovecharte.

CUCA.— Lo que has hecho es imperdonable. Cada uno a su parte;
fue lo convenido.

LALO.— ¿No me digas? Entonces tú...

BEBA.— (*Como un juez. Agitando la campanilla.*) ¡Orden! ¡Silencio! Pido
a los señores de la sala que guarden la debida compostura...

CUCA.— (*Como la madre. A BEBA.*) Sargento de Carpeta, perdone usted mi atrevimiento; pero yo deseo que se realice una investiga-
ción a fondo, desde el principio. Exijo una revisión de todo el proceso. Por eso he venido aquí. Yo deseo declarar. Mi hijo se presenta
como una víctima y es todo lo contrario. Reclamo que se haga
justicia en nuestro caso. (*BEBA comienza a repetir el tac-tac de la máquina de escribir. Exagerando.*) Si usted supiera la vida que nos ha hecho pasar esta criatura. Es algo tan terrible, tan...

BEBA.— (*Como el sargento. A CUCA.*) Hable usted....

LALO.— (*Casi fuera de situación.*) Pero, mamá, yo... (*LALO se siente acorralado.*) Yo..., te juro...

CUCA.— (*Como la madre.*) No me jures nada. Te quieres pasar por
bobo, pero conozco tus artimañas, tus rejuegos, tus porquerías.
Por algo te parí. Nueve meses de mareos, vómitos, sobresaltos.
Ése fue el anuncio de tu llegada. ¿Quieres engatusarme? ¿A qué

vienen esos juramentos? ¿Crees que has conmovido al público y
que podrás salvarte? Dime, ¿de qué? (*Se ríe, con gran desparpajo.*) ¿En
qué mundo vives, mi hijito? (*Burlándose.*) Oh, ángel mío, me das
pena. Verdaderamente eres, bueno, ¿para qué decirlo...? (*A BEBA.*)
¿Sabe usted, sargento? Un día se le metió entre ceja y ceja que
debíamos arreglar la casa a su antojo... Yo, al oír aquel disparate,
me opuse terminantemente. Su padre puso el grito en el cielo. Pero
¿qué cosa es eso? Ay, usted no se imagina... El cenicero encima
de la silla. El florero en el suelo. ¡Qué horror! Y luego se ponía
a cantar a todo meter, corriendo por toda la casa: "La sala no
es la sala. La sala es la cocina". Yo, en estos casos, me hacía la
sorda, como si oyera llover. (*En otro tono. Dura, seca.*) Has contado
sólo la parte que te interesa... ¿Por qué no cuentas lo demás? (*En
otro tono, de burla.*) Has contado tu martirologio, cuenta el nuestro,
el de tu padre y el mío. Me gustaría que refrescaras la memoria.
(*Transformándose.*) Señor juez, si usted supiera las lágrimas que he
derramado, las humillaciones que he recibido, las horas de angustia, los sacrificios... Mire usted mis manos... Da grima verlas.
(*Casi con lágrimas en los ojos.*) Mis manos... Si usted las hubiera visto
antes de casarme... Y todo lo he perdido: mi juventud, mi alegría, mis distracciones. Todo lo he sacrificado por esta fiera. (*A
LALO.*) ¿No te avergüenzas? ¿Sigues creyendo que has realizado
un acto heroico? (*Con asco.*) Miserable. No sé cómo pude tenerte
tanto tiempo en mis entrañas. No sé cómo no te ahogué cuando
naciste. (*BEBA agita la campanilla.*)

LALO.— Mamá, yo...

CUCA.— (*Como la madre.*) Nada, nada. No mereces el pan que te damos. No mereces cada uno de mis sufrimientos... Porque tú, tú,
eres el culpable. El único culpable.

LALO.— (*Violento.*) Déjame, déjame ya.

CUCA.— (*Como la madre. Violenta.*) Me estoy poniendo vieja. Eso debes pensarlo y sacrificarte. ¿Crees que yo no tengo derecho a vivir? ¿Crees que voy a pasarme la vida en una continua agonía?
Tu padre no se ocupa de mí y tú tampoco. ¿A dónde voy a parar?
Sí, ya sé que están esperando que me muera, pero no les daré
ese gusto. Lo gritaré a los vecinos, a la gente que pasa. Ya verás.
Ésa será mi venganza. (*Gritando.*) Auxilio. Socorro. Me están ma-

tando. (*Estalla en sollozos.*) Soy una pobre vieja que se muere de soledad. (*BEBA agita la campanilla.*) Sí, señor juez, estoy encerrada entre cuatro paredes sucias. No veo la luz del sol. Mis hijos no tienen consideración. Estoy ajada, marchita... (*Como si estuviera delante de un espejo. Comienza acariciando su rostro y termina golpeándolo.*) Mire estas arrugas. (*Señalando las líneas de las arrugas, con rencor y asco.*) Mire estos pellejos. (*A LALO.*) Así los tendrás algún día. Ay, lo único que deseo es que les pase lo mismo que a mí. (*Arrogante.*) Yo siempre he sido, señor juez, una mujer justa.

LALO.— (*Un tanto burlón.*) ¿Estás segura? Piénsalo bien, mamá.

CUCA.— (*Como la madre.*) ¿Qué quieres decir? ¿Qué pretendes?

LALO.— (*Sarcástico.*) Que yo sé que mientes. Que yo sé que una vez me acusaste...

CUCA.— (*Como la madre. Indignada. Lo interrumpe con un grito.*) ¡Lalo! (*Pausa. Con suavidad.*) Lalo, ¿serías capaz de afirmar...? (*Pausa. Da unos pasos. Parece nuevamente irritada.*) ¡Esto es el colmo! Señor juez... (*Casi sollozando.*) Ay, Lalo... (*Limpiándose las lágrimas con las manos.*) ¿Que yo, Lalo..? (*Con una duda evidente.*) Tú crees que yo... ¿Será posible eso? (*Con una débil sonrisa.*) Oh, perdone, señor juez... Es probable que sí... Pero, vamos, fue una bobería. (*Se ríe groseramente.*) Yo estaba encaprichada en tener un vestido de tafetán rojo, precioso... Un vestido que se exhibía en la vidriera del Nuevo Bazar. Mi marido ganaba noventa pesos. Figúrese usted... Había que hacer milagros todos los meses para poder sobrevivir. Y yo tenía que arar con esos bueyes. Noventa pesos del Ministerio, señor juez..., y punto. Pues, como le iba diciendo... Yo estaba desesperada, loca, por aquel vestido. Soñaba con él... Lo veía hasta en la sopa. En fin, un día, sin más ni más, decidí sacar el vestido del dinero de la comida. Y entonces inventé una historia.

BEBA.— (*Como un juez.*) ¿Qué historia?

CUCA.— (*Como la madre. Con gran desparpajo.*) Cuando Alberto llegó... Vino borracho como acostumbra... Le dije: oye, viejo, pregúntale a tu hijo... (*Se acerca a BEBA para secretear.*) Porque creo que nos ha robado.

BEBA.— (*Como un juez.*) ¿Por qué lo hizo?

CUCA.— (*Como la madre. Con cierta ordinariez.*) No sé... Era más cómodo... (*Termina de hacer la historia con gran exageración.*) Entonces Alberto cogió una soga y no quiera usted saber la entrada de golpes que le dio al pobrecito Lalo... En realidad, era inocente; pero... ¡Yo quería tanto aquel traje rojo! (*Acercándose a LALO.*) ¿Me perdonas, hijo mío?

LALO.— (*Duro, hermético.*) No tengo que perdonarte.

CUCA.— (*Como la madre. Con cierto histerismo.*) Respétame, Lalo. (*Con tono dramático.*) Ya no soy la de antes. Estoy gorda, fea... ¡Ay, este cuerpo!

LALO.— No pienses más en eso.

CUCA.— (*Como la madre. Autoritaria.*) Te digo que me respetes.

LALO.— Sólo estaba jugando.

CUCA.— (*Como la madre. Dura, imperativa.*) No me vengas con jueguitos. Tu padre es un viejo que anda corriendo como un loco detrás de algo que no existe. Igual que tú. Que te sirva de ejemplo. Haciendo el papelito "del que todo lo puede" y en realidad es una basura... Una porquería. No sirve para nada. Siempre ha sido un Don Nadie. Ha vivido del cuento y pretende seguir haciéndolo. A veces he deseado que se muera. ¿Por qué tuve que amarrarme a un hombre que nunca me ha ofrecido una vida distinta...? (*Pausa. En otro tono.*) Anda... (*Pausa.*) Si no fuera por mí, señor juez, esta casa se hubiera derrumbado, señor juez... Sí, por mí, por mí..:

LALO.— (*Como el padre. Con voz segura, casi terrible.*) Ella miente, señor juez.

CUCA.— (*Como la madre. A LALO.*) ¿Cómo te atreves?

LALO.— (*Como el padre. A BEBA.*) Es cierto lo que digo. Ella trata de ponerlo todo negro. Sólo ve la paja en el ojo ajeno. Yo, como padre, a veces he sido culpable. Y ella también. (*En tono más seguro.*) Como todos los padres hemos cometido injusticias y algunos actos imperdonables.

CUCA.— (*Como la madre. Con odio.*) Venías con manchas de colorete y pintura de labios en las camisas y los pañuelos.

LALO.— (*Como el padre. Violento.*) Cállate. No quieres que diga la verdad.

CUCA.— (*Como la madre. Violenta.*) Señor juez, sus borracheras, sus amigos, sus invitados a deshora...

LALO.— (*Como el padre. Violento.*) ¿Quién lleva los pantalones en esta casa?

CUCA.— (*Como la madre. Violenta.*) En la casa mando yo.

LALO.— (*Como el padre. Violento.*) Eso. "En la casa mando yo". Sí, tú..., la que manda. A eso se reduce toda tu vida. Te has burlado de mí. Me has humillado. Ésa es la realidad. Dominar. (*Pausa breve.*) He sido un imbécil, un comemierda. Perdonen la palabra, señores del jurado.

CUCA.— (*Como la madre. Sarcástica.*) Vaya, hombre. Menos mal que lo reconoces.

LALO.— (*Como el padre. Violento.*) Sí... ¿para qué negarlo? (*Pausa. Ordenando sus pensamientos.*) Fui al matrimonio con ciertas ilusiones. Si dijera que había cifrado todas mis ilusiones en el matrimonio estaría exagerando y mintiendo a la vez. Fui como va la mayoría, pensando que así tendría algunas cosas resueltas: la ropa, la comida, una estabilidad..., y un poco de compañía y..., en fin..., ciertas libertades. (*Como si se golpeara interiormente.*) Imbécil. Imbécil. (*Pausa. En otro tono.*) No pensaba en ningún momento que sería lo que fue.

CUCA.— (*Como la madre. Violenta.*) No pensabas. "Lo ancho para mí y lo estrecho para ti", ése es el lema de todos. Conmigo la cosa tenía que ser distinta.

LALO.— (*Como el padre. Con cierta amargura.*) Sí, es cierto. Y claro que fue bien distinta. Días antes de casarnos empezaron las contrariedades: que si la iglesia era de barrio y no de primera categoría, que si el traje de novia no tiene la cola muy larga, que tus hermanas decían, que tu madre, que tu prima, que tu tía, que tus amigas pensaban, que si tu abuela había dicho, que si los invitados debían ser tal y mascual, que si el cake no tiene diez pisos, que si tus amigos deben ir de etiqueta...

CUCA.— (*Como la madre. Retadora.*) Habla... Dilo, dilo todo. Vomítalo, que no te quede nada por dentro. Al fin descubro que me odias.

LALO.— (*Como el padre. Firme, convencido.*) Sí, es cierto. Y no sé por qué. Pero sé que es así. (*En otro tono.*) Cuando novios te metiste en mi cama porque sabías que era la única manera de agarrarme. Ésa es la verdad.

CUCA.— (*Como la madre. Retadora.*) Sigue, sigue. No te detengas.

LALO.— (*Como el padre. Firme.*) No querías criar sobrinos. Odiabas a los muchachos... ¿Pero, soltera, quedarte soltera...? No, no. Tú ibas a tener un marido. Sea quien fuere. Lo importante era tenerlo.

CUCA.— (*Como la madre. Acercándose a él, furiosa.*) Te odio, te odio, te odio.

LALO.— (*Como el padre. Retador.*) Un marido te daba seguridad. Un marido te hacía respetable. (*Irónico.*) Respetable... (*Pausa.*) No sé como explicarme... La vida, en todo caso, es algo así, si se quiere...

CUCA.— (*Como la madre. Desesperada.*) Mentira, mentira, mentira.

LALO.— (*Como el padre. Violento.*) ¿Me vas a dejar hablar?

CUCA.— (*Fuera de situación.*) Estás haciendo trampas otra vez.

LALO.— (*Como el padre.*) No quieres que la gente se entere de la verdad.

CUCA.— (*Fuera de situación.*) Estamos discutiendo otra cosa.

LALO.— (*Como el padre.*) Tienes miedo de llegar al final.

CUCA.— (*Fuera de situación.*) Lo que quieres es aplastarme.

LALO.— (*Como el padre. Violento.*) ¿Y tú qué has hecho? Dime, ¿qué has hecho conmigo? ¿Y con ellos? (*Burlándose.*) "Me pongo fea, Alberto. Estoy hinchada. Con tu sueldo no podemos mantenerlos". (*Pausa.*) Y yo no sabía los motivos, las razones verdaderas. Y, hoy, te digo: "Ponte la mano en el corazón y respóndeme, ¿me has querido alguna vez?" (*Pausa.*) Pero no importa. No digas nada. Estoy viendo claro. Ha tenido que pasar un burujón de años para que entre en razón. "Alberto, los muchachos... No puedo con ellos. Ocúpate tú". Mientras más pasaba el tiempo mayores eran las exigencias, mayor era tu egoísmo. (*Pausa.*) Y yo, en la oficina, allá en el Ministerio, con los números, los chismes y los amigos que venían y decían: "Hombre, ¿hasta cuándo vas a seguir así?" (*CUCA comienza a cantar. "La sala no es la sala. La sala es la cocina. El cuarto no es el cuarto. El cuarto es el inodoro". Debe establecerse una fuerte interrelación entre los cantos y las palabras de LALO y CUCA. Los cantos de BEBA aparecen primeramente como gruñidos y se van transformando hasta alcanzar un acento dulce, sencillo, ingenuo casi. LALO, burlón.*) ¿Y tú? "Hoy llamó tu hermana, la muy intrigante. Estos muchachos. Mira cómo tengo las manos de lavar. Estoy desesperada, Alberto. Quisiera morirme". Y venían tus lágrimas y los muchachos gritando y yo creía que me volvía loco y daba vueltas en un mismo círculo siempre... Y salía de casa, a veces a medianoche, y me daba unos tragos y sentía que me ahogaba, que me ahogaba... (*Pausa. Sin aliento.*) Y había otras mujeres y no me atrevía a pensar en ellas... Y sentía unas ganas terribles de irme, de volar, de romper con todo. (*Pausa.*) Pero tenía miedo; y el miedo me paralizaba y no me decidía y me quedaba a medias. Pensaba una cosa y hacía otra. Eso es terrible. Darse cuenta al final. (*Pausa.*) No pude. (*Al público.*) Lalo, si tú quieres, puedes. (*Pausa.*) Ahora me pregunto: ¿por qué no viviste plenamente cada uno de tus pensamientos, cada uno de tus deseos? Y me respondo: por miedo, por miedo, por miedo.

CUCA.— (*Como la madre. Sarcástica.*) Yo de eso no tengo la culpa, mi hijito. (*Pausa. En otro tono. Desafiante.*) Y tú, ¿qué querías que hiciera? Estos muchachos son el diablo. Me convertían la casa en un chiquero. Lalo rompía las cortinas y las tazas y Beba no se conformaba con destrozar las almohadas... Y a ti bien que te gustaba llegar y encontrarlo todo a mano. ¿Te acuerdas cuando Beba se orinó en la sala? Tú te escandalizaste y decías: "En mi casa nunca ocurrió eso". ¿Tenía yo acaso la culpa? ¿Yo...? Ponía una silla aquí. (*Mueve una silla.*) Y me la encontraba acá. (*Mueve la silla a otro lugar.*) ¿Qué querías que hiciera?

LALO.— (*Vencido.*) Había que limpiar la casa. (*BEBA deja de cantar.*) Sí... Había que cambiar los muebles, sí... (*Pausa. Con gran melancolía.*) En realidad, había que hacer otra. (*Pausa. Lentamente.*) Pero ya estamos viejos y no podemos. Estamos muertos. (*Pausa larga. Violento.*) Siempre pensaste que eras mejor que yo.

CUCA.— (*Como la madre.*) Contigo he desperdiciado mi vida.

LALO.— (*Como el padre. En tono de venganza.*) No puedes escapar. Aguanta. Aguanta. Aguanta.

CUCA.— (*Como la madre. Entre sollozos.*) Empleadillo de mala muerte. Ojalá se murieran los tres.

BEBA.— (*Como LALO. Gritando y moviéndose en forma de círculo por todo el escenario.*) Hay que quitar las alfombras. Vengan abajo las cortinas. La sala no es la sala. La sala es la cocina. El cuarto no es el cuarto. El cuarto es el inodoro. (*BEBA está en el extremo opuesto a LALO, de espaldas al público. LALO, también de espaldas al público, se va doblando lentamente. En un grito espantoso.*) Ayyyyy. (*Entre sollozos.*) Veo a mi madre muerta. Veo a mi padre degollado. (*En un grito.*) ¡Hay que tumbar esta casa! (*Pausa larga.*)

LALO.— Abre esa puerta. (*Cae de rodillas.*)

(*CUCA lentamente se levanta, va hacia la puerta del fondo y la abre. Pausa. Se dirige hacia la mesa y coge el cuchillo.*)

BEBA.— (*Tono normal.*) ¿Cómo te sientes?

CUCA.— (*Tono normal.*) Más segura.

BEBA.— ¿Estás satisfecha?

CUCA.— Sí.

BEBA.— ¿De veras?

CUCA.— De veras.

BEBA.— ¿Estas dispuesta, otra vez?

CUCA.— Eso no se pregunta.

BEBA.— Llegaremos a hacerlo un día...

CUCA.— (*Interrumpiendo.*) Sin que nada falle.

BEBA.— ¿No te sorprendió que pudiera?

CUCA.— Uno siempre se sorprende.

LALO.— (*Entre sollozos.*) Ay, hermanas mías, si el amor pudiera... Sólo el amor... Porque a pesar de todo yo los quiero.

CUCA.— (*Jugando con el cuchillo.*) Me parece ridículo.

BEBA.— (*A CUCA.*) Pobrecito, déjalo.

CUCA.— (*A BEBA. Entre risas burlonas.*) Míralo. (*A LALO.*) Así quería verte.

BEBA.— (*Seria de nuevo.*) Está bien. Ahora me toca a mí.

TELÓN

Palabras comunes

Cinco partes

Para Chantal

Mais il faut mettre aux pieds cette sote vanité, et secouer vivament et hardiment les fondemens ridicules sur quoy ces fausses opinions se bastissent.
MICHEL DE MONTAIGNE

..., y aún hoy lloro al escribirlo.
FRANZ KAFKA

Pues viven en mentira, no solamente por adorar falsos dioses, sino por no tener el valor suficiente para confesarlo.
MARÍA ZAMBRANO

*¡Anda, putilla del rubor helado,
anda, vámonos al diablo!*
JOSÉ GOROSTIZA

PERSONAJES

VICTORIA.
CARMEN: madre de Victoria, Alicia y Gastón, esposa de Ricardo
JUANITA: madre de Graciela
ADRIANA: niña, hija de Victoria y Joaquín
ALICIA: hermana de Victoria y Gastón, esposa de José Ignacio
GASTÓN: hermano de Victoria y de Alicia
RICARDO: esposo de Carmen y padre de Victoria, Alicia y Gastón
ANTONIA: hermana de Ricardo
PAULITA: criada
BORRÁS: criado
LUISA: amiga de Victoria
ADOLFO: esposo de Luisa
PEDRO ARTURO: esposo de Graciela
GRACIELA: esposa de Pedro Arturo e hija de Juanita
JOSÉ IGNACIO: esposo de Alicia y hermano de Teresa
MENÉNDEZ: amigo de Ricardo
JOAQUÍN: esposo de Victoria
FERNANDO: amante de Victoria
TERESA: hermana de José Ignacio

ÉPOCA: De 1894 a 1914.
LUGAR: Santa Clara y La Habana.

obra exilada

PALABRAS COMUNES *fue estrenada en Stratford-upon-Avon (Theater Other Place), el 4 de septiembre de 1986 y en Londres (The Pit, Barbican Center) el 25 de marzo de 1987, bajo la dirección de Nick Hamm, con la coreografía de Guido González del Valle Morales, música original de Ilona Sekac y diseños de Chris Dyer e interpretada por Janet McTeer, David Killick, Henry Goodman, Martin Jacobs, David Haig, Darlene Johnson, Joely Richardson, Philip Frank, Rosalind Boxall, Anna Hyhg, Amanda Harris, Caroline Johnson, Joseph Mydell, Geraldine Fitzgerald, Max Gold, Jeremy Pearce y Susan Porrett, etc.*

PRIMERA PARTE

1

(*VICTORIA entra a escena. Se quita el sombrero y el velo. Su rostro expresa cierta exaltación y trastorno. Se deja caer en una poltrona situada en el primer plano del escenario. Al fondo se escuchan las voces de CARMEN y JUANITA.*)

o HoNRA FEMININA

CARMEN.— Una mujer honrada, lo que se llama una mujer honrada es incapaz de hacer lo que hace Teresa...

JUANITA.— ¡Pero los tiempos cambian, Carmen!

CARMEN.— ¡No! ¡Me niego, Juanita! ¡Me niego!

JUANITA.— Tus intransigencias las llevas a un punto...

CARMEN.— ¡Así es, quieras o no!

(*Pausa. Ruidos de platos. Algunas risas. ADRIANA, la hija de VICTORIA, entra saltando con una muñeca de trapo entre los brazos. Al ver a su madre se detiene, la contempla y luego se le acerca, echándosele en los brazos.*)

ADRIANA.— Mamita, ¿estás mala?

VICTORIA.— (*Acariciándole los cabellos.*) No, hijita. Un poco de jaqueca, que el fresco de la tarde me quitará seguramente.

ADRIANA.— Ya no hay mucho sol, mamá. ¿Puedo ir a jugar con mis amiguitas al Prado?

VICTORIA.— (*Con una sonrisa triste.*) Ve, hija, ve.

(*ADRIANA se dispone a salir; a mitad de camino regresa a sus brazos y la besa varias veces en le mejilla. VICTORIA le devuelve los besos. Entra PAULITA, una vieja criada negra; viste un impecable uniforme.*)

ADRIANA.— (*Desprendiéndose de los brazos de su madre.*) Te quiero mucho. Hasta ahorita.

(*ADRIANA hace mutis, saltando, acompañada de PAULITA. Se oye la voz de la criada, afuera.*)

preocupación con matrimonio

PAULITA.— No corras, niña, te harás daño. (*Pausa.*)
CORO DE NIÑAS.— (*Afuera, cantando.*)
          Me casó mi madre,
          me casó mi madre,
          chiquita y bonita,
          ayayay,
          chiquita y bonita.

(*VICTORIA se levanta y se acerca al primer plano. Sonríe: después su rostro se contrae. Se sienta en la mecedora.*)

metáfora: cómo ganar algo

VICTORIA.— (*Suspira. Con angustia y sarcasmo.*) ¡Seguiré siendo una mujer honrada! Sombra de sombras. ¡Ah, estoy vieja, estoy gorda, estoy cansada!... ¡Uf, qué calor!... ¡Esto es un horno! (*Pausa breve. Desesperada.*) Orden y limpieza..., ¿dónde? ¿Dónde? (*Otro tono.*) ¡No! ¡No! ¡No! (*Feroz.*) ¡Las honradas, qué horror!
CORO DE NIÑAS.— Me casó mi madre,
          me casó mi madre,
          chiquita y bonita,
          ayayay,
          chiquita y bonita,
          con un muchachito,
          con un muchachito,
          que yo no quería,
          ayayay,
          que yo no quería.

refleja el trauma

(*VICTORIA suavemente se balancea. La luz, muy despacio, va desapareciendo.*)

2

(*Los cantos se intensifican. Pausa. La oscuridad es casi total. Se oye la voz de* CARMEN, *la madre de* VICTORIA, *en un susurro.*)

CARMEN.— Victoria, Victoria.

(*Aparece el rostro de* VICTORIA, *es el de una niña.* CARMEN *repite su llamado.*)

CARMEN.— (*En tono recriminatorio.*) ¡Victoria! ¡Victoria!

(*Luz en el escenario.* CARMEN *corta flores en el jardín.* DON RICARDO, *su esposo, lee los periódicos. 1894.* ALICIA, *una muchachita rubia, de doce años, viste una muñeca.* GASTÓN, *de unos diez, juega con un yoyo.*)

VICTORIA.— (*Gritando a su hermano.*) Mira, Gastón, yo puedo más que tú. (*Gesto grotesco de* GASTÓN.)
CARMEN.— (*A* VICTORIA.) ¡Niña! ¡Habráse visto!... Alicia, ese lazo... ¡Arréglatelo! ¡Mira a tu hermana! (*A* VICTORIA.) ¡Sal de ahí! (*A un personaje invisible.*) Con ocho años y ya es una marimacho. (*ALICIA pone su muñeca junto al costurero y se precipita sobre* VICTORIA. *Forcejeo de las dos hermanas.*)

3

(ANTONIA, *la hermana mayor de* RICARDO, *entra a escena con un perro en los brazos. Es una mujer de unos cincuenta y cinco años. Viste con sobria elegancia.*)

ANTONIA.— (*A* CARMEN.) La culpa es tuya, querida. ¿Por qué se lo permites? Siembra viento y recogerás tempestades.
CARMEN.— ¿Que yo se lo permito?
ANTONIA.— (*Mimosa al perro.*) ¿No es verdad, Titania linda?
ALICIA.— (*A* VICTORIA.) No vas a hacer lo que te dé la gana. (*A* CARMEN.) Mamá, Victoria se niega...
CARMEN.— (*A* ANTONIA.) Me crispas. No te lo mando a decir con nadie.
GASTÓN.— (*Burlándose de* ALICIA.) Mamá, Victoria se niega...

(VICTORIA *y* ALICIA *discuten en voz baja.* VICTORIA *expone razones, su her-*

mana también. GASTÓN, mientras juega, escucha —disimulándolo— el discurso de ANTONIA.)

ANTONIA.— (*A CARMEN.*) ¡Es la realidad!... ¿Qué importa que te pases el santo día detrás de los calderos, disponiendo los escobillazos, el baldeo y la persecución de las telarañas? Orden y limpieza, sí. A todo meter, sin respirar... (*Señala la cabeza.*) Pero aquí. (*Otro tono.*) Si conmigo fuera, ellos entraban por el aro. (*Gesto de burla de GASTÓN.*) Pero tú los consientes. (*Otro tono.*) Yo hubiera eliminado de cuajo los juegos, los correteos en el jardín y la arboleda.

(*ALICIA se da por vencida. VICTORIA se balancea en el cachumbambé o en una mecedora —según el tamaño del escenario—, muy suavemente. ALICIA la recrimina. GASTÓN guarda su yoyo, en el bolsillo del pantalón; corre hacia donde está la muñeca de ALICIA, la toma y sale aullando como si fuera el salvaje de una tribu. ALICIA sale corriendo detrás de él y lo atrapa. Forcejean. Caen al suelo.*)

ANTONIA.— Sentados como momias, allá dentro. En línea recta, igualito que un regimiento en posición de alerta hacia la eternidad.

(*GASTÓN le hace cosquillas a su hermana. Los gritos y lamentos se convierten en risas.*)

ANTONIA.— ¡Mira ese espectáculo!

(*VICTORIA abandona el cachumbambé o mecedora con un gesto de malestar, pone su muñeca junto al costurero de ALICIA y se acerca a CARMEN.*)

ESCENA SIMULTÁNEA

ALICIA.— (*Divertida.*) Gastón, no fastidies.

GASTÓN.— ¿Tú no querías?

ALICIA.— Ay, que mamá después...

GASTÓN.— Ahora verás... (*Risas.*)

ALICIA.— Déjame, chico.

VICTORIA.— Me duele aquí, mamita. Me pica.

CARMEN.— ¿Qué cosa, niña?

VICTORIA.— (*Casi lloriqueando.*) Que no puedo...

CARMEN.— ¡Gastón, deja a tu hermana!

ANTONIA.— ¡Es el colmo! ¡Cualquier día lo peor!

CARMEN.— ¡Ricardo, pon orden tú! (*RICARDO continúa abstraído en su lectura. GASTÓN se incorpora. ALICIA lo imita; ha recuperado la muñeca.*) Estos muchachos tienen el diablo en el cuerpo. (*A* VICTORIA.) A ver, niña...

VICTORIA.— Una espina, mamita.

CARMEN.— (*Observándole el dedo.*) ¡Por desobediente! Dios castiga sin piedra ni palo. (*Otro tono.*) ¡No es nada, Victoria! (*A GASTÓN, violentamente.*) Y tú, ¿por qué te metes con las niñas? Eso no me gusta.

(*ALICIA se sienta en el cachumbambé o mecedora. VICTORIA se entretiene con la espina en el dedo, hablando a solas.*)

GASTÓN.— (*Reanuda malhumorado su juego con el yoyo.*) Mamá, es que yo...

CARMEN.— Ninguna excusa tienes, Gastón.

GASTÓN.— (*Protestando.*) Aquí no quieren que juegue con los muchachos del barrio... (*Furioso.*) ¡Me tienen más...!

CARMEN.— Quítate eso de la cabeza.

GASTÓN.— Pero yo me aburro, mamá...

RICARDO.— El muchacho necesita ir a la escuela.

CARMEN.— (*Interrumpiendo.*) Para que se me convierta en un mataperro... Alicia, bájate la falda y no te impulses tan fuerte.

ALICIA.— Pero Gastón lo hace, mamá...

CARMEN.— Es varón y puede hacerlo. (*Refunfuñando, ALICIA obedece.*) Ustedes son unas niñas y deben darse su lugar. (*A RICARDO.*) Perdona, viejo..., pero, por nada del mundo... Ahí tienen a su tía Antonia, y yo misma... Ella puede enseñarle, desde hoy, el catecismo y la historia sagrada. Yo me ocuparé de la gramática, de la aritmética..., geografía e historia... ¡Ah, y las muchachitas aprenderán el bordado y la costura conmigo!

ANTONIA.— (*Con un gesto de desagrado.*) ¡Sí, ocuparse de estas fieras! (*Hace mutis.*)

4

CARMEN.— Quiero que mis hijos sean un ejemplo vivo... Y, sobre todo, las niñas... Modestas, recatadas..., como si fueran las más valiosas filigranas de cristal...

VICTORIA.— (*Todavía hurgándose el dedo.*) ¿Y eso qué es, mamita?

CARMEN.— ¿Eso? ¿Qué es eso de qué, Victoria?

VICTORIA.— Lo que dijiste, mami...

CARMEN.— Mira, déjate de tantas preguntas, que ya pareces una marisabidilla, como dice tu padre..., y por ese camino sólo serás una irremediable materialista.

(*CARMEN se sienta en una comadrita cercana a la butaca de RICARDO. Al fondo los muchachos se integran y juegan despreocupados.*)

RICARDO.— (*Tirando el periódico sobre una mesita.*) Estamos a un paso de la guerra. ¡De ella no hay quien nos salve!

CARMEN.— ¡Así me recibes! Quiero estar contigo, y enseguida, catapum, como un moscón..., aparece tu pesimismo.

RICARDO.— (*Interrumpiéndola.*) ¡Pesimismo!... ¡No! ¡Realismo!

CARMEN.— Te altera que en los periódicos...

RICARDO.— ¡Estoy convencido, Carmen!

CARMEN.— ¡Cuando coges una idea fija...!

RICARDO.— ¡Quien tiene la experiencia, sabe!

CARMEN.— ¡Chico, me dejas de una sola pieza!

RICARDO.— En el último anónimo que recibimos...

CARMEN.— (*Interrumpiéndolo.*) ¡No me hables de eso!

RICARDO.— (*Insistente.*) Decían que la guerra se preparaba y que en los Estados Unidos...

CARMEN.— ¡Te ruego, Ricardo!...

RICARDO.— Que existe la amenaza, existe...

CARMEN.— (*Cortante.*) Ah, Ricardo, en este país siempre estamos amenazados... Desde que tengo uso de razón... Hay un maldito afán de delirio, una necesidad de..., de... Mamá me decía: "Hija, busca al cubano en el desastre".

RICARDO.— ¡No, Carmen!... Estoy hablando con propiedad y seriamente. Sé que te enerva, que te resulta inaceptable...

CARMEN.— ¿Qué quieres decir?

RICARDO.— Querida, hemos tenido ya dos experiencias..., la del 68 y la del 79... ¡Dos guerras! ¡Uno no vive en balde!

CARMEN.— Me parece un desatino que tú comiences... Por ti, por mí, por nosotros, por los muchachos...

RICARDO.— ¿Y lo que hemos vivido lo tiramos al latón de la basura? Piensa un poco, reflexiona. Ninguna gracia me hace tener que pensar en este asunto..., y menos, en este momento, en que comienza la zafra... ¡Si no estamos alertas, sería peor!

CARMEN.— (*Angustiada.*) ¿En qué te basas, qué es lo que te hace pensar que la guerra está a un paso de nuestra puerta?

RICARDO.— (*Convencido, firme.*) ¡Simplemente, la experiencia!... No son las noticias de los periódicos, ni los rumores ni los anónimos, sino todo junto... ¡Es algo físico! ¡Algo que está en el aire!

CARMEN.— (*Riéndose, nerviosa.*) ¡El que te oiga dirá que estás loco!

RICARDO.— ¡Ríete si quieres!... Cuando estalló la Guerra Grande, en el 68..., ¡ni la menor idea! ¡No sabía! ¡Es una realidad!... Tenía quince años, estaba en La Habana y estudiaba con los jesuitas. En La Habana no sucedía nada..., bueno, sí, algún tiroteo a extramuros..., bandidos, delincuentes... Mamá, por su parte, me escribía largas cartas, me hacía alusiones, y yo no entendía, no podía entender... Papá había muerto y me lo ocultaba... Me escribía por ejemplo, que mis dos hermanos iban a abandonarla, que mi hermana Antonia lloraba por los rincones, que la partitura del Claro de Luna se le había extraviado..., ¡ah, y las llaves, las llaves!... Algunas cosas absurdas, risibles, dirás..., y que ella quería que yo regresara... Y como yo no entendía, aplazaba mi estancia... ¿Por qué ese empeño de mamá? ¿Por qué?... Cuando comprobé la triste realidad..., frente a frente, cuando supe que mis dos hermanos habían muerto en la guerra y que habíamos perdido casi toda la fortuna... y nos encontramos Antonia y yo solos... ¡Entonces entendí, dolorosamente entendí a medias!

CARMEN.— ¡Ah, Ricardo, Ricardo...!

RICARDO.— Es algo más fuerte que yo, que me lo dice; podría dejarme matar, te lo juro...

CARMEN.— Te suplico, amor mío...

RICARDO.— ¡Es increíble!... Hay experiencias que quedan grabadas, así, como a fuego lento, en carne viva... Más de una vez te lo he contado...

CARMEN.— (*Rápida.*) ¿Que me has contado? ¿A mí?

RICARDO.— Naturalmente, Carmen. Por esa época, cuando todavía estaba en La Habana, una noche, un grupo de muchachones nos escapamos del colegio y nos fuimos a un teatrucho de mala muerte... ¡Te lo he contado! ¡Haz memoria!

CARMEN.— (*Tajante*.) Ricardo, yo vivía aquí, en Santa Clara, y tú estabas en La Habana. Vivíamos mundos diferentes.

RICARDO.— ¡Perfecto, Carmen!... Aunque jures y perjures, sé que te lo he contado. Fue, en un momento del espectáculo..., en que había su pimienta en contra del gobierno...

CARMEN.— (*Riéndose estúpidamente*.) ¡Ah, sí, sí!

RICARDO.— Alguien, como un desaforado, se puso a gritar "Fuera, fuera" a los voluntarios españoles que estaban en la platea y a tirar proclamas... ¡Hubo un amago de revuelta! ¡Qué noche aquélla!... Por primera vez vi, en una fracción de segundos, el horror de los hombres..., unos contra otros...

CARMEN.— (*Todavía riéndose*.) ¡Cierto! ¡Tú me lo contaste!

RICARDO.— Exactamente lo mismo que las otras noches cuando fuimos al Liceo...

CARMEN.— (*Rápida. Enseriándose*.) ¿Estás seguro?

RICARDO.— ¡Te lo dije! ¡Dos y dos son cuatro!... Y la gente...

CARMEN.— La gente es estúpida.

(*Se oyen los cantos de los muchachos que están construyendo una fogata al fondo del escenario. CARMEN, intrigada, se pone en pie y los observa.*)

RICARDO.— (*Violento*.) ¡Me saca de quicio que tú...! ¡Deja a esos vejigos tranquilos! (*CARMEN va a interrumpirlo, él se lo impide.*) Estoy hablando contigo cosas que..., que... ¡Ya perdí el hilo! ¿Por dónde iba?... ¡Ah, sí!..., y el más grande despropósito es que, en este momento, el Partido Liberal todavía postule lo que en el año del Cometa era puro blablablá... (*Otro tono.*) Que temen y no quieren la Revolución en Cuba, que quieren a Cuba española, que unida a España... (*Otro tono.*) ¿Y las reformas propuestas para el comercio..., y los beneficios? ¡A la bolina! (*Otro tono.*) Eso es lo que plantea un partido político que se pretende liberal... ¡Dime tú ahora los otros!

CARMEN.— Querido mío, desde que el mundo es mundo, la política es un asco.

RICARDO.— ¡Pero Madrid tiene la culpa! ¡O no se da cuenta, o poco le importa, o está ciega!... ¡O no sé!... Porque el cuadro que tenemos es bochornoso. Cada Capitán General que viene..., uno peor que el otro... ¡Te aprietan el cogote, intentando dejarte sin resuello! (*Otro tono.*) ¡No digo yo que los estudiantillos y los negros y los mulatos y los resentidos de las dos guerras se aprovechen de la situación y anden agitando como fieras!... ¡A mayor represión, mayor oposición!

(*Al fondo del escenario, en lo oscuro, se adivinan las siluetas de* GASTÓN, VICTORIA *y* ALICIA, *cantando alrededor de la fogata, con los brazos alzados, llevando unas candelillas.*)

CARMEN.— ¡Esos muertos de hambre!
RICARDO.— ¡Todavía en las nubes!
CARMEN.— ¡No los soporto! ¡Son capaces de todo!
RICARDO.— ¡Si te pones así!
CARMEN.— Nadie con dos dedos de frente...
RICARDO.— ¡Contrólate, por favor!... Escucha... Los otros días, casualmente, me encontré con Menéndez... Iba yo no sé a dónde... Creo que al Club... Sin darle ninguna importancia comenzamos a hablar..., de la zafra, de las contratas, de la familia... ¡Las mil y una historias! De repente, con mucho misterio, me preguntó si conocía algunos rumores... ¿Rumores?, le dije... Imagínate los circunloquios..., hasta que finalmente me confesó que se había enterado por ciertas autoridades... ¡no me dijo quiénes!, que estaban entrando armas y municiones de contrabando..., y de algunas reuniones secretas... Me eché a reír y le dije que me estaba tomando el pelo, e inmediatamente desembuchó lo que sabía..., que una sobrina suya acababa de llegar de los Estados Unidos y estaba escandalizada, que los cubanos en Brooklyn, que allí se conspiraba todo el tiempo contra España y que ella no lo soportaba y que sabía que se preparaba algo gordo...
CARMEN.— ¡Y te lo habías guardado!
RICARDO.— Carmen, atando cabos... (*Otro tono.*) Cuando río suena, piedras trae.
CARMEN.— (*Totalmente angustiada.*) Nuestra tranquilidad, nuestra seguridad..., para los muchachos..., yo pensaba...

RICARDO.— Estamos sentados encima de un polvorín. (*Pausa. Otro tono.*) De ahora en adelante, silencio. Veremos lo que podemos hacer..., ¡ni con unos ni con otros! ¡Solos!... ¡Un hombre honrado!...

CARMEN.— ¡La guerra, Dios mío! ¡Otra vez la guerra!

5

(*Entra ANTONIA. Trae una varilla en la mano derecha y carga unos libros en el brazo izquierdo. ALICIA, GASTÓN y VICTORIA, en primer plano, cantan y saltan.*)

CORO.— Cristo ABC
        la cartilla se me fue
        por la calle San José.
        Ay, ay, búsquemela usted.

ANTONIA.— ¡El catecismo! ¡Arriba, muchachos! (*Golpea con la varilla unas sillas.*) ¡La palabra del Señor!

CORO.— Cristo ABC
        la cartilla se me fue
        por la calle San José.
        Ay, ay, búsquemela usted.

ANTONIA.— (*Enérgica.*) ¡Respeto, niños! ¡Gastón, a tu sitio! ¡Alicia! ¡Victoria! (*Los muchachos detienen sus correrías por el escenario, pero siguen cantando en voz baja, mientras se sientan.*) ¡Silencio! (*Otro tono.*) Gastón, "el padre nuestro".

GASTÓN.— (*Se pone en pie; recita sin saber lo que dice.*) Padre nuestro que estás en los cielos, santi...

ANTONIA.— (*Golpeándolo.*) Santificado...

GASTÓN.— (*Rápido.*) Santificado.

ANTONIA.— Sigue, niño.

GASTÓN.— Padre nuestro que estás en los cielos, santi..., santi..., san... (*VICTORIA y ALICIA se ríen, tapándose la boca.*)

ANTONIA.— (*Furiosa.*) ¡Se te olvidó!

GASTÓN.— San..., san...

ANTONIA.— ¿San, qué?

VICTORIA.— (*A GASTÓN, soplándole.*) Santificado.

GASTÓN.— Santificado...
ANTONIA.— ¿Santificado, qué, qué..., Gastón?
GASTÓN.— ¿Santificado, qué, qué..., Gastón?
ANTONIA.— Te burlas. (*Lo golpea.*) Santificado sea tu nombre...
Aprenderás. La letra entra con sangre. Repítelo. No creas que
podrás conmigo. (*Otro tono.*) Santificado sea tu nombre...
GASTÓN.— (*Llorando.*) ¡No puedo! ¡No puedo!
ANTONIA.— Niñas, ustedes también... Uno, dos, tres... (*ALICIA y VIC-
TORIA repiten el texto al unísono. GASTÓN las imita entre sollozos.*) ¡Vamos,
en fila india!

6

JUANITA.— (*Entrando. En un rapto de lloros.*) ¡Y yo, cómo estoy!... Dos
días y dos noches, con los ojos abiertos, mirando al vacío! Mi hijo,
Ricardo, se fue a la manigua. ¡A la guerra! Se alistó, así porque
sí, en el ejército de los mambises... ¡Lo menos que yo podía esperar!
RICARDO.— (*Fingiendo.*) ¿De qué habla, Juanita?... ¿Pero es cierto?
JUANITA.— (*Sacudiéndose las narices.*) ¡Quién me lo iba a decir a mí!
Yo, que me hacía tantas ilusiones...
RICARDO.— ¡Es increíble! ¡Ese muchacho!... ¡Tan formalito que
parecía!
JUANITA.— ¡Vamos, Ricardo, déjese de cuentos! ¡Usted lo sabía!
RICARDO.— (*Desarmado.*) Por nuestra amistad... ¡Soy hombre de
palabra!
JUANITA.— (*Dudando.*) ¡Oh, Virgen mía! (*Otro tono.*) ¡Pues es la rea-
lidad! ¡Se fue!... Un buen día lo decidió, y fuácata... ¡A la guerra,
como si fuera a salvar la humanidad!
RICARDO.— Que yo sepa la guerra todavía...
JUANITA.— ¡Ricardo, en qué mundo vive usted!... ¡Es imposible que
no esté al tanto!..., si a mí que soy un cero a la izquierda me lle-
gan las noticias... ¡La calle es un hervidero! ¡Pólvora encendida!
RICARDO.— Los comentarios existen, naturalmente...
JUANITA.— ¡Estalló!... ¡Es un desenfreno!... Desembarcos y desembarcos..., de todas partes, de los Estados Unidos, de México, de
Santo Domingo, de Haití... ¡Dicen que van a arrasar la isla de

un extremo a otro!... ¿Por qué cree usted que hay esa moviliza-
ción de voluntarios y oficiales..., esos trenes que vienen atestados
y desembarcan todos los días y en la calle te registran y te piden
los papeles?...
RICARDO.— Usted me compromete, Juanita.
JUANITA.— ¡Si estoy con el alma en pena! (*Otro tono.*) La guerra...
¡Oh, es un horror!..., y mi hijo metido en eso y el negro Patricio...
RICARDO.— (*En un sobresalto.*) ¡Juanita!
JUANITA.— Sí, Ricardo. Los dos juntos... Anteayer en la ma-
drugada...
RICARDO.— (*Atemorizado.*) El negro Patricio me dijo que quería reu-
nirse con sus parientes... ¡Me pareció tan natural!
JUANITA.— (*Interrumpiendo.*) ¡Cuentos de caminos!
RICARDO.— (*Teatral.*) ¡Uf, madre mía!... Juanita, usted...
JUANITA.— (*Sollozando.*) ¡Mi hijo! Era mi único sustento... Sólo él,
Ricardo. Y ahora... ¿A quién dirigirme? ¿A las autoridades? ¿Sabe
usted lo que eso significa? La cabeza me da vueltas. ¿Qué hacer?
¿Qué decir? ¿A quién debo ver? Necesito saber. ¿Habrá llegado?
¿Lo habrán detenido? (*Otro tono.*) Algunas veces he deseado salir
a medianoche por los campos, gritando, aullando: "Hijo mío, hijo
mío". (*Pausa.*) El muchacho tenía sus ideas... Ideas que ni usted
ni yo compartimos, como es natural; pero ideas que mueven, que
agitan... "*Libertad, igualdad... Nosotros los cubanos*". Figúrese... ¡Venirme a mí con semejantes palabritas! "*Libertad*", ¿dónde?... "*Igualdad*", ¿dónde?... Y "*nosotros los cubanos*" somos la última carta de la
baraja... ¡Si es un batiburrillo, un desastre, un ton ni son!... ¡Quién
va a arreglar esto!... ¿La guerra? ¿Y las otras dos de qué sirvie-
ron?... ¡Más sangre y más muertos!
RICARDO.— (*Muy serio.*) Usted es tan...
JUANITA.— (*Rápida.*) ¡Ya qué sé yo lo que soy ! (*Solloza.*) "Muchacho, no vayas. ¡Deja a los negros que se las arreglen solos! ¡Ve tú
a lo tuyo! ¡Espera un poco!... Aunque Patricio sea hijo de liberto
y trabaje con Ricardo..., ¡es negro!"
RICARDO.— Un hombre honrado, leal y trabajador, Juanita. Como
Borrás.
JUANITA.— (*Sin pensar, rápida; en su delirio.*) Pero negro, Ricardo..., ¡y
eso no hay quien se lo quite de encima!... En fin, se lo decía, es-

perando que se le quitara el barrenillo que tenía ahí, entre ceja
y ceja. (*Teatralizando.*) Y entonces me miró de arriba a abajo, como
jamás me había mirado y no dijo ni pío..., y tuve la certidumbre,
allí mismitico, que ya no era quien yo creía que era... Fue igual
que si me enterraran miles y miles de cuchillos en el cuerpo bus-
cándome los huesos, o quizás, más allá, mucho más allá, que no
existe, porque está en lo invisible... ''Muchacho, mira que me vas
a dejar sola, en grima. No tengo a nadie que me represente. Tú
eres mi única confianza, mi única felicidad... Ay, angelito mío''.
Y sabe usted lo que me respondió: ''Hay una madre más grande:
la patria''. (*Desesperada.*) Y me vino un buche amargo, un buche
de sangre o de odio, un buche de espanto. ''Deja a tu madre. Déjala con el corazón en la boca. Déjala a la intemperie. Déjala que
se muera de hambre. A ella y a tu pobre hermanita''. Y no quise
gritarle ''desnaturalizado'', no quise escupirle mi desolación, porque un dolor, aquí, en la boca del estómago..., y no podía y ya
no tenía fuerzas. (*Pausa. Otro tono.*) Es mi hijo, Ricardo. Y un hijo
es un hijo.

RICARDO.— (*Pálido, desesperado. Con las manos en los bolsillos, dando grandes
zancadas por el escenario.*) Eso, eso...

JUANITA.— (*Volviendo a la realidad.*) ¡Misericordia!...

RICARDO.— (*Fuera de sí, alucinado.*) Eso, eso mismo.

JUANITA.— ¿Qué dice?

RICARDO.— Ideas que mueven, que agitan..., ¡y yo estoy en el aire,
al garete! Mi casa, mis tierras, mi dinero... ¡Siempre con miedo!

(*Óyense afuera las voces de ANTONIA y CARMEN discutiendo con ALICIA, VIC-
TORIA y GASTÓN. RICARDO cae derrumbado en un sillón.*)

JUANITA.— (*Llamando.*) ¡Carmen, Antonia!

RICARDO.— ¡Lo sé y no puedo aceptarlo!

(*CARMEN y después ANTONIA están sorprendidas, en suspenso casi.*)

7

(*VICTORIA, ALICIA, GRACIELITA y LUISA están reunidas en la penumbra del escenario. ALICIA, GRACIELITA y LUISA oscilan, más o menos, entre los doce y los catorce años. VICTORIA, diez años. GASTÓN, en la parte superior de la escena, juega como un malabarista con un arco. A ratos se acerca al grupo de las muchachitas tratando de oír lo que dicen, y como no puede, utiliza el aro igual que si fuera un arma violenta. Las cuatro muchachitas bordan.*)

GRACIELITA.— Así como zumba y suena. ¡Ya soy mujer! (*A ALICIA.*) ¿Y tú?

ALICIA.— (*Apocada.*) ¿Yo?

GRACIELITA.— Luisa cayó hace dos semanas. Dice que se dio un susto de padre y muy señor mío. (*LUISA se ríe.*) Naturalmente, inexperta...

VICTORIA.— (*A GRACIELITA.*) ¿Y cómo tú lo sabes?

LUISA.— (*A VICTORIA.*) Niña, eso es muy fácil.

GRACIELITA.— Fíjate, Victoria, cuando a ti te aparezca... (*Se ríe y secretea al oído de VICTORIA.*)

VICTORIA.— ¿Eso es verdad?

GRACIELITA.— Sí, muchacha...

VICTORIA.— (*Interrumpiendo. A su hermana.*) ¿Es verdad, Alicia?

LUISA.— (*A VICTORIA.*) No preguntes tanto.

(*Pausa. Continúan el bordado.*)

GRACIELITA.— ¡Ay, estoy loca por tener un amante!

(*Las tres muchachitas la miran sorprendidas.*)

VICTORIA.— (*Horrorizada.*) ¡Gracielita!

LUISA.— (*A GRACIELITA. Divertida.*) Qué atolondrada eres, chiquita.

GRACIELITA.— Seguramente que pronto puedo.

VICTORIA.— ¿Puedes, qué? (*Secretea con VICTORIA.*) ¿Y eso? ¿Es posible? ¿También?

GRACIELITA.— (*Divertida.*) Como lo oyes. A mí me lo dijo Berta. Éste es el primer paso. Una vez que una es mujer, puede. Ella vio como lo hacían...

VICTORIA.— (*Interrumpiendo.*) ¿Quiénes?
GRACIELITA.— La hermana y el marido...
VICTORIA.— (*Interrumpiendo.*) ¿Y ella fue capaz?

(*GASTÓN sigue en su juego, aproximándose al grupo.*)

LUISA.— (*Con gran desenfado.*) Pues yo vi a mamá y a papá juntos en la cama una noche.
VICTORIA.— ¿Cómo pudiste?
LUISA.— Me levanté por la madrugada, en puntillas andaba... Imagínate, oí un ruido tremendo, y hacía un calor... (*A GASTÓN.*) Muchacho, las orejas se te van a caer.
ALICIA.— Gastón, vete.
VICTORIA.— No jeringues, chico.
GASTÓN.— El aro volador. El aro quiere saber.
ALICIA.— (*A GASTÓN.*) Se lo voy a decir a mamá... ¡Tú la conoces!
GRACIELITA.— ¡Quédate, muchacha! ¡Ya se cansará!
LUISA.— Él no puede oír, Alicia.
GRACIELITA.— Por mucho que quiera, se quedará con los deseos.
VICTORIA.— (*A LUISA.*) ¿Y cómo fue?
GRACIELITA.— (*Interrumpiendo.*) ¡Figúrate tú! Victoria, tú quieres saber ya hasta dónde el jején puso el huevo. ¡Qué chiquita!... Cuando mis informaciones sean más precisas, te contaré en detalles, del pe al pa.
VICTORIA.— (*A LUISA.*) Y bien...
LUISA.— Yo vi un bulto, un bulto que se movía... Y respiraban fuerte, no te lo puedes imaginar, y decían cosas. Papá resoplaba. Y mamá lloraba. Era algo, chica... Algo... Por mucho que quise oír, no oía... Me ericé de pies a cabeza, y me entró un miedo.
ALICIA.— ¡Qué horror!
VICTORIA.— ¡Me da un asco!
GRACIELITA.— Pero todas las personas mayores lo hacen, y los gatos y las gatas, y los perros y las perras, y los gallos y las gallinas, y las lagartijas...
VICTORIA.— ¿Y qué hacen? ¿Y para qué lo hacen?
LUISA.— Debe de ser bueno, ¿no?, Gracielita.
VICTORIA.— Yo descubrí una vez que papá no dormía en su cama...

(*GASTÓN se aproxima otra vez. Gira violentamente el aro sobre las cabezas de las muchachitas.*)

ALICIA.— Gastón, no sigas.

GASTÓN.— El aro jodedor, el aro jodedor. Recuerden a la perrita Titania cuando está ruina.

VICTORIA.— (*Violenta.*) ¡Cochino, puerco! ¡Estúpido! Sólo dice suciedades.

GASTÓN.— El aro, el arito, chiquito y jodedor. El gatico y la gatica, mia, miau, mia...

ALICIA.— Te propasas, Gastón. (*Poniéndose en pie.*) Mira, chico, si tú quieres que mamá y luego papá... (*GASTÓN se va haciendo muecas y gestos procaces.*) ¡Sigue embromando y verás!

GRACIELITA.— (*A VICTORIA que solloza.*) No te preocupes, Victoria. Yo te aseguro que cuando crezcamos un poco más, lo que nos parece una cosa del otro mundo, será el pan de cada día...

ALICIA.— ¿Tú crees, Gracielita?

GRACIELITA.— (*Riéndose.*) ¡Claro, bobas! El matrimonio es para eso, si no, ¿cómo habría niños?

ALICIA.— (*Se persigna.*) ¡Dios mío!

LUISA.— (*Riéndose a carcajadas.*) ¡Qué par de criaturas! ¡Lástima me dan!

VICTORIA.— (*A GRACIELITA.*) Eso lo harán los matrimonios indecentes. Mi padre y mi madre te aseguro que no.

(*Se oyen voces y pasos, afuera del escenario.*)

LUISA.— ¡Cuidado! ¡Cuidado!

(*Las muchachitas se precipitan en sus bordados. Gran agitación y sofoco. GASTÓN hace mutis, jugando con el aro, como un malabarista.*)

GRACIELITA.— ¡Peligro a la vista!

(*Entra CARMEN.*)

LUISA.— (*Entre dientes.*) ¡Ahí viene la perseguidora!

ALICIA.— (*En el mismo tono.*) Cállate, muchacha.

CARMEN.— Vamos a ver, ¿de qué hablan ustedes?

(*ALICIA y VICTORIA bajan los ojos.*)

VICTORIA.— ¿Nosotras?

GRACIELITA.— (*Rápida. Imperturbable. Muy natural.*) De nada, señora Carmen. ¡Boberías!... Esta niña Victoria, que dice que los ministros protestantes no son curas, porque se casan.

CARMEN.— ¡Bah! Jueguen a lo que quieran; pero no se metan en las cosas de la religión. (*Hace mutis.*)

ALICIA.— (*A VICTORIA.*) ¡Viste, qué descarada! ¡Estoy segura de que mamá sospechó algo!...

VICTORIA.— (*Interrumpiendo. A ALICIA.*) Pero, ¿crees tú que cuando una se casa..., es así como ella dice?

ALICIA.— ¡Sabrá Dios!

(*Silencio. Pausa. Se oye, fuera del escenario, rumor de voces.*)

VICTORIA.— (*A su hermana y a sus amigas.*) Ven, juguemos a la rueda...

LUISA.— Mejor a la candelita...

GRACIELITA.— Vamos, vamos. (*Gritando.*) Mejor al salta perico.

VICTORIA.— (*Imperiosa.*) No, no; mejor a la rueda...

(*Las cuatro muchachitas hacen mutis cantando, formando una rueda y saltando.*)

CORO DE NIÑAS.— Papeles son papeles,
cartas son cartas
palabras de los hombres
todas son falsas.

8

(*En el primer plano del escenario, CARMEN, sentada, lleva un traje negro muy elegante. JUANITA, apoyada en el respaldar de una butaca también vestida de negro, llora desconsolada. Junto al sillón de CARMEN, en el suelo, descansa un enorme paquete.*)

CARMEN.— ¡Horrible, Juanita!... Es como si la fatalidad se ensañara... Sin embargo, ésos son los designios del Señor, y uno tiene que sacar fuerza de estas pruebas irremediables que nos envía...,

y con gran resignación continuar por el camino honesto de la vida...
(*Gentil.*) ¿Quieres que te prepare una tila?
JUANITA.— (*Llorando, se sienta.*) ¡Deja!... A cada instante creo que va
a aparecer por esa puerta... ¡Hijo, hijo mío!... Yo estaba aquí, como
ahora... Tocaron, pum, pum..., y yo me dije: "¿Quién será?". Gracielita vino corriendo: "Mamá, mamá". (*Otro tono.*) Un generali-
llo de ésos..., de las autoridades españolas, me trajo un papelu-
cho... ¡Oh, virgen mía, ayúdame!
CARMEN.— Bueno..., ¿qué dice ese papel, qué expone...?
JUANITA.— ¡No me preguntes, Carmen! ¡Ellos, digan lo que digan,
lo torturaron y lo mataron!... ¡Ay, hijo de mi alma! Me parece
verlo. Ahí, parado. ¡Era tan bueno! Se desvivía por mí... ¡Un angelito!... Hasta dejó los estudios por ayudarme...
CARMEN.— Cálmate, Juanita... ¡Sécate esas lágrimas! ¡Arréglate!
(*Otro tono.*) ¿Quieres venir con nosotros al balneario "Las tres Águilas"? La semana que viene vamos en patrulla el familión...
JUANITA.— ¡Ay, Carmen! ¡A un balneario!... Gracielita y yo no salimos a ningún lado... (*Otro tono.*) Pero me estaban diciendo los vecinos que la cosa se está calmando..., ¿es cierto?
CARMEN.— (*Rápida.*) ¡Qué ilusiones!... ¿Dónde tienen tus vecinos
los ojos?... Durante todo el trayecto venía rezando con las muchachitas..., un padrenuestro, un avemaría, un padrenuestro, un avemaría... ¡Cuando se necesita coraje, yo lo invento! Esta mañana
al despertar, me dije: "Hoy te vas a la iglesia". Tú sabes lo lejos
que estoy de ser una santurrona... Me vestí, desperté a las niñas
y les dije: "Después de la iglesia, vamos a casa de Juanita a cumplir...". A mal tiempo, buena cara, como decía mi madre. (*Otro
tono.*) Estoy arreglándolo todo... ¡Quiero irme!
JUANITA.— ¿Verdad?
CARMEN.— (*Sin oírla.*) ¡Sí! ¡Desaparecer!... ¡Cuándo, no lo sé! ¡Pero
nos vamos!
JUANITA.— (*Lastimera.*) ¡Nos quedaremos tan solas!
CARMEN.— (*Exagerando.*) Mujer, lo de Ricardo...
JUANITA.—(*Interrumpiéndola.*) ¡Avemaría purísima! ¡El susto que me
llevé los otros meses!
CARMEN.— Entre nosotras, Juanita, no hay quien le hable de re-
voluciones.

JUANITA.— (*Rápida.*) Pero yo sólo..., te lo juro, Carmen...
CARMEN.— (*Rápida.*) ¡Ya sé, mujer! (*Otro tono.*) ¿Crees tú que es normal que se pase el bendito día metido en casa igual que un hu-
rón? Antes salía con el negro Patricio... ¡Ni me lo mientes, por
favor! (*Otro tono.*) Pues..., daba un recorrido por las fincas, hablaba con el mayoral, exigía esto o lo otro..., y la guerra estalló en
el mismo momento en que la zafra estaba a punto de concluir...,
y ahí, Juanita, ahí el hombre se rajó. Más mal que bien pudo ter-
minarse, llena de desasosiego. Este año, gracias a Dios, estamos
en tratos con Menéndez, un compadre de Ricardo, tú lo conoces..., sí, chica... Ricardo desconfía..., porque dice que Menéndez abusa de los negros. Yo lo combato: "Es mejor malo conocido, que bueno por conocer". ¡La única solución!... La caña es
dinero, amiga mía; miles y miles...
JUANITA.— ¡A ustedes no les falta!
CARMEN.— En eso insisto... Bien, al fin y al cabo, seré yo quien
diré la última palabra... Si no hay dinero, qué, con dos brazos y
dos manos nadie se muere de hambre en ninguna parte del mundo..., y además, no la pasaremos tan mal... Unos amigos que tenemos en Nueva York nos están arreglando los papeles... Lo esencial
es que estemos juntos y con salud... Lo demás...
JUANITA.— ¡Los riesgos de la vida!
CARMEN.— ¡Natural, muchacha! Peor sería que la casa se nos ca-
yera encima y nos aplastara. (*Otro tono.*) ¿Y tú qué vas a hacer?
JUANITA.— Carmen, has puesto el dedo en la llaga. Esta casa se me
cae encima y me aplasta... (*Llorando.*) ¡Ay, hijo mío!
CARMEN.— No te obstines. Ahí tienes a Gracielita. Por ella debes velar...
JUANITA.— ¡Otra prueba! ¡Una hija..., y yo sola! El dinerillo que
dejó mi marido, que Dios lo tenga en la gloria, es una reverenda
miseria. ¡Y cómo terminar de educarla..., de hacerla una mujer
honrada! (*Óyense risas de las muchachitas afuera.*) ¿Te has fijado?..., ya
tiene cuerpo de mujer y pronto comenzarán los moscones a cor-
tejarla..., y nadie se imagina mi inquietud...
CARMEN.— (*Rápida.*) A mí me pasa lo mismo. No tengo dos ojos
sino cuatro, seis, mil... Quisiera saber qué es lo que pasa en esas
cabecitas. Lo hago con discreción, tratando de que no vean mis
manejos.

JUANITA.— (*Con una leve sonrisa.*) ¡Igualita que yo!

CARMEN.— La semana pasada a Alicia le vinieron los trastornos naturales... Tuve que sentarme y explicarle, por arribita, lo que eso significa. Que una mujer honrada, que tuviera cuidado, que su comportamiento... ¡Vaya un ceremil de detalles!

JUANITA.— ¡Una tiene que hacerlo! ¡Es un deber!

CARMEN.— Mi madre jamás se ocupó de eso. ¡Yo resolví sola! (*Otro tono.*) Victoria, que es viyaya, hay que verla..., pregunta y pregunta, y yo: "Niña, nada"... A esto se añade que Gastón es un niño y no lo es... Ah, la vida es algo tan..., tan..., así...

JUANITA.— (*Sollozante.*) ¡Sí, hijo!... (*Otro tono.*) El Señor me punza, me hiere, me lleva hasta la última tabla, y yo sigo viviendo... ¿Qué sentido tiene mi vida? ¿Qué sentido le doy, Carmen?

CARMEN.— ¡Bah, no seas pesimista! ¡Consuélate!

JUANITA.— ¡Estoy destruida!

CARMEN.— (*Como si JUANITA fuera una niña.*) Tranquila, tranquilita..., mira lo que te traje. (*Toma el paquete que está en el suelo y lo abre. Saca varios vestidos, mantillas, mantones de Manila y un estuche.*) Cosas que no estamos usando y detesto la idea de que caigan en manos extrañas. (*Otro tono.*) El problema más grave todavía no se ha resuelto.

JUANITA.— ¡Qué maravilla! ¡Los Reyes Magos!

CARMEN.— Sospecho que te serán útiles. (*Juega con los vestidos y mantones.*) ¡Fíjate!

JUANITA.— ¡Ah, gracias! ¡Cuánto te lo agradezco! ¿Por qué te has molestado?

CARMEN.— Es un deber, mujer... Haz bien y no mires a quién, dice el refrán. (*Le entrega el estuche.*) Hoy por ti, mañana por mí.

JUANITA.— (*Besándole las mejillas.*) ¡Qué amor! (*Abre el estuche y se desparraman por el suelo billetes y monedas.*) Pero, ¿por qué has hecho esto? ¡No puedo aceptarlo! ¡Demasiado, Carmen!

CARMEN.— ¡Déjate de boberías!... Para ti y para Gracielita. (*Otro tono.*) Pues, como hablábamos...

JUANITA.— Existen problemas...

CARMEN.— (*Rotunda.*) Uno, determinante, concluyente.

JUANITA.— ¿Cuál?..., si no es una indiscreción...

CARMEN.— ¿Indiscreción, por qué? (*Otro tono.*) Antonia se niega...

JUANITA.— ¿A qué se niega?

CARMEN.— A irse.

JUANITA.— ¿Y con quién se queda? ¿Sola en esa casona?

CARMEN.— ¡Ni pensarlo!... A Ricardo le gustaría..., cómo decirte... (*Otro tono.*) Ella es una roca. Como tiene una pequeña renta que le permite vivir sin constituir una carga, se mantiene en sus trece. Ahora bien, ¿quién puede quedarse con ella? Nuestras amistades, de lejos, la aceptan. Tener que convivir es harina de otro costal. Esto supone un retraso. (*Otro tono.*) Jamás me atrevería a insinuarte...

JUANITA.— Su carácter es agrio, de cuando en cuando...

CARMEN.— (*Rápida.*) ¿Aceptarías tú?

JUANITA.— Tendría que pensarlo.

CARMEN.— Ustedes podrían arreglárselas mejor... ¡Favor con favor se paga! (*Rápida. Llamando.*) ¡Alicia! ¡Victoria!

JUANITA.— (*Anonadada.*) Sí, Carmen... (*Otro tono.*) ¡Oh, Dios mío, llegar a lo que he llegado! (*Llorando.*) ¡Quién te lo iba a decir, angelito de mi alma! Tu madre..., en el fondo de un pozo y sin salida.

(*Las dos van hacia el fondo, hacia lo oscuro.*)

9

(*Rápido cambio de luces. En la parte intermedia del escenario, continuo entrar y salir de PAULITA y BORRÁS. Primeramente traen entre los dos una mesa, luego ponen el mantel; preparan la ceremonia de la comida. GASTÓN, al fondo, juega con un tirapiedras, después con un enorme balón y la perrita Titania. A una cierta distancia, también al fondo, ANTONIA riega las plantas y discute frecuentemente con GASTÓN, que no oculta su malestar y empecinamiento. Ritmo vivaz, jubiloso. Entran RICARDO y MENÉNDEZ, por un lateral, al primer plano del escenario. Entre los dos hombres se manifiesta una fuerte tensión. MENÉNDEZ viste traje de dril cien y fuma un habano.*)

RICARDO.— ¡Cuidado con los canteros! ¡Las begonias, las pobres, este año...!

MENÉNDEZ.— ¿Así que mañana vienen el abogado y el notario?... Mañana a las once, ¿no?

RICARDO.— Sí, ya le había dicho.

MENÉNDEZ.— Y usted prefiere que no venga a esa reunión, que me quede en casa mirándome el dedo gordo del pie..., y entre usted y esos dos mequetrefes manejan los hilos de la jugada... ¿Se confirma el traspaso de bienes raíces, se hipoteca o se arrienda, sí o no? (*Gesto malhumorado y afirmativo de RICARDO.*) ¡Entonces, hombre!

RICARDO.— ¡Qué ocurrencia la suya, Menéndez! ¡Esa desconfianza!

MENÉNDEZ.— ¡Le soy franco!... Prefiero que me eche a la calle como un perro, antes que quedarme callado...

RICARDO.— Amigo mío, lleva usted las cosas a un punto... Le hablaba como a una persona que estimo...

MENÉNDEZ.— (*Riéndose.*) ¡Cree que soy bobo y que me chupo el dedo!... Desde el escándalo del negro Patricio, las autoridades le tienen puesto el ojo...; y ahora, con la desaparición de los dos tenedores de libros..., que seguramente se fueron a la manigua..., usted deduce, con mucha astucia, que le pasarán la cuenta. ¡No crea que me engaña!... De ahí viene la precipitación del viaje... De ahí viene que usted me deje esta papa caliente... ¡Tierras, casas y ese espantajo de ingenio!... Mi mujer me decía: "No te comprometas, no te juegues el pellejo". ¡Sí! ¡Mi mujer tiene razón!... ¿Por qué tengo que responsabilizarme con todo esto que..., ¡quién sabe!, a dónde va a parar? Yo vivo en mi colonia, quince caballerías... ¡Me basta y sobra!

RICARDO.— (*Con violencia contenida.*) ¡Para usted es un engorro! Hablemos... Pero se exalta, grita... Me acusa. ¡No comprendo!

MENÉNDEZ.— (*Sarcástico.*) ¿Quiere entonces que le explique?... Estamos en 1896, querido amigo, y, en este instante, si no se hace una transacción con el Delegado del Gobierno Revolucionario, ofreciéndole parte de la zafra, arrasarían piedra a piedra, e ingenio y tierras serían la sombra de un sueño..., y si no se anda con pie de plomo, las autoridades españolas pueden interferir y costarle a quien sea el cogote... Usted ignora, por supuesto, que los cortadores de caña han disminuido y hay que buscarlos con pinzas y como si fueran puntas de alfiler en un pajar..., pues pululan denuncias, traiciones, robos, tejemanejes y arbitrariedades sin fin...; y que si se niegan o abandonan los campos..., hay que lanzarse a buscar a los haitianos... ¡Basta de hipocresía, Ricardo! (*Gesto de RICARDO. Se abalanza sobre él. Forcejeo entre los dos hombres.*) ¡Canalla! ¡Bastante me he expuesto! ⌐ *el dinero*

(*ANTONIA, GASTÓN, PAULITA y BORRÁS se acercan, agresivos, a donde están RICARDO y MENÉNDEZ, forcejeando.*)

RICARDO.— ¡Suélteme! ¿Qué hace usted?

MENÉNDEZ.— Piensa que soy un imbécil y que su dinero es un blasón...

BORRÁS.— ¡Delincuente, asesino!

ANTONIA.— ¡Ay, Dios mío!... Gastón, ven para acá, muchacho.

PAULITA.— Señorita Antonia, que matan al señor.

GASTÓN.— ¿Por qué, tía?

BORRÁS.— (*Apartando a los hombres.*) ¡Basta! ¡Basta ya!

PAULITA.— ¡No vayas, Borrás! ¡Ay, si la señora Carmen!...

ANTONIA.— ¡Qué vergüenza! (*A PAULITA.*) ¡No grites! ¡Los vecinos! ¡Cuidado, Borrás! ¡Paulita, ven! (*Haciendo mutis.*) ¡Gastón, no te quedes ahí! ¡Qué historia, Cristo de Limpias! ¡Qué historia!

MENÉNDEZ.— (*A RICARDO, derrumbado en una butaca.*) ¡Tiene miedo! ¡Mañana estaré a las once! ¡A discutir! Quiero los papeles en orden y a mano. (*Arreglándose la corbata.*) El arrendamiento de la casa sin falta... Los canteros, las begonias. (*Mutis.*)

RICARDO.— (*Atontado.*) ¿Por qué lo ha hecho? Pero, ¿qué es esto? ¿Por qué?

10

(*ANTONIA entra a escena, acompañada de CARMEN.*)

ANTONIA.— Te lo aseguro, Carmen, escandalizando.

CARMEN.— ¡Qué manera de decir las cosas!

ANTONIA.— Sí, escandalizando. Pregúntaselo a Gastón, a Paulita, a Borrás o a... tu marido. Pregúntaselo.

CARMEN.— Detesto los dimes y diretes. Está bien. Menéndez será como tú dices. ¡Escandalizando! ¡Tú lo afirmas! Punto en boca.

Pero, de todos modos, tiene un corazón de oro... A él le debes tú que tus tierras sigan produciendo... ¡Que nadie me hable de ese incidente jamás!

ANTONIA.— (*Burlona y sarcástica.*) ¿Prohibido?... ¡Prefiero callarme!

CARMEN.— ¡Siempre buscas la solución más fácil! (*Toca la campanilla de la mesa. Entra PAULITA.*) Paulita, por favor, que dentro de cinco minutos se sirva la comida.

PAULITA.— A sus órdenes, señora.

(*Entra BORRÁS, observa a las mujeres y se pone a arreglar los muebles y a limpiarlos en el primer plano del escenario. Expresa inquietud y el deseo de hablar con CARMEN; pero, una vez realizada la labor, hace mutis.*)

CARMEN.— (*A PAULITA.*) ¡Dígale a los muchachos que se apuren!

PAULITA.— ¡Enseguida, señora! (*Hace mutis.*)

ANTONIA.— (*Ordenando los cubiertos.*) ¿En la Iglesia, había mucha gente?

CARMEN.— Llena de bote en bote.

(*Entra GASTÓN. Toma el balón y comienza a jugar con él.*)

ANTONIA.— (*A CARMEN. Recriminativa.*) ¡Míralo!

CARMEN.— ¡Gastón! (*GASTÓN de mala gana abandona la pelota.*) ¿Te lavaste bien las manos y la cara? (*Continúa supervisando los platos, arreglando las flores del búcaro que está en la mesa.*)

GASTÓN.— (*Ofendido.*) ¡Sí, mamá! (*Vuelve a tomar el balón.*)

ANTONIA.— ¡Deja eso, niño!... Hoy se pasó toda la tarde tirando piedras al patio de los vecinos..., y cuando vuelva a sorprenderte detrás de la Titania, mortificándola..., arreglaremos cuentas. Aprovechas siempre la ocasión de que hay visitas para lucirte. (*GASTÓN se derrumba en una butaca.*) Debías ser mucho más juicioso, mucho más responsable... ¡Arréglate esas mechas! (*Le acaricia los cabellos.*) ¡Ya eres un hombrecito! (*Lo besa.*)

CARMEN.— (*A ANTONIA.*) ¡Tú también lo malcrías! (*Agitando el cuello de su blusa.*) ¡Qué barbaridad!... En mayo, asándonos..., qué será en el mes de agosto. ¡Me derrito, Dios mío!

GASTÓN.— ¡Tengo unas ganas de ser hombre!

CARMEN.— Gastón, ¿cuántas veces te he repetido que me molesta oírte con esos desplantes?...

ANTONIA.— (*Interrumpiéndola.*) ¿Y Juanita?

(*GASTÓN toma una mandolina y comienza a improvisar mientras silba la melodía del "Himno" de Perucho Figueredo.*)

CARMEN.— ¡Desconsolada! ¡Qué panorama, Antonia! Quise insuflarle un poco de coraje..., en balde. La veo muy mal. Por eso nos quedamos y almorzamos juntas. (*A GASTÓN, irritada.*) Muchacho, deja ese trasto. (*A ANTONIA.*) ¿A dónde aprendió esa musiquita? (*ANTONIA se encoge de hombros. RICARDO viene del fondo del escenario — lo oscuro— con una flor en las manos. ANTONIA se ríe de GASTÓN y éste tira el instrumento.*) ¿Y eso, Gastón?

GASTÓN.— (*Malhumorado.*) Gastón, siempre Gastón. ¡Qué matraquilla!

(*RICARDO se acerca a CARMEN y le da un beso en la frente.*)

CARMEN.— ¿Cómo estás, querido?

RICARDO.— (*Ofreciéndole la flor.*) ¡Ahí, ahí!

CARMEN.— Gracias, querido. (*Le estampa un beso en la mejilla.*) ¡Qué amor!

(*RICARDO se sienta, toma un periódico y comienza a leerlo. GASTÓN, casi inconscientemente, tararea de una manera fragmentaria, desafinada y en voz baja "La Bayamesa" de Pancho del Castillo.*)

ANTONIA.— (*Con cierta agresividad o malestar irracional. Teje.*) Como toda mujer honrada, sola en el mundo..., ya sin su hijo que era un apoyo moral, a Juanita le esperan grandes rigores. Ser honrada no es nada fácil. El diablo acecha a cada instante. El diablo mundo, como decía Espronceda. (*En su rostro se dibuja la mueca de una sonrisa.*)

CARMEN.— ¡Paulita, que Victoria no se haga la remolona! Gastón, dile a Alicia que ya di la orden de que sirvieran la comida. (*GASTÓN no se mueve.*) Pero, ¿crees tú, Antonia, que ése sea el problema de Juanita o de cualquier viuda o soltera?

ANTONIA.—[Claro, mujer. ¿Te parece algo digno de respeto el espectáculo que está dando Beba Martínez? A mí me parece denigrante... A los cuarenta años, y largos, después de cinco de viudez, andar en esos devaneos..., con un hombre casado. O lo que hace Rita Fonseca... Dicen que anteayer la vieron salir de una casa de citas con el hijo del Intendente... O la prima de Estercita Gómez, la sobrina de Margarita Estévez, que la sorprendieron en un "reservado" a las afueras del pueblo con tres tipos..., y uno era mulato.]

CARMEN.— (*Violenta.*) ¡Antonia! (*Le hace una señal: GASTÓN está presente.*)

ANTONIA.— (*Exaltada.*) ¡Antonia, nada! Nadie podrá callarme la boca. La honradez es el más alto concepto de la moral del hombre y de la mujer; sobre todo, de la mujer, Carmen... ¿Apruebas tú todas esas cochinadas, todo ese desenfreno?

CARMEN.— ¡Caramba, Antonia, tal parece que no me conoces! Aprobarlo, jamás.

(*RICARDO abandona, por unos instantes, su lectura. Contempla a su esposa y a su hermana y hace un gesto de descontento, moviendo la cabeza.*)

ANTONIA.— ¡Es una vergüenza para este pueblo de gentes honradas! Me escandaliza, Carmen. Antes nunca se vio esto. Pero las costumbres —parece— están cambiando, y yo no me adapto... ¿Quieres tú que a una de tus hijas..., o a las dos?...

CARMEN.— Tú sabes cómo las hemos criado. ¡El mejor ejemplo! Ésta es una casa honrada. Lo que sucede afuera, no me pertenece... ¡Allá ellos!

RICARDO.— (*Conciliador.*) Mujeres, mujeres... (*Vuelve a su lectura.*)

ANTONIA.— Esa promiscuidad en el ambiente, ese desparpajo permanente, es como un virus, como una enfermedad, como un fluido que hay que extirpar de cuajo. La guerra es un torbellino y con ella llegan o se van trenes cargados de jóvenes militares españoles o aparecen con un estruendo de caballería esos negrazos y mulatos y blanquitos enclenques que se dicen "mambises" o "revolucionarios" y que salen de los quintos infiernos de la manigua..., y en las retretas, por las noches, y en los bailes públicos que se organizan, las muchachas pierden el tino y se dejan arrastrar por el vicio, los placeres de la carne, la inmundicia. Por eso estamos obligados a un perpetuo encierro... (*Otro tono.*) Anoche la hija de Ceferina se fue con un militarcito a una calle oscura... ¡Qué ejemplo, Carmen! Esa niña de quince años, manoseándose, besándose... ¡Y lo acababa de conocer! ¡Una puerca! ¡Una perdida!

CARMEN.— ¡A la mesa! (*Toca la campanilla.*) Gastón, ¿quieres hacerme caso algún día? Dile a Alicita... (*GASTÓN hace mutis.*) Yo, Antonia, disculpo esas cosas y no hablo de nadie, porque he visto tanto en la vida...

ANTONIA.— ¡Pues yo sí hablo! No admito que otras puedan ser iguales a mí, que nunca besé a un hombre, ni siquiera con el pensamiento, y he llegado a los cincuenta y cinco sin que nadie pueda vanagloriarse de haberme tocado la punta de los dedos. ¡En eso sí que no transijo!

VICTORIA.— (*Con gran desdén. Al público.*) ¡Tiene gracia! ¡No sé quien iba a tener el mal gusto de besar a semejante hipopótamo!

(*Los cuatro están alrededor de la mesa. Se oyen las risas de ALICIA y GASTÓN. Ruidos en la cocina. Voces de PAULITA y BORRÁS peleando con GASTÓN. ALICIA entra y se sitúa delante de la mesa, sonriente. VICTORIA la mira y ALICIA le hace una señal. CARMEN toca la campanilla. Todos se sientan. PAULITA entra con una sopera. GASTÓN entra, precipitándose a ocupar su sitio. Su rostro refleja una picardía gozosa. Comienzan los rezos. Se oye un gran estruendo. Todos vuelven sus rostros hacia un lateral de la escena.*)

ANTONIA.— ¿Qué pasó? (*Los mira desconcertada. GASTÓN estalla en una risita nerviosa.*) ¿Qué es, Dios mío? (*El ruido crece.*) ¡Ah, eres tú, Gastón! (*Golpea con los puños la mesa y se retira hacia un lateral de la escena.*) Titania, mi Titania. (*Desde afuera, gritando.*) ¿Qué has hecho, desvergonzado? (*CARMEN y RICARDO están perplejos. Los muchachos se sonríen entre sí, tapándose las bocas con las servilletas. Se oyen gritos y sollozos de ANTONIA. Pausa. Entra con una varilla entre las manos. Amenazante.*) Ven acá, Gastón. (*Otro tono.*) Jamás imaginé que tuvieras tan mala entraña. Hijo del diablo. (*A ALICIA y a VICTORIA.*) Y ustedes, mosquitas muertas, lo sabían y ni chistaron. Torturar a mi pobre Titania. (*VICTORIA y ALICIA lloran atemorizadas.*) Tú querías hacérmelo a mí, ¿verdad, Gastón?... (*GASTÓN se ríe nervioso.*) Humillarme, torturarme. (*Va hacia donde está GASTÓN.*)

RICARDO.— Antonia, ésa no es la manera de dirigirse a los niños.

CARMEN.— Parece mentira que por un perro armes ese escándalo.

ANTONIA.— (*Llena de furor y odio.*) No quiero que se toque a mi Titania. Esta perra es mejor que ellos, que los tres juntos. Es mi única familia. ¿Me entiendes bien? Si no lo sabías, ahora lo saben tú y tus hijos. ¡Me alegro que se vayan! ¡Que se vayan a Nueva York! ¡Cobardes! ¡Cobardes! ¡Ése es el lugar a donde tienen que irse! (*Otro tono.*) ¡Miserables!... ¡Te conozco, Ricardo, como la palma de mi mano! ¡Bien ha hecho Menéndez contigo esta tarde! ¡Finalmente, estoy vengada! ¡Que todo se vuelva sal y agua!... Mi destino lo conozco y no le tengo miedo... El día que murió mamá lo vi delante de mí... Arañar, arañar un hueco y no encontrar nada...

(*Oscuridad total.*)

11

(*Entran con faroles de gas encendidos, PAULITA y BORRÁS, vestidos con ropas de dormir. Revisan todo el escenario. Feroces maullidos de gatos en celo.*)

BORRÁS.— ¡Vivimos una locura! ¡Una locura!

PAULITA.— ¡Ajila! ¡Vete a la cama! ¡No hay nadie!

BORRÁS.— ¡Una verdadera locura!

PAULITA.— ¡Rápido, viejo! ¡Que se hace tarde y tengo sueño!

BORRÁS.— ¿A dónde vamos a parar? ¡Que los espíritus del monte nos protejan!... ¡Se van!... Posiblemente nunca más los vea.

PAULITA.— (*Afuera, lejana.*) ¿Estás sordo?

BORRÁS.— ¡Cincuenta años de mi vida echados al latón de la basura! ¡Negro fiel, perro solo! (*PAULITA se le acerca. Mirándolo con ternura.*) Tú estás joven todavía y puedes... Pero yo...

PAULITA.— (*Recuerda en ciertos gestos a CARMEN.*) Bah, la señora Carmen todo lo ha dispuesto. Si la guerra se alarga y no intervienen los americanos o los ingleses..., ¡o tal vez los franceses!, nos iremos con ella, allá, a Nueva York...

BORRÁS.— (*Suspirando.*) Tú podrás..., yo..., yo..., con una cesta de flores en la cabeza: "Gardenias, azucenas, nomeolvides..."

PAULITA.— (*Divertida.*) ¡Y hasta me casaré con un blanco, como ella dice, para adelantar la raza!... (*Mutis por derecha.*)

BORRÁS.— ¡Una locura! ¡Una verdadera locura! (*Mutis por izquierda.*)

12

(*La luz se amortigua, se van creando zonas de penumbra. El escenario queda totalmente vacío. Pausa. En puntillas, vestida con una bata de dormir, entra VICTORIA. Trae un pequeño candelabro con una vela encendida. La arboleda en la noche.*)

VICTORIA.— Me voy, querida arboleda. Ah, saber que los dejo... Árboles, árboles míos. Nos vamos y no sé todavía por qué... (*Se sienta. Pone el candelabro en el suelo delante de ella.*) Mi madre dice que..., una mujer honrada debe ser..., debe ser... (*Bosteza. Se acuesta.*) ¡Ah, qué olor más rico! (*Aspira la humedad nocturna. Pausa breve. Se incorpora a medias.*) Los otros días leí la historia de Romeo y Julieta. (*Como soñando.*) Romeo, Romeo... (*Entra GASTÓN, vestido con pijama. Trae otro candelabro con una vela encendida. Se acerca a ella y le pone la mano en la cabeza. Como si jugara a la gallinita ciega y tuviera los ojos vendados.*) ¿Quién eres? ¿Quién? ¡Ah, Gastón! (*GASTÓN se acuclilla junto a ella. VICTORIA lo besa tiernamente.*) ¿Sabes una cosa, hermanito? (*GASTÓN no responde, tiene los ojos cerrados.*) Me gustaría tener un amante.

TELÓN RÁPIDO

SEGUNDA PARTE

1

(*El decorado da la vaga idea de un salón.* VICTORIA, *sentada en el suelo, rodeada por un tapiz semicircular de libros y revistas de modas, hojea un folleto o novela de entregas.* VICTORIA *es una muchacha de diecisiete años, hermosa, vestida con la mayor sencillez. Entra* GASTÓN. *Tiene unos diecinueve años, atractivo y corpulento. Viste bata de baño y calza zapatillas.*)

GASTÓN.— (*A* VICTORIA, *con ternura y cierto tono de broma.*) ¿Y qué dice la reina de las honradas? Buenos días, hermanita. (VICTORIA *cierra el folleto y no sabe dónde esconderlo. Cerca de ella.*) Hoy pareces la Bella Durmiente del Bosque. (*La besa.* VICTORIA *esconde el folleto debajo de sus piernas.*) ¿Todavía sigues molesta conmigo? (*Se sienta junto a ella y dándose cuenta de su nerviosismo, le alza el vestido.*) ¡Qué piernas! (*Ve el folleto.*)

VICTORIA.— (*Tratando de ocultar el folleto.*) ¡Malcriado! (*Le da un manotazo.*) ¡Sangrón!

GASTÓN.— ¿Por qué la escondes?

VICTORIA.— ¡Gastón, déjame!

GASTÓN.— ¡Dámela acá! (*Ella le entrega el folleto avergonzada. Hojeándolo.*) ¡Simpática!, ¿verdad? ¡Vaya novelita picante! (*Otro tono.*) ¡Así que registras mis papeles!

VICTORIA.— ¡Yo buscaba otra cosa! (*Rompe a llorar.*) ¡Lo juro! Eres un..., un puerco! (*Risa de* GASTÓN.) ¡Ahí está la prueba! (*Llora desconsolada.*)

150

GASTÓN.— (*Tierno.*) ¡Qué criatura!... ¡Leyendo al Caballero Audaz! ¡Cálmate! ¡Deja de llorar!... ¡Qué importancia le das!

VICTORIA.— (*Secándose las lágrimas.*) ¡Vete! ¡Vete!... (*Pausa breve.*)

GASTÓN.— ¡Todavía me guardas rencor por lo de anoche!

VICTORIA.— ¡Sí!... ¡Ninguna razón tenías para decir las cosas que le dijiste a papá y a mamá! ¡Ninguna!... Desde que regresamos de los Estados Unidos estás insoportable..., como si te hubieran echado pica-pica... ¡Aguántate, sabes, aguántate!... ¡Y menos mal que estábamos nosotros cuatro solos! Porque si tú das ese escándalo delante de José Ignacio, mamá se muere...

2

(*Entra JOSÉ IGNACIO, seguido de ALICIA. Elegantes y hermosos. Él viste traje blanco. Ella lleva un vaporoso vestido de muselina y una sombrilla del mismo color de su indumentaria. GASTÓN guarda el folleto en un bolsillo de su batín, luego observa a VICTORIA y ambos se sonríen.*)

JOSÉ I.— (*Autoritario, presuntuoso.*) ¿Y las llaves, Alicia?

ALICIA.— ¿Las llaves? ¿Qué llaves, José Ignacio?

JOSÉ I.— ¿Cuáles? ¡Las llaves!... ¿No sabes? (*ALICIA sale corriendo.*) ¿Y qué dicen los muchachones? (*GASTÓN y VICTORIA vuelven a sonreír.*) ¿Han visto los calorcitos que se están metiendo en estos días?.... ¡Inaguantables!

ALICIA.— (*Entrando sofocada.*) Mamá las tenía. Tómalas. Dice que esperará nuestro regreso, aunque sea medianoche... (*Va hacia donde están GASTÓN y VICTORIA. Besa a VICTORIA.*) ¿Cuándo te decides?... (*Le acaricia el rostro a GASTÓN.*) ¿Y tú, zangaletón?... Bye-bye!

VICTORIA.— ¡Ay, chica, que guanaja eres! ¿Por qué te casaste, ahora me tengo que casar?...

JOSÉ I.: (*Haciendo mutis.*) ¡Alicia! (*Gesto de desdén de VICTORIA.*)

ALICIA.— (*Haciendo mutis.*) ¡Adiosito!

3

(*Pausa breve. Al fondo se oyen voces dispersas y campanadas.*)

GASTÓN.— ¡Me culpabilizas! ¡Soy el culpable!... Yo tenía razón, Victoria. Papá no soporta que, al fin, los cubanos tengamos un gobierno propio. ¡Quién sabe de qué diablo de país él se considera!... (*Gesto de VICTORIA, intentando interrumpirlo.*) ¡Esos descarados, esos bandoleros!, lo gritaba ayer... ¿De qué parte está entonces?... Según él el gobierno de Don Tomás será un fracaso porque hace negociaciones comerciales con los Estados Unidos y los Estados Unidos son unos flojos y unos estúpidos por propiciarlas... (*Gesto de VICTORIA.*) Sin embargo busca como un desesperado una palanca dentro de ese gobierno que desprecia... "Quien tiene padrino se bautiza".

VICTORIA.— (*Tono aparentemente persuasivo.*) ¡Te ruego, Gastón!... De eso que hablas..., no sé ni pizca ni quiero saberlo... ¡A otra cosa, mariposa!

GASTÓN.— Es verdad que la confusión está arriba, abajo, en todas partes. Poco a poco, quizás... ¡Pero sacamos a los americanos del gobierno, tuvieron que irse!...

VICTORIA.— Gastón, es muy temprano... (*Violenta.*) ¡Insistes! Eres muy leyista y los insultas. Él y mamá han sufrido demasiado... (*Gesto de GASTÓN.*) ¡Por lo visto quieres empezar otra vez!

GASTÓN.— (*Socarrón.*) ¿Quién? ¿Yo? ¿Por qué?

VICTORIA.— ¡Sí! ¡Tú! ¡Te lo veo en la cara! ¡Conmigo no cuentes!

GASTÓN.— (*Haciéndose el ofendido.*) ¡Jamás he contado contigo! ¡Yo también soy como soy!... Ustedes, los honrados...

VICTORIA.— (*Con aire triunfal y un acento de menosprecio.*) ¡Bien..., entonces! (*Suena la campanilla de la puerta.*) ¡Anda, ve y abre!

4

(*Se repite el campanilleo. PAULITA entra y se dirige hacia un lateral. Es el personaje que vimos en la primera parte, como una anciana, y después como una muchacha. Luce ahora marchita, envejeciendo. GASTÓN y VICTORIA están visiblemente irritados. Entra BORRÁS.*)

BORRÁS.— ¡Vengo echando chispas!... Había un vocerío en la calle..., y una manifestación... ¡Qué desatino!... ¡Uf, y esta calor me

va a matar!... Dicen que a los veteranos les rebajan los sueldos...
¡ése era el bullicio!... Y en los cartelones, con letras grandes... ¡Arriba! ¡Abajo!

PAULITA.— (*Interrumpiéndolo.*) ¡Cómo has tardado, viejo!

BORRÁS.— El tráfico a estas horas... (*Hace mutis, entregándole a PAULITA dos cartas.*) ¡Siempre como una mandamás!

VICTORIA.— (*Cantarina.*) Paulita, Paulita. (*Le hace señas que se acerque.*)

PAULITA.— ¿Quieres algo, ángel mío?

VICTORIA.— ¿Cartas? ¿Para quién? (*Gesto de PAULITA, teatralizando su indiferencia. Como una niña malcriada.*) ¡Anda, dímelo, vieja!

GASTÓN.— (*A PAULITA.*) Díselo porque le da una sirimba.

PAULITA.— (*Misteriosa.*) Una, es del extranjero...

VICTORIA.— ¿Del extranjero?

PAULITA.— Sí, señorita, de París.

VICTORIA.— ¡Mentira! (*Otro tono.*) ¡Déjame verla!

PAULITA.— (*Jactanciosa.*) Es para doña Carmen.

VICTORIA.— ¿Para mamá?

GASTÓN.— (*Burlón.*) Estamos progresando.

PAULITA.— (*Tono anterior.*) Cuando doña Carmen...

VICTORIA.— (*Interrumpiendo.*) El sobre, solamente.

PAULITA.— Doña Carmen dirá..., niña Victoria.

VICTORIA.— Está bien, vieja. Eres un bofe... (*Otro tono.*) ¿Y la otra?

PAULITA.— ¿La otra?... Trae migas...

VICTORIA.— ¿De quién?

PAULITA.— Ah, yo no sé.

VICTORIA.— Déjame ver. Puede estar equivocada.

PAULITA.— ¡Qué va, niña Victoria! ¡De equivocación, nada! Es para el niño José Ignacio Trebijo...

GASTÓN.— (*Interrumpiendo.*) Más claro que el agua. De Teresa, su hermana... ¡Mira el remitente!

VICTORIA.— ¡Dios mío!

PAULITA.— A mí me sacan de eso. ¡Allá los blancos! (*Hace mutis con las dos cartas.*)

5

GASTÓN.— ¿De qué te asombras?

VICTORIA.— Esa mujer horrible...

GASTÓN.— (*Interrumpiendo.*) ¿Horrible, por qué?

VICTORIA.— (*Rápida.*) Mira, Gastón, cállate, me haces el favor. Esa mujer no tiene ninguna disculpa. Lo que ella hace..., es algo..., tan..., tan asqueroso.

(*GASTÓN se quita la bata de baño que cae al suelo; queda con el pantalón del pijama, el torso desnudo.*)

GASTÓN.— (*Divertido.*) Lo que otras niegan, ella se lo da a la humanidad... (*Comienza a fingir que practica boxeo.*) ¿Estoy en forma, verdad?... La vida hay que vivirla. ¿Recuerdas, en Nueva York?... Hay que soltarse, Victoria. Romper con toda la bazofia que nos han enseñado. ¡Eso es lo importante!

6

(*Entra PAULITA Trae el servicio del desayuno y lo coloca sobre una mesita cercana a los muchachos.*)

PAULITA.— ¡El desayuno!... Si no lo traigo, ninguno de ustedes se preocupa, y doña Carmen, allá dentro, refunfuñando... (*Ordena algunos muebles y los limpia, etc.*)

VICTORIA.— (*Sirviéndose y sirviéndole una taza de café con leche a GASTÓN.*) Gracias, Paulita.

PAULITA.— De nada, niña Victoria.

GASTÓN.— (*En su juego.*) Tu sólo ves la parte que cuenta José Ignacio..., que se ajusta perfectamente a lo que te han enseñado. Yo veo la otra.

VICTORIA.— ¡No me interesa, Gastón!...

GASTÓN.— Peor para ti...

VICTORIA.— (*Retadora.*) Tú eres bueno y bueno, chico.

GASTÓN.— Eh, ¿a qué viene eso?

VICTORIA.— Tú sabes, tú sabes..., ¡el asunto de Luisa!

GASTÓN.— ¡Al fin saltó el conejo! (*PAULITA da vueltas alrededor de ellos, simulando que limpia.*)

VICTORIA.— El día de la boda de Alicia lo hiciste a lo descarado...
GASTÓN.— ¿Qué hice, mujer? (*A PAULITA. Violento.*) ¡Déjanos solos!
VICTORIA.— Aquel secreteo en la iglesia y después en la fiesta...,
y el marido delante... Yo no soy boba... Tú debes respetarnos...,
a Alicia, a mamá, a mí... ¿Qué pensarán nuestras amistades?
PAULITA.— Por la Caridad del Cobre, Gastón, y tú, Victoria...
GASTÓN.— (*A PAULITA.*) ¡Que se desahogue!...
VICTORIA.— (*Violenta.*) Ustedes, todos los hombres, son unos apro-
vechadores... ¡Miserables! ¡Asquerosos!
GASTÓN.— Muchacha, estás echando humo.

(*PAULITA hace mutis, exagerando sus gestos, como si hablara con lo invisible.*)

7

GASTÓN.— (*Imita una lección de esgrima.*) Ahora soy un Don Juan. Un
embaucador. Un degenerado. (*Otro tono.*) ¡Arriba! ¡Buena estoca-
da! Tu hermano se ha convertido, de la noche a la mañana, en
un personaje monstruoso. (*Otro tono.*) Has construido una nove-
la..., de unos cuantos datos vulgares de una amistad... Ni Luisa,
ni el marido, y mucho menos yo... ¡Te lo aseguro! ¡Te lo juro! (*VIC-
TORIA sonríe maliciosa, desconfiada.*) En cuanto a la pobre y trajinada
Teresa... ¿Qué sabes tú?...
VICTORIA.— Con lo que sé, me sobra.
GASTÓN.— ¿La conoces? ¿Has hablado con ella?
VICTORIA.— Ni loca lo haría.
GASTÓN.— Hermanita, ¿qué derecho tenemos entonces para
juzgarla?
VICTORIA.— (*Inquisitorial.*) Pero tú has oído...
GASTÓN.— (*Riéndose.*) ¿Lo que dice José Ignacio?
VICTORIA.— ¿Y papá? ¿Y mamá?
GASTÓN.— (*Todavía riéndose.*) Novelas...
VICTORIA.— Es verdad que Alicia dice que en sus cartas Teresa es
siempre muy respetuosa..., y que sólo pide entrevistarse con José
Ignacio..., y que cuando Alicia ha intercedido... José Ignacio se
niega... ¡Es como si le mentaran al diablo!
GASTÓN.— Lo de nuestro queridito cuñado es un asunto delicado.

La excusa del amante de su hermana le ha permitido hacer las atrocidades que le ha dado la gana. En nombre de la honradez, la echó de su casa a cajas destempladas... ¡Ah!, y trata de apoderarse de la herencia completa.

VICTORIA.—Mamá puede oírte.

GASTÓN.— Sí, ya sé. Pondrá el grito en el cielo. José Ignacio es el niño lindo de la casa..., porque a ella le interesa. (*Otro tono.*) Fíjate en el caso de Gracielita...

VICTORIA.— (*En voz alta.*) Tralalalálálálá...

GASTÓN.— A los pocos meses de regresar de los Estados Unidos..., ¿te acuerdas?..., ya hace tres años, ¿no?... Llegamos a finales del 99... (*Cuenta con los dedos.*) 900..., uno y dos..., ¡sí!...

(*VICTORIA tararea en voz alta con la intención de apagar la voz de GASTÓN. Como se da cuenta de que no podrá callarlo, le tira almohadones, se echa sobre él, derribándolo, a fin de manipularlo totalmente, mientras él trata de defenderse, creando entre ambos un ritmo extraño y feroz. Las únicas palabras que son audibles del discurso de GASTÓN: "Tía Antonia"; "Gracielita" y "amantes". VICTORIA, agotada, abandona el juego. GASTÓN muestra, al mismo tiempo, su furor y agotamiento.*)

VICTORIA.— Gastón, la vida para ti... ¡Existe la moral, la honradez!...

GASTÓN.— (*Sofocado.*) La moral no está en el sexo. Mira, hermana, lo que sucede en esta casa es que a base de ejercer la hipocresía...

VICTORIA.— Tú pones a papá y a mamá como unos diablos... ¡Me creas una confusión!

GASTÓN.— (*Exaltado.*) ¡Escucha, por favor!... ¡Ahí está Paulita! Buena como el pan, ya una solterona irremediable, esperando al blanco que se case con ella..., idea que mamá le ha metido en la cabeza..., idea que se ha hecho una obsesión en Paulita..., y como el blanco no llega, mamá se aprovecha y la maneja y la tiene de esclava, y llegará el momento en que ni la pagará y Paulita irá de casa en casa, primero con Alicia, luego contigo o conmigo... (*Gesto de VICTORIA.*) ¿Eso es moral?... ¿Honrado? (*Otro tono. VICTORIA balbucea palabras incoherentes e inaudibles.*) ¿A que mamá no nos enseña la carta de Teresa?

VICTORIA.— ¿Tú crees?
GASTÓN.— ¡Apostemos!
VICTORIA.— Entonces, tú... (*Otro tono.*) ¿Cómo has llegado a pensar así?
GASTÓN.— Vivo, veo y analizo.
VICTORIA.— ¡Es horrible! ¡No tienes paz ni con Dios ni con el Diablo! Estás loco. Completamente loco.

8

(*Pausa. Por el fondo se oye un gran estruendo. Entran PAULITA, CARMEN y BORRÁS. A CARMEN la traen, casi suspendida en el aire, los dos criados.*)

GASTÓN.— ¿Qué te pasó, mamá?
VICTORIA.— (*A CARMEN.*) ¿Te has hecho daño? (*A PAULITA.*) ¿Qué fue?
CARMEN.— (*Débil, ahogándose.*) ¡Ay, Victoria de mi alma! ¡Esto no tiene precio! ¡La escalera de mano!... ¡La escalera de mano, en la cocina!
GASTÓN.— ¡Explícate, mamá!
CARMEN.— ¡No me hables! ¡Te prohibo que me dirijas la palabra!
BORRÁS.— La emoción, niño Gastón.
GASTÓN.— ¿La emoción?
PAULITA.— Siéntese aquí, doña Carmen. (*A VICTORIA.*) La emoción.
VICTORIA.— ¿La emoción? (*Acaricia la frente de su madre.*)
CARMEN.— (*Se sienta.*) Sí, la emoción... Fue como un corrientazo... Hice un gesto..., zaz, zaz, cataplum..., la escalera se vino abajo y por poco me mata.
VICTORIA.— (*A BORRÁS.*) ¿Por qué? (*BORRÁS se encoge de hombros.*)
GASTÓN.— El motivo, mamá...
CARMEN.— (*A GASTÓN.*) ¡Te lo he dicho y no vuelvo a repetirlo! ¡Hoy no quiero saber nada de ti!
PAULITA.— (*A BORRÁS.*) Trae un poco de agua de colonia. (*BORRÁS sale.*)
CARMEN.— (*Aún sofocada.*) Esta carta, hija. (*Otro tono.*) De mi hermano Dionisio.
GASTÓN.— (*A VICTORIA.*) ¿Quién es ése?

VICTORIA.— Jamás lo había oído nombrar.

GASTÓN.— ¡Un zepelín, seguramente!

(*Entra BORRÁS con un pomo de agua de colonia y se lo entrega a CARMEN.*)

VICTORIA.— (*A GASTÓN.*) ¡Por favor, ahórrate esas bromitas!

CARMEN.— (*A BORRÁS, muy normal.*) Gracias, viejo. Un medio hermano mío, Victoria. Mi padre, que Dios lo guarde en su seno, mujer que veía, mujer que acosaba... (*Se da leves fricciones con un pañuelo mojado en agua de colonia en la frente, el cuello y los brazos.*) ¡Ay, los hombres, cómo juegan con la honradez de una mujer!... (*Pausa breve.*) Pues, conoció a una muchacha, de muy buena familia por cierto, le montó una guardia permanente, le prometió villas y Castillas, y..., la dejó embarazada. ¡Lo que sufrió mi madre! ¡Y nosotros!... ¡Imagínate!... Cuando nació el niño, la pobre muchacha tuvo que irse al extranjero... ¡Y pensar que es mi hermano y no lo conozco!... (*Otro tono.*) Y, ¿cómo habrá obtenido nuestra dirección? (*Otro tono.*) Míralo, el del bigotico. Se parece a papá.

(*Los dos hermanos tratan de tomar, al mismo tiempo, las fotografías. VICTORIA vence. GASTÓN insiste en arrebatarle una.*)

VICTORIA.— ¡Espera! ¡Tan desesperado siempre! (*Le entrega una foto.*)

GASTÓN.— ¿Y éstos quiénes son?

CARMEN.— Sus amigos, Gastón. (*Otro tono.*) Dame acá. (*Se pone las gafas. PAULITA y BORRÁS desalojan muebles y revistas del escenario.*)

VICTORIA.— ¿Y éste?

CARMEN.— Déjame ver. (*Lee al dorso.*) "A mi hermana y sobrinos que no conozco, desde Londres, con Fernando Sánchez del Arco, su esposa Magy y un acróbata de Circo. Cariños..."

VICTORIA.— ¡Qué hombre más bello!

CARMEN.— ¡Niña! (*Otro tono.*) ¿Quién? (*VICTORIA le indica.*) ¡Ah, sí! Fernando, sí, Fernando Sánchez del Arco. ¡Millonario, hija! Casi nunca viene a Cuba. Vive en Suiza. En la otra luce mejor. (*Otro tono.*) Ya sé cómo Dionisio consiguió nuestra dirección..., por medio de Luisa que es íntima amiga de los Sánchez del Arco, aquí, en La Habana.

VICTORIA.— Es igualito, mamita, a aquel actor de teatro..., ¿recuerdas? Sí, mamita, en la temporada de zarzuelas, cuando Alicia conoció a José Ignacio... (*CARMEN le arrebata la foto y la contempla.*)

GASTÓN.— (*Divertido. A VICTORIA.*) ¡Te vuelve loca! (*Le sustrae la carta a CARMEN que lleva en el bolsillo del delantal y la deja caer en el suelo.*)

CARMEN.— (*Ajena a lo que GASTÓN ha hecho.*) ¡Qué asco de muchacho!

GASTÓN.— (*Divertido.*) El hombre ideal, Victoria.

CARMEN.— (*Indignada.*) ¡Condenado!

VICTORIA.— (*A GASTÓN.*) Jeringa, chiquito...

CARMEN.— ¡Victoria, y ese vocabulario!

GASTÓN.— ¿Yo? ¡Tu príncipe encantado! (*Hace mutis.*) ¡El rival de Joaquín Alvareda! (*PAULITA y BORRÁS hacen mutis.*)

CARMEN.— ¡Qué desgracia saber que he parido una criatura así! (*VICTORIA le entrega las fotos. Las pone en el sobre, se palpa los bolsillos del delantal.*) Ah, ¿y lo que traía? ¿Dónde está?

VICTORIA.— ¿Qué, mamá?

CARMEN.— (*Inocente.*) Una carta de negocios para José Ignacio. (*Descubre la carta a sus pies, la recoge y la guarda en el bolsillo del delantal. Se oyen risas, murmullo de voces y el ruido del golpe de unas bolas de billar contra otras. VICTORIA mira a CARMEN.*)

9

(*En la parte intermedia del escenario, RICARDO, JOSÉ IGNACIO y MENÉNDEZ con tazas de café, juegan al billar.*)

RICARDO.— (*A JOSÉ IGNACIO.*) ¡Sí, estoy preocupado! ¡Es la realidad!... Por varias razones, naturalmente. Los muchachos y Carmen, Carmen y los muchachos... (*Reacción de asombro de JOSÉ IGNACIO y MENÉNDEZ.*) Las discusiones entre ellos..., como perros y gatos. Gastón, prácticamente, se fue de la casa. Sigue sus estudios con buenas notas... Pero la gente con quien anda... ¡El barrio de Jesús María! ¡Con eso te lo digo todo!... Sólo se gana para disgustos. Alguien lo ha visto con una bailarina..., ¡una del Alhambra!

JOSÉ I.— Pero hace usted una tragedia de algo..., ¡vamos!..., tan in-

significante. (*Riéndose.*) ¡Cosas de la edad! (*Jugando.*) No me diga
que quiere que el muchacho se convierta en maricón. Ésta es la
hora de que la goce en grande...

MENÉNDEZ.— (*Jugando.*) ¿Para cuándo lo va a dejar?

JOSÉ I.— ¡Ya es un hombre! Yo, a los veinte..., ¡oígame!, nadie podía sujetarme..., peor que los garañones. Hay que soltar las ener-
gías donde y como sea...

MENÉNDEZ.— ¡A mí me sucedía lo mismo! Mayor era la calentura
que tenía en el cuerpo que lo que podía hacer realmente. (*JOSÉ
IGNACIO se divierte. RICARDO los contempla con evidente malestar.*) Me
acuerdo que mamá tenía una negrita que la ayudaba... Yo tendría unos diecisiete años y ella, veinte o veintidós... Yo me apa-
reaba a ella, disimulando la tocaba... "Tá bueno ya, muchacho",
me decía. Eran los primeros escarceos, y ahí me soplaba unos ma-
notazos, a diestra y siniestra..., violentos, ¡créemelo!..., y luego la
perseguía por los cuartos, los zaguanes, la cocina, el patio y por
último llegábamos a la cochera, entre los hierros viejos y el polvo
y las ruedas de las carretas llenas de fango y grasa... ¡Era una especie de furor, de locura!

RICARDO.— ¿Con una negra?

MENÉNDEZ.— Sí, con una negra.

JOSÉ I.— ¡Eso es lo bueno!

RICARDO.— ¡Jamás he podido!

MENÉNDEZ.— (*Riéndose con JOSÉ IGNACIO. A RICARDO.*) ¡Te has perdido el quinto cielo!

RICARDO.— ¡Llegar a eso! (*Las risotadas de los otros dos aumentan.*)

JOSÉ I.— (*Riéndose. A MENÉNDEZ.*) ¿Y en qué paró la historia?

MENÉNDEZ.— (*Riéndose, mirando a RICARDO.*) ¡Y de gozar lo que es
la miel de la canela!... (*A JOSÉ IGNACIO.*) Pues..., pues, como te
decía aquella negra me descontrolaba... La muy picarona me pe-
día siempre un realito..., y así comencé a robarle a mi padre pe-
queñas cantidades..., a veces podía, otras resultaba imposible...
"Si no hay un realito, no hay nada". Me retaba, y cuando yo me
negaba a complacerla, me vejaba, canturreando a cada paso que
me veía... "La tienes chiquita, la tienes chiquita".

JOSÉ I.— (*Riéndose a carcajadas.*) ¿Un realito?

MENÉNDEZ.— ¡Sí, y había que dárselo!

RICARDO.— Andabas muy cerca de la abyección.

JOSÉ I.— (*Riéndose.*) ¡Es increíble! ¡Es cómico!

MENÉNDEZ.— ¡Y lo mejor del caso es que en lugar de aplacarme, me excitaba, me divertía..., y volvía a la carga!...

RICARDO.— (*Cortante.*) Sí, sí, de acuerdo...

MENÉNDEZ.— (*A JOSÉ IGNACIO.*) ¡Se hace el chivo loco!... Tú, también, Ricardo...

RICARDO.— ¡Ni de bromas, Menéndez!... Siempre he tenido cierta repugnancia..., quizás hay algo en mi naturaleza...

JOSÉ I.— Un hombre, lo que se llama un hombre, primero en la cama..., y le mete a quien se ponga por delante...

MENÉNDEZ.— Ricardo, ¿a quién le cuentas el cuento? (*A JOSÉ IGNACIO.*) ¡Qué tipo más socarrón! (*A RICARDO.*) A esta edad, con todo lo que has vivido y todavía guardando la forma entre nosotros... ¡Vamos, no fastidies!... ¿Qué le reprochas a tu hijo?

RICARDO.— ¡No es eso! ¡Son sus ideas! ¡Imposible hablarle!... Todo lo critica. No tiene paz con nadie..., hasta conmigo..., que si la mentalidad reaccionaria... Hemos tenido varios encontronazos..., ¡y uno es flojo!... ¡Y debo cortar por lo sano! ¡Lo he decidido! ¡De cabeza al ejército! ¡Allí se hará un hombre!

JOSÉ I.— Apretar demasiado la tuerca, peligroso.

MENÉNDEZ.— (*A JOSÉ IGNACIO.*) ¡Fíjate en esa bolita! (*Se prepara para hacer una jugada.*)

RICARDO.— (*A MENÉNDEZ.*) ¡A mí me toca! ¡Espera! (*A JOSÉ IGNACIO.*) Por otra parte, a Victoria la corteja...

JOSÉ I.— (*Rápido.*) ¿Cómo se llama el tipo?

RICARDO.— (*Rápido.*) Joaquín Alvareda.

MENÉNDEZ.— El nombre me suena.

RICARDO.— El hijo se llama igual que el padre.

MENÉNDEZ.— ¿No era un viejo anarquista?

JOSÉ I.— ¡Diste en el clavo! (*Otro tono.*) Oí ciertas historias...

MENÉNDEZ.— En las huelgas de Correos... En Matanzas...

RICARDO.— ¡Sí!... Supongo que ha pasado las de San Quintín...

JOSÉ I.— ¿Quién? ¿El hijo? ¿O el padre?

RICARDO.— ¡La familia!... Pero el muchacho estudia en la Universidad..., química, química azucarera... Hasta el momento no he querido darle mi opinión a Carmen. Que las cosas se decidan en-

tre ellos.... (*Pausa. Se sienta, apoyando el taco en el suelo. Suspira hondo.*),
uno se va quedando solo, Menéndez...

MENÉNDEZ.— Pensándolo bien..., sí, tienes razón... ¡Tú eres un hombre flojo!

RICARDO.— (*A MENÉNDEZ.*) ¿Conmigo hablas?

MENÉNDEZ.— ¡Sí, contigo!

RICARDO.— Pero, ¿qué te pasa a ti?

MENÉNDEZ.— ¿A mí? ¡Nada!... ¿Por qué?

RICARDO.— ¡Estás provocándome!

MENÉNDEZ.— Repito tus propias palabras.

JOSÉ I.— ¡Por favor, no se acaloren!

MENÉNDEZ.— ¡Francamente es imposible!

JOSÉ I.— ¡Venga acá, don Ricardo!

RICARDO.— (*A JOSÉ IGNACIO.*) ¡Suélteme! (*A MENÉNDEZ.*) ¿Qué derecho te arrogas para hablarme en ese tono? ¿Qué derecho tienes? ¿En nombre de qué y de quién?...

JOSÉ I.— ¡Don Ricardo, lo toma usted a la tremenda!

RICARDO.— (*Fuera de sí.*) ¿De qué manera puedo tomarlo? (*Con infinito desprecio.*) ¡Ese imbécil!

MENÉNDEZ.— ¡Lo que quieras, Ricardo!... Yo soy un imbécil, pero
tú eres un hombre flojo..., ¡y me darás la razón algún día!... Tú
te ahogas en un vaso de agua... ¡Lo has dicho!... ¡Tu naturaleza!
¡Ésa es la clave!... Recuerda el asunto de los bienes raíces... ¡Recuérdalo bien!... ¿Cuál fue el final de esa historia, de esos ir y venir a lo loco? El notario denunció la maniobra, al abogado lo mataron, incendiaron el ingenio y, en todo ese revolú, se perdieron
las escrituras..., y hasta el copón divino..., ¡y yo me salvé de milagro!... Y acuérdate que te lo había advertido, y lo hemos hablado
más de una vez desde que llegaste de los Estados Unidos... Querías estar con Dios y con el Diablo y tu naturaleza, sí, Ricardo,
sí..., es como es.

JOSÉ I.— ¿Por qué se ofende? ¡Estamos conversando entre amigos!
De aquí no sale... Además, yo pienso lo mismo que Menéndez,
usted nunca ha hecho lo que tenía que hacer...

MENÉNDEZ.— Por ejemplo, Ricardo, ¿crees tú que un hijo mío va
a hacer y a decir lo que le dé la gana?... ¡Vaya! ¡Lo mato!... ¿Por
qué he tenido que intervenir ahora, hablar por aquí, meter las

uñas por allá, con el problema de recuperar las tierras?... ¡Llegar a molestar al Secretario de Agricultura del Despacho del Presidente don Tomás!..., y pensemos que medianamente marcha nuestro tejemaneje...

JOSÉ I.— El problema es un problema de fondo...

RICARDO.— (*Taciturno, extraño.*) Yo soy un hombre honrado.

10

(*Entra VICTORIA; lleva un hermoso vestido de muselina azul. Lee un libro. Se sienta en un banquillo del jardín. Pausa. Entra JOAQUÍN; viste con modesta elegancia. Es un hombre de veinticinco años, alto, delgado, de pelo oscuro y barbilla del mismo color acabada en punta. Algo miope, usa lentes y mira de un modo peculiar, que hace muy simpática la expresión de su rostro. Escena muda. Él se sienta, ella se aleja. Él se aleja, ella se acerca. Él se acerca, ella se aleja. Risas.*)

JOAQUÍN.— Usted me rechaza, Victoria. (*Matiz de ironía y juego sutil.*) Lo sé. (*VICTORIA finge estar abstraída en la lectura.*) Usted huye de mí... Cada día que pasa, creo que mi insistencia en verla, la molesta...

VICTORIA.— (*Sin abandonar la lectura.*) No crea nada, amigo mío. Ni lo rechazo, ni huyo, ni me molesta...

JOAQUÍN.— ¿De veras? ¿Por qué miente? Es un juego sombrío que me...

VICTORIA.— ¿Juego, dice?

JOAQUÍN.— Sí, juego... Usted...

VICTORIA.— (*Sonriente, frívola, abandona el libro.*) Ah, no dramatice. Debía ser yo la ofendida y, sin embargo, ya me ve... ¡Tan fresca como una lechuga! (*Pausa. Lo mira, y un sentimiento de ternura la invade, pero lo oculta.*)

JOAQUÍN.— ¿Así que la ofendida debía ser usted? ¿Y se puede saber el motivo..., o los motivos "misteriosos"?

VICTORIA.— ¿Cuánto tiempo hace que el caballerito no se digna a pisar los umbrales de esta casa?

JOAQUÍN.— ¡Ah, ésa es la novela!

VICTORIA.— (*Firme, seca.*) Ninguna novela, realidad.

JOAQUÍN.— Novela, realidad, todo puede ser un sueño.

VICTORIA.— No empiece a darme vueltas.

JOAQUÍN.— Es cierto, Victoria. Fíjese... Muy simple. Uno lee un libro —eso me ha pasado en algunas ocasiones, naturalmente, cuando es bueno—, lo lee, pasa el tiempo, y sucede una cosa muy extraña... Uno cree, uno piensa que eso lo ha vivido o que lo ha soñado y le resulta imposible discernir a qué tipo de experiencia pertenece... Por su parte, algo vivido..., por ejemplo, el día que la conocí, no sé si pertenece al capítulo de una novela que leí o que se ha extraviado o a un sueño que no se me borra, que vive aquí como una idea, o una obsesión... imponderable.

VICTORIA.— (*Divertida.*) Joaquín, no soy yo la que juega, sino usted...

JOAQUÍN.— (*Interrumpiendo.*) Juego, novela, realidad, sueño: todo eso me conduce hacia usted, Victoria. A veces pienso que es como si anduviera en un caballo con alas... Toc, toc, toc, toc.

VICTORIA.— (*Divertida.*) Toc, toc, toc, toc...

JOAQUÍN.— Ando como perdido en una maraña de luz y bruma... Toc, toc, toc.

VICTORIA.— Toc, toc, toc...

JOAQUÍN.— ¡Es un regalo! ¡La vida!

VICTORIA.— Toc, toc, toc...

JOAQUÍN.— Hacia ariba, atravesando sonidos, músicas que nunca he oído, que es muy probable que existan o que existirán quizás en otra parte, en otro cielo, en otro mundo, y usted está ahí, usted me acompaña, es una conmigo... Marte, Júpiter, Saturno y las galaxias. ¡Oh, es increíble, pero perdurable!... ¿Comprende? (*VICTORIA se deja arrastrar por las palabras de JOAQUÍN y casi bailan o giran extasiados.*) Doy vueltas y vueltas y vueltas, en una espiral grandiosa, y es como si me desintegrara en los espacios... Usted, Victoria... Yo, Victoria, yo... (*VICTORIA abandona el juego.*)

VICTORIA.— (*Seca, teatral.*) Eso no justifica su ausencia.

JOAQUÍN.— Es que..., pensé... La última vez la vi tan ausente, y me dije: "No quiere, la canso". (*Otro tono.*) Recuerdo perfectamente que antes de despedirme, yo mismo la precisé: "Usted está ahora como si su imaginación vagara en otra parte". Vamos, séame franca, ¿adiviné?

VICTORIA.— ¡Oh, demasiado suspicaz! Demasiado... (*Fingiendo, pero con naturalidad le mira a los ojos.*) No, Joaquín... Realmente, no.

JOAQUÍN.— Usted deseaba que la dejara sola.

VICTORIA.— Se engaña, yo... (*Otro tono, casi jugando.*) ¿Y si las cosas fueran de otro modo?

JOAQUÍN.— ¿Toma la revancha?

VICTORIA.— Expongo una posibilidad.

JOAQUÍN.— Podríamos llenar el mundo de posibilidades, siguiendo por ese camino.

VICTORIA.— Está jugando sucio.

JOAQUÍN.— (*Casi cantando.*) Toc, toc, toc... (*Otro tono.*) Diga, siga...

VICTORIA.— Podría tener una cita.

JOAQUÍN.— ¿Realmente lo piensa...?

VICTORIA.— Algún viejo compromiso.

JOAQUÍN.— Volvemos al principio: usted me rechaza, me huye, la molesto.

VICTORIA.— Yo podría asegurar que usted está enamorado. Alguna habrá, quién sabe dónde, que le tiene sorbido el seso. ¡Cualquiera lo averigua!

JOAQUÍN.— Tal vez. (*Otro tono. Como jugando.*) Pero tengo miedo de saber lo que ella piensa. Sucede, muy frecuentemente..., cuando uno quiere, no lo quieren...

VICTORIA.— ¡Ah! (*Pausa. Con fingida ingenuidad.*) ¿No se trata de un amor correspondido? (*JOAQUÍN hace una señal negativa.*) ¿La conozco?

JOAQUÍN.— (*Vacilante.*) Bueno, sí... (*Más seguro, mirándola fijamente. Ella baja los ojos, fingiendo rubor.*) Es muy posible que la conozca.

VICTORIA.— ¡Oh, perdóneme la indiscreción! ¡Qué pensará de mí! (*Agita un pañuelito cerca del rostro de JOAQUÍN.*) ¡Igualito a mi hermano Gastón!

11

(*Sentadas en otro lugar del jardín, JUANITA y GRACIELITA. Una borda, la otra teje. JUANITA lanza un hondo suspiro. Pausa. Entra CARMEN por el fondo.*)

CARMEN.— (*Gritando, con voz cantarina.*) ¡Victoria! (*Otro tono.*) Esta chi-

quilla me trae..., Juanita. (*Se oye la voz de VICTORIA: "Ya voy, mamá".*)
Todavía niega que Joaquín está enamorado de ella. Una mujer
honrada nunca se pone con esos tapujos. (*A GRACIELITA, que sonríe.*) Y todos los días necesita un vestido distinto. Y el armario se
cae de ropa. Y yo..., esclavizada. (*Otro tono.*) Es tanto el apurillo,
que ya ni puedo coserle a Alicia... Y Gastón... A veces lo pienso...
(*Conmovida.*) ¡El ejército es duro, amigas mías! (*Otro tono.*) Y Ricardo, en su laberinto..., que si vacilan en estampar la firma, que si
mañana..., que si..., ¡y dale que dale!... Porque él se empeña en
que le devuelvan sus tierras... ¡Y tiene razón! La renta de las casas apenas nos permite sobrevivir. ¡Estamos peor que en los tiempos de España!... El trapicheo crece como la verdolaga, y él jura
que Menéndez se desinteresa, y yo le digo: "Ten calma"... En fin,
Juanita, soy yo quien recibe todos los palos...

JUANITA.— ¡Ay, mujer, siempre te estás quejando!... Si yo te conta-
ra mi tragedia. Porque es una tragedia... (*Mirando a GRACIELITA.*)
Esta niña..., ¡los dolores de cabeza que me ha dado! (*A GRACIE-
LITA que articula un sonido, indicando su malestar.*) ¡Sí, no refunfuñes!
¡Es la verdad!... Ese matrimonio lo hice a pulmón. Pedro Arturo,
digámoslo claramente, era un tipo del montón... ¡Andaba al garete!... Sin padres..., ¡imagínate tú!... Cuando la reconcentración
de Weyler, ¿te acuerdas?, los perdió... Así que pon un poco de imaginación y ya me contarás... ¡Vendedor de naranjas en la calle Mon-
serrate!... ¡Un oprobio!... Tuve que enseñarle a sentarse a la mesa...,
como es debido..., a que utilizara el cuchillo y el tenedor... Luego
a vestirse..., a ponerse una corbata, a utilizar pañuelo... ¡Lo que
te cuente es nada!

GRACIELITA.— ¡Mamá!

JUANITA.— ¡Sí, niña, sí!

GRACIELITA.— ¡Como si fuera un salvaje!

JUANITA.— ¡Para lo que le faltaba!... Por otra parte, tú no querías
y yo te hice ver claro... ¡Niégalo ahora!... En la situación en que
estabas...

CARMEN.— (*Fingiendo asombro.*) ¿En qué situación?

JUANITA.— (*Sin saber qué decir.*) Bueno..., ¡cosas!... A los dieciocho años
y habiendo dado un mal paso...

GRACIELITA.— (*Exaltada.*) ¡Mamá, qué lengua!

JUANITA.— (*Precipitada.*) ¡Un marido! ¡Un marido! ¡Que alguien cargue con este carro loco! Ésa era mi divisa... (*Otro tono.*) Hasta ahora Pedro Arturo me ha demostrado que es un muchacho de buenas intenciones..., cumplidor, honesto a carta cabal... (*Miradas entre JUANITA y GRACIELITA.*) Me gustaría que tú me dieras una ayudita, Carmen..., que hablaras con José Ignacio... Hay un negocio que a Pedro Arturo le anda rondando y que, según parece..., es posible que sea una mina de oro... ¿Hablarías tú, querida?...

12

(*Aparecen, al fondo del escenario, ALICIA y JOSÉ IGNACIO. Visten con elegancia y sobriedad.*)

ALICIA.— (*Lánguida.*) ¿Qué tal, mamá? (*Besa a CARMEN.*) ¿Y papá y Victoria?
CARMEN.— (*Encantada.*) Hablando del rey de Roma... (*Besa a ALICIA.*)

(*Abrazos y besos de JUANITA y GRACIELITA a ALICIA.*)

GRACIELITA.— ¡Los meses que hacía, mujer!
JUANITA.— ¡Qué maravilla verte!

(*JOSÉ IGNACIO les da la mano fríamente a GRACIELITA y JUANITA. Ellas se limitan a sonreírle cortésmente.*)

JOSÉ I.— Buenas, Juanita. ¿Qué tal, Gracielita? (*Echándole el brazo por los hombros a CARMEN.*) ¿Cómo anda, doña Carmen?
CARMEN.— (*Besando a JOSÉ IGNACIO.*) Ahí. Con los achaques de siempre. (*Apartándose del grupo. Con cierto misterio.*) ¿Y Alicita? Cada día la veo más desmejorada. ¿Está haciendo lo que debe?
JOSÉ I.— Hoy la vio el doctor Argensola.
ALICIA.— (*A JUANITA.*) A Gracielita hacía un siglo que no la veía. ¿Y Pedro Arturo?

GRACIELITA.— (*Divertida.*) Imagínate, muchacha, con el furor del dinero. Que si el uno por ciento, que si el dos por ciento, que si el diez por ciento, que si los intereses, qué sé yo. Cuentas y más cuentas. Es de lo único que habla. Él y yo somos máquinas incansables. Seguramente vendrá a buscarnos más tarde.

ALICIA.— Me alegraría verlo.

CARMEN.— (*A JOSÉ IGNACIO.*) Ya me lo suponía. ¡Así que mucho reposo! Paciencia y resignación. (*Otro tono.*) Despreocúpate. Prepararé las condiciones, en un decir Jesús. ¡Yo me ocuparé de ella! (*JOSÉ IGNACIO va a incorporarse al grupo. CARMEN lo retiene por un brazo, diciéndole algo que el resto no oye. JOSÉ IGNACIO le responde en el mismo tono. El grupo los mira extrañados e interrogantes. Música lejana de una guitarra.*) ¡Sí, ya sé!... Pero estaba aterrada. Cuando vi aquel policía delante de mí como un ogro con una notificación judicial..., me puse a temblar... La desesperación me carcomía, y no me pude aguantar y la abrí... Escándalo de mujeres..., en la calle Trocadero... Debes resolverlo lo más rápido posible... ¡Que la gente no se entere, muchacho! ¡Ah, esa cabeza tuya, hijo mío! ¡Es tiempo ya de que escarmientes! Por bueno te pasan estas cosas...

JOSÉ I.— ¡No se preocupe! Iré a ver al Senador que es amigo de mi padrino... Soltando un poco de plata, todo el mundo se calla... Chantaje por chantaje...

GRACIELITA.— (*A ALICIA.*) Debes tomar algún reconstituyente, algo que te reanime... Te veo cansada.

ALICIA.— Ay, Gracielita, si parezco un fideo.

GRACIELITA.— ¡Eso es lo de menos!

JUANITA.— ¡La línea, muchacha!

GRACIELITA.— ¡Es lo que se usa!

ALICIA.— He tenido que rehacer todos los vestidos. Me gustaría un poco más..., pero Dios dispone... ¡Ah, qué suerte haberte encontrado!... Mamá me cuenta que siempre vienen a darle una vueltecita... ¡Y yo estaba deseando coincidir algún día!... (*JOSÉ IGNACIO le hace señal a ALICIA de despedirse.*) Sí, querido. Enseguida. (*A JUANITA y GRACIELITA.*) Ustedes me excusan, porque se pone impaciente. (*Otro tono.*) Voy a saludar a papá y a Victoria.

JOSÉ I.— ¿Y don Ricardo? (*Le entrega un cheque. CARMEN lo toma, después lo rechaza. Enérgico.*) Tómelo usted, doña Carmen. ¡Es necesario! ¡Así se aliviarán los gastos de este mes y que don Ricardo no lo sepa!

CARMEN.— (*Guardando el cheque. A JOSÉ IGNACIO.*) En la biblioteca, hijito mío. (*ALICIA y JOSÉ IGNACIO hacen mutis.*)

13

CARMEN.— (*Mirando a ALICIA y a JOSÉ IGNACIO.*) La pobre no se siente bien. Menos mal que el doctor Argensola va a verla una vez a la semana.

JUANITA.— ¡Ah, pero se lo tenían guardado!

CARMEN.— ¿Guardado, el qué?...

GRACIELITA.— Ya asoma un nietecito por el camino.

CARMEN.— No, Gracielita, ni pensarlo.

JUANITA.— ¿Entonces...?

GRACIELITA.— ¿No está embarazada?

JUANITA.— Pues yo lo pensé: "Alicita hizo su encarguito".

GRACIELITA.— Es lo más natural del mundo, Carmen.

JUANITA.— ¿Tú estás segura?... Mira que a veces...

GRACIELITA.— ¿Un fibroma? ¿Algún quiste?

CARMEN.— ¡Bah! ¡Achaques!... En la matriz... El doctor Argensola dice que se curará pronto. De todos modos, yo quisiera que Alicia estuviera conmigo. Por eso estoy desesperada porque se decida el matrimonio de Victoria... Así podría dedicarme a cuidar a Alicia. El reposo es imprescindible; y por mucho que se trate con el médico, estando sola con los criados, allá, en la finca de Arroyo Naranjo..., no es lo mismo que aquí. (*Otro tono.*) ¡Lo de Victoria va para largo!..., y yo quiero que se case con quien sea, cuanto antes... Alicia hizo un buen matrimonio..., el resto, que se las arregle como pueda.

JUANITA.— Pero, dime, Carmen. ¿Está Alicia verdaderamente embullada en su matrimonio?

CARMEN.— Muchísimo, mujer. José Ignacio la quiere y es muy bueno. Un poco celoso..., mas esto es bueno cuando no se exagera... Antes de casarse sabía yo que iba a ser un buen marido.

GRACIELITA.— ¿Me perdona, doña Carmen? Quiero echar unas pa-

rrafadas con las muchachitas... ¡Hace ya tanto que no estamos juntas las tres!
CARMEN.— Ve, niña, ve. (*GRACIELITA hace mutis.*)

14

CARMEN.— (*A JUANITA.*) ¡Al fin estamos solas!... Pues, de lo que hablábamos... José Ignacio es un hombre que se ha divertido, que sabe, y sabe lo que es la responsabilidad del matrimonio... Tiene sus manías, como esa de la gimnasia sueca y sus salidas después del almuerzo. Pero yo digo que es mejor que le dé por ahí, que por otras cosas... (*Óyese la campanilla del portón.*) ¿Quién será? ¿No está Borrás en el portón de la entrada?... ¡Ah, sí! ¡Ahí viene tu yerno, querida!
JUANITA.— (*Molesta.*) ¿Sí?... Vive pegado a nosotras como una sanguijuela, no nos deja ni respirar... ¡La olla tras el caldero! (*Sonriendo y poniéndose en pie.*) Ah, Pedro Arturo, querido...

15

PEDRO ARTURO.— (*Entrando, sonriente.*) ¿Qué, mamá Juanita? (*Besa a JUANITA. A CARMEN.*) ¿Cómo está, señora?
CARMEN.— ¡Te estábamos esperando!
PEDRO ARTURO.— Me retrasé un poco. ¡Cuánto lo siento!... En los negocios uno no debe perder la oportunidad y...
CARMEN.— ¡Sí, es lógico! (*Cariñosa, tomándolo por un brazo.*) Juanita me habló superficialmente... ¡Hay que ayudarte, muchacho! ¡Moveré cielo y tierra! Me encanta la juventud despierta, dispuesta a las grandes empresas..., ¿verdad, Juanita? (*JUANITA toma el otro brazo de PEDRO ARTURO y comienzan a pasear lentamente por el escenario.*) José Ignacio que es un angelote, seguramente, se interesará...
PEDRO ARTURO.— ¡Magnífico!... Tengo importantes proposiciones... Le aseguro que, con una sólida inversión..., eso espero..., lograremos un negociazo que dejará boquiabiertos a los más poderosos magnates...

CARMEN.— ¡Qué maravilla!... Hablaremos con calma... (*Pausa. Ni PEDRO ARTURO ni JUANITA advierten su mirada de menosprecio. Pausa.*) ¡Ah, lo de Victoria resulta imperdonable! ¡Dime, amiga mía!..., ¿tengo o no razón?... ¡Que se case, que se case! (*Pausa. Suspira.*) Ay la vida, la vida.

16

(*En algún lugar del escenario que debe tener una atmósfera de intimidad, están GRACIELITA, ALICIA y VICTORIA. ALICIA está sentada entre almohadones. GRACIELITA, sentada casi a sus pies, hojea un periódico. VICTORIA, sentada de espaldas a un espejo, se quita una redecilla que le cubría la cabeza. A un lado, un maniquí de prueba.*)

VICTORIA.— ¿Por qué tanto apuro? Eso es lo que me pregunto. ¿Por qué?

ALICIA.— Porque no se decidía. Recuerda que a José Ignacio tuve yo que ponerle freno. A las tres semanas de conocerme ya quería que nos casáramos.

GRACIELITA.— Es un guanajo, Victoria.

ALICIA.— Yo no diría tanto. Hay hombres que les cuesta mucho tomar una decisión. Eso no impide que sean luego maridos formidables.

GRACIELITA.— A mí, honestamente, me gusta. Tiene un no sé qué. Algo. Distinto. Se ve a la legua.

ALICIA.— (*Riéndose.*) ¡Hubo que ponerle banderillas de fuego!

VICTORIA.— ¡Eso, eso es lo terrible!

ALICIA.— Muchacha, si ya van para los dos años...

GRACIELITA.— (*Abandona el periódico. A VICTORIA.*) ¿Te puedo peinar?

VICTORIA.— (*A GRACIELITA.*) Sí. (*El periódico cae al suelo. Otro tono.*) Y mamá empuja que te empuja, Alicia. Quisiera que la oyeras: "Se ve que él no se decide. Me lo imagino. La madre. La conozco. Una tirana. Dura, egoísta. Le tiene terror. ¡Ya la conocerás! Si le dice lo del casorio, veremos. Una bomba. Él es el único que la ayuda con el sueldo que tiene. El padre, un anarquista redomado que quiere dinamitar la humanidad. Un desastre. Buenos disgustos que le ha dado". Y esto me irrita, me desquicia: "Caramba, vieja, parece que tienes muchos deseos de que me vaya de casa". Y ella entonces, poniendo cara de mártir: "No, hija mía. Bien sabe Dios el dolor que me cuesta separarme de ustedes. Pero no estaré tranquila mientras no los vea, a los tres, casados. Desde ese momento tu padre y yo podremos morirnos cuando el Señor quiera". (*Pausa. Otro tono.*) Todo es tan precipitado, tan a la carrera. Debía conocerlo más...

ALICIA.— (*Sonriente.*) ¿Conocerlo más?...

GRACIELITA.— (*Divertida.*) ¡El conocerlo será en la cama!

VICTORIA.— ¡Mujer, no cambias!... ¡Dices unas cosas!...

ALICIA.— (*Riéndose.*) ¡Qué pudibunda eres! ¡Te equivocas, hermana! Gracielita habla correctamente.

GRACIELITA.— Al pan, pan... Allí es donde se conoce, donde una sabe a fondo... Y después, como es lógico, en el trato, en las maneras de un día tras otro...

VICTORIA.— (*Sonriente, pero amarga.*) ¡Estás como Luisa!

GRACIELITA.— (*Rápida.*) ¡No me compares!

ALICIA.— (*Divertida.*) Ella dice, es una porquería, pero lo dice: "Caballo grande, ande o no ande". (*Risa de GRACIELITA.*)

VICTORIA.— (*A ALICIA.*) ¿Cómo puedes prestarle oídos a tanta indecencia?

ALICIA.— (*Riéndose todavía.*) La pata del diablo, Victoria. Recuérdala en la escuela, o cuando venía a casa, los horrores que hacía... (*Otro tono.*) Por cierto que ayer por la tarde la encontramos, José Ignacio y yo... Iba con su marido a la finca que tiene en Alquízar, Sánchez del Arco...

VICTORIA.— ¿Quién?

ALICIA.— Sánchez del Arco. (*VICTORIA hace una mueca de no saber quién es.*) Sí, Victoria. Fernando Sánchez del Arco, el amigo del medio hermano de mamá..., ¿te acuerdas? (*Gesto negativo de VICTORIA. Declamatoria, imitando a VICTORIA.*) ¡El hombre más bello del mundo! (*Risas.*)

VICTORIA.— ¡Ah, el amigo de Dionisio!... (*Sarcástica.*) ¡Y ese hombre resucitó!

ALICIA.— Según contaban, había venido a instalarse definitivamente. (*Gesto cómico.*) ¡Estaba cansado de la vieja y podrida Europa!

GRACIELITA.— ¿Quién es ese tipo?... Ahí, en el periódico, en la crónica social, hablan de él...

VICTORIA.— ¿Sí? (*Otro tono.*) ¡Un payaso! (*A ALICIA.*) ¡Sin comentarios!

GRACIELITA.— (*A VICTORIA.*) Volviendo a nuestro chachareo... Creo que Luisa deforma bastante. No todo reside en el tamaño ni en las cualidades. La cuestión es mucho más sutil, más delicada... Ella, naturalmente, es una bestia y, por lo visto, necesita una bestia.

VICTORIA.— ¡Qué estúpida! (*ALICIA cambia de posición y emite un quejido.*) ¿Algo te molesta?

ALICIA.— (*Indicando el lado izquierdo del vientre.*) Cuando hago algún movimiento brusco, el malestar sobreviene... ¡Ay, Dios mío!

GRACIELITA.— ¡Te sientes tan mal!...

VICTORIA.— (*Poniéndole otro almohadón.*) ¡Toma! ¡Estarás más cómoda!

ALICIA.— ¡Espera!... ¡Tengo unas punzadas!... ¡Ay!... ¡Hasta sudores fríos!... (*Esbozando una sonrisa.*) Gracias, hermana.

GRACIELITA.— Tendrás que operarte.

ALICIA.— ¡Quién puede decirlo! ¡Está por ver!

VICTORIA.— ¿Quieres un calmante?... Mamá quizás tenga...

ALICIA.— (*A VICTORIA.*) ¡No, no!... ¡Mira, estoy empapada!... Por momentos me siento cansada..., y unos desvanecimientos... ¡Es que el tratamiento es infernal, Gracielita! Las inyecciones, las lavativas..., y esas malditas cánulas..., y esos polvos...

GRACIELITA.— (*Con repugnancia.*) ¡Ayayayay! (*Otro tono.*) Los médicos, ¿qué te diagnostican?...

ALICIA.— (*Rápida, ocultando.*) ¿Diagnosticar? ¡Nada! Afirman que es cuestión de tiempo y de la naturaleza de la persona...

VICTORIA.— (*Espantada.*) ¿Tendrán que operarte, hermanita?

ALICIA.— (*Rápida.*) Vamos, vamos... Por favor, continuemos...

GRACIELITA.— (*Comprobando el ocultamiento.*) ¡Ah! (*Nerviosa. A VICTORIA.*) Estáte quieta, muchacha. (*Enérgica.*) ¡Le entra un culillo! (*VICTORIA se pone rígida, como una estatua. Vuelve a peinarla.*) No exageres ahora. (*Otro tono.*) A Luisa no vamos a considerarla una excepción. Hay muchas, infinidad de mujeres que piensan así; la mayoría casi... "Caballo grande, ande o no ande".

VICTORIA.— Una mujer honrada, jamás...

GRACIELITA.— ¡Siempre con lo mismo! Soy honrada. Soy honrada. Luisa dice lo que piensa y, además, lo anda gritando en las cuatro esquinas. Le importa un bledo "el qué dirán". Es como es. Intentar cambiarla, imposible. "Luisa, la titánica", dice mamá. (*VICTORIA intenta decir algo, inmediatamente se arrepiente.*) Ay, amiguita mía, si te cuento las historias que oía cuando trabajaba en La Habana Vieja... Entre mujeres... Todas, sin excluir a ninguna, se referían al tema continuamente y exageraban tanto, Victoria, que yo me decía "el acabóse". Era el plato fuerte. Desde las ocho de la mañana hasta las cinco de la tarde. Que si así, que si asao, que si mejor antes, que si mejor después. Yo me decía: "¿Y no se vuelven locas? Ah, misericordia, ¿cómo es posible?" Y ellas..., venga a retomar el asunto..., que si el novio, que si el marido, que si el amante... Me hastiaba aquel fandango. Luego me di cuenta que eran unas pobres mujeres que inventaban algo que no poseían... (*Pausa.*) ¿Debe uno hablar de lo que hace en la intimidad? ¿Agrega algo?... O es un chiste grotesco o una reafirmación pueril. (*Termina de peinar a VICTORIA.*) ¿Te gusta? (*VICTORIA se mira en el espejo, sonríe y hace gesto afirmativo.*) Por ejemplo, yo, jamás les he contado mi primera experiencia amorosa... (*Sobresalto de VICTORIA.*) Sí, Victoria, en Santa Clara, cuando tu tía Antonia se quedó con nosotras... Un verdadero desastre..., y fui yo la culpable... Si mamá no hubiera actuado inteligentemente, en aquella ciudad nos lapidan... Antonia era una de las instigadoras. Por fin mamá decidió que debíamos instalarnos en La Habana..., y aplacar el escándalo...

VICTORIA.— ¡Gran Poder de Dios!... Gastón me lo había dicho y yo batallaba por no creerlo... ¡Has tenido un amante!

GRACIELITA.— ¿Qué tiene de particular?

ALICIA.— (*A GRACIELITA.*) ¡Niña, ella es virgen! Joaquín podrá solamente tocar su aparatico el día de la boda...

VICTORIA.— (*Asqueada.*) ¡Ay, Alicia, cállate! (*Otro tono.*) ¡Entonces tú crees que la honradez es sólo una forma, un disfraz!

GRACIELITA.— Sí, lo creo.

VICTORIA.— (*Agresiva.*) Eso lo dices tú..., porque tú... ¡Me hago un lío! ¡Pues no estoy de acuerdo! ¡Qué va, Gracielita!

GRACIELITA.— Expónme tus razones, nena.

VICTORIA.— Y lo que dicen papá y mamá, y la tía Antonia, y en la iglesia y tantas gentes, y la misma Juanita...

GRACIELITA.— (*Interrumpiendo.*) ¿Son ellos honrados? (*Risotada brutal.*) Fíjate que incluyo a mamá. (*Otro tono.*) Dime de lo que presumes y te diré de lo que careces. (*Pausa breve.*) Uno simplemente vive, Victoria.

VICTORIA.— (*Ansiosa.*) ¿Y tú qué piensas, Alicia?

ALICIA.— A mí me sacan de eso.

GRACIELITA.— Ella se lava las manos.

VICTORIA.— (*A ALICIA.*) Tú, como siempre, ocultando, querida.

ALICIA.— ¿Que yo oculto?... ¡Es absurdo! ¿Ocultar, qué? Anda, dime...

VICTORIA.— Gracielita, has visto lo pronto que saltó. (*A ALICIA.*) Sí, queridita mía. Tú ocultas.

ALICIA.— ¿Oculto? ¿Qué? ¿Por qué?

VICTORIA.— ¡Lo niegas!

ALICIA.— ¡Por favor, Victoria, explícate!

VICTORIA.— (*Pudorosa.*) ¿Te acuerdas..., cuando eras novia de José Ignacio? (*Gesto afirmativo de ALICIA.*) Bien..., ¿te acuerdas?..., sí, chica, una tarde, llovía a cántaros..., ustedes iban a la Ópera..., estaban en las escaleras..., ya mamá y papá los esperaban en el coche..., y yo me quedé en la casa... ¿Te acuerdas?

ALICIA.— (*Sin saber, abrumada.*) No, no recuerdo... ¡Puedes matarme, te juro..., que no recuerdo!

VICTORIA.— (*Triunfal, cantarina.*) ¡De verdad, de verdad! (*Otro tono.*) ¡No me engañes! (*Gesto negativo de ALICIA.*) ¡Pues yo te vi!... Te besabas con José Ignacio... Habían dejado la puerta entreabierta y fui a cerrarla... De pronto, en el espejo que estaba en el inicio de la escalera, lo vi perfectamente todo... Él te tocaba por las caderas, luego más abajo, y tú también..., y él te rogaba..., y te abrió la blusa, y te levantó las faldas..., y luego tú no querías..., pero él te obligó... ¡Yo lo vi!... Al poco rato, temblando, fui a limpiar las escaleras... ¡Aquella noche no puede dormir!

ALICIA.— Puede ser... ¡Imagínate, acordarme!...

GRACIELITA.— (*Divertida.*) Travesuras del noviazgo, ¿no crees, Alicia?

ALICIA.— (*A VICTORIA.*) ¿Y tú no lo has hecho?

VICTORIA.— (*Titubeando.*) ¡No!... ¡Nunca me he atrevido! (*Pausa.*)

GRACIELITA.— ¡Ay, amiguitas, ignoramos el bosque y nos perdemos entre las ramas!... ¡Así lo pienso yo!... Sólo el amor, el amor...

Ah, si pudiera decirles..., arrancarme lo que siento allá dentro, en lo más profundo, poco a poco..., y convertirlo en palabras... Algo tan extraño y magnífico como doloroso..., casi diría, imposible... Sí, porque raramente podemos decir: "Esto es el amor..." O tal vez, sí. O a lo sumo, acercarnos... (*Otro tono.*) Antes de conocer a Pedro Arturo, les confieso..., me movía entre las cosas..., sin saber exactamente quién era, qué quería... ¡Oh, cuánto cuestan las palabras!... ¡Me da miedo!... Como si uno, de repente, supiera que para sentirse humano debe atravesar un camino de fuego... (*Pausa. Sorprendida de sus palabras se echa a reír y a manotear en el aire de una manera simpática, delirante, terminando en un llanto ahogado.*) ¡Oh, qué ridícula! ¡Estúpida! ¿De qué estoy hablando? Parezco una mona sabia...

VICTORIA.— Es muy hermoso...

ALICIA.— Estaba oyendo una música.

GRACIELITA.— Perdónenme, soy una romántica imperdonable.

VICTORIA.— Ah, entonces..., ¿en todo, en todo, Pedro Arturo piensa igual que tú?

GRACIELITA.— (*Rápida.*) Si no pensara así, no estaríamos juntos.

(*Se oye la voz de PEDRO ARTURO bastante cercana.*)

PEDRO ARTURO.— Gracielita, ¿terminó la conferencia?

GRACIELITA.— Óyelo. (*A PEDRO ARTURO.*) Ya vamos. (*ALICIA se pone en pie lentamente con la ayuda de GRACIELITA.*) Lo importante, mi amiga, ¿quieres a Joaquín?

VICTORIA.— Creo que sí.

GRACIELITA.— ¡Defiéndelo, Victoria! ¡Defiende tu amor!

(*ALICIA y GRACIELITA hacen mutis. VICTORIA queda sola e instintivamente comienza a desvestirse. Se contempla en el espejo. Pausa. Da unos pasos y descubre el periódico. Ávida y temerosa lo recoge del suelo. Busca precipitadamente en las páginas interiores, observa una foto y, sin pensarlo, estruja el periódico con el deseo de hacerlo añicos. Lo tira sobre los almohadones. Se ríe. Intenta decir algo, pero las palabras no llegan a sus labios. Mira hacia el espejo.*)

TELÓN

TERCERA PARTE

(*1906. PAULITA y BORRÁS decoran poco a poco el escenario con guirnaldas de papeles de colores, serpentinas, globos y farolillos chinescos. En el lateral derecho, hacia el fondo, se encuentra una tienducha improvisada que hace el papel de cantina. En ese mismo lateral, en la parte intermedia del escenario sobre un lujoso y alto arcón está colocado un fonógrafo de la época. Cerca del fonógrafo están sentados RICARDO y MENÉNDEZ bebiendo. En lateral izquierdo, mucho más cercanas al primer plano, están sentadas y también bebiendo, CARMEN y JUANITA. CARMEN, de vez en cuando, vigila el trabajo de los dos criados. Por todo el escenario hay, aquí y allá, sillas y mesitas de hierro —pintadas de blanco, muy al gusto de la época— y sombrillas japonesas abiertas. Aire de fiesta, de feria.*)

CARMEN.— (*Poniéndose en pie.*) ¡Victoria y Joaquín todavía están arreglándose! ¡Y yo, alerta! ¡Ahí, ahí, Borrás!

JUANITA.— ¿Qué cosa?

CARMEN.— A ti te encanta que te repita las cosas como un papagallo. (*JUANITA se encoge de hombros y bebe. Va hacia donde están PAULITA y BORRÁS, indicándoles cómo hacer esto o lo otro.*)

RICARDO.— Menéndez, los dos sabemos, perfectamente que el Presidente Don Tomás era un inútil, un incapacitado... ¡De honrado, nada! Él creó todo ese lío de la insurrección..., del ejército..., y de su misma gente. Con las dificultades que existen..., a quién se le ocurre reelegirse en el cargo..., y fue él quien pidió que vinieran los americanos...

MENÉNDEZ.— (*Intranquilo, molesto.*) ¡De acuerdo, de acuerdo!

(*Aparecen al fondo, ALICIA y JOSÉ IGNACIO, riéndose, divertidos y tarareando un son. CARMEN regresa a su sitio.*)

177

RICARDO.— El ejército de los mambises en el poder..., un horror... Entre ellos se hacen picadillo y se devoran... ¡No saben, no tienen idea de lo que es un gobierno! ¡Mucho amor, mucha generosidad de lengua para afuera!... A la hora de los mameyes..., te ponen con la soga al cuello.

(*JOSÉ IGNACIO se mueve cómicamente; describe algunos pasos de baile, mientras se acerca al gramófono. ALICIA lo imita.*)

JOSÉ I.— (*Poniendo un disco. A RICARDO y MENÉNDEZ.*) ¿Les gusta?

RICARDO.— ¡Natural, hombre!

MENÉNDEZ.— ¡El descubrimiento del siglo!

JUANITA.— (*A CARMEN.*) Mi memoria tiene sus huecos, sus vacíos..., ¡son los años!

CARMEN.— ¡Esa maldita música!

RICARDO.— (*A JOSÉ IGNACIO.*) Hablábamos del eterno asunto...

CARMEN.— (*Refiriéndose a JOSÉ IGNACIO.*) Está como niño con zapatos nuevos. (*Cómica, sentenciosa, orgullosa.*) Traído especialmente de los Estados Unidos. ¡El último grito! Le ha costado una fortuna.

JOSÉ I.— ¡Calma, viejo, calma!... ¡No sea que el tiro te salga por la culata! ¡Ven, Alicia! (*ALICIA y JOSÉ IGNACIO bailan.*)

CARMEN.— Victoria y Joaquín, como te decía, se casaron en la mayor intimidad. De ustedes prescindimos porque siempre están tan ocupados... ¡Victoria lucía monísima!... Únicamente invitamos a Fernando Sánchez del Arco que, por desgracia, tuvo que dar un viaje relámpago a Nueva York...

JUANITA.— ¿Quién, mujer?

CARMEN.— ¡Fernando Sánchez del Arco!... Joaquín ha empezado a trabajar con él en un proyecto ambiciosísimo..., y creo, creo, no estoy segura, que hoy pasará por aquí...

JOSÉ I.— (*Dejando de bailar, grita.*) Victoria, Joaquín. (*Va acompañado de ALICIA a la cantina.*)

ALICIA.— (*Gritando.*) ¡Vengan! ¡Victoria! ¡Gracielita, Pedro Arturo!... ¡Joaquín!... (*JOSÉ IGNACIO se sirve un trago. Lo bebe de golpe. Se vuelve a servir. A JOSÉ IGNACIO.*) ¡Me estás haciendo trampa!... ¡Déjalo para más tarde!

JUANITA.— (*A CARMEN.*) Pero, Carmen, ¿por qué no me lo dijiste? Apenas estoy presentable.

CARMEN.— Tú eres de la casa. Además quería darte la sorpresa.
JOSÉ I.— (*Gritando.*) ¡Victoria, Joaquín!
VICTORIA.— (*Gritando desde adentro.*) En seguida vamos.
GRACIELITA.— (*Gritando desde adentro.*) ¡Un momentico, Alicia!
CARMEN.— (*Señalando a ALICIA y JOSÉ IGNACIO.*) ¡Míralos cómo se divierten, Juanita!
JOSÉ I.— (*Gritando.*) ¡Victoria! ¡A beber, a bailar! ¡Hay que tirar la casa por la ventana!
JOAQUÍN.— (*Gritando.*) ¡Ya vamos, compadre!
JOSÉ I.— (*Poniendo un disco en el fonógrafo.*) ¡Siempre discutiendo, que si la vida, que si la honradez!... ¡No arreglen el mundo! ¡Vivamos!... ¡Otro disco, otro son!... (*Se tambalea un poco. ALICIA lo protege.*)
JUANITA.— ¡Qué parejita!, ¿verdad?
CARMEN.— ¡Es una maravilla verlos así!... Aunque a ella..., esa maldita enfermedad..., cada día está más flacucha..., ¿no crees tú?... ¡Y ese color de la piel!...
ALICIA.— (*A JOSÉ IGNACIO.*) ¡Vas a rayar el disco! ¡Cuidado!
RICARDO.— (*A MENÉNDEZ.*) ¡Otro cuento! (*Se pone en pie.*)
JOSÉ I.— (*Tambaleándose.*) ¡Yo sé lo que hago!
ALICIA.— ¡Déjalo que termine!
RICARDO.— (*A MENÉNDEZ.*) ¡Me dices una cosa ayer y otra hoy! Es para volverse loco... ¡Mejor mil veces, Mr. Taft! ¡Aprovechemos esta ocasión!... ¿Qué me importa lo que diga José Ignacio?

(*BORRÁS y PAULITA terminan de decorar el escenario y van directamente a ocuparse de la cantina. PAULITA lava algunos vasos. Sirve pastelitos en una bandeja. BORRÁS sirve bebida en los vasos que están sobre una bandeja.*)

Mr. Taft es amigo del Presidente Roosevelt. ¡Ésa es una garantía! ¡Aprovechemos!... Se dice que es un gobierno transitorio, que habrá un cambio dentro de unos meses... ¡Aprovechemos!... ¡Es mi fortuna la que está en juego, Menéndez!... ¿Quieres un trago? (*BORRÁS está delante de él con una bandeja llena de vasos de bebida. Le ofrece un vaso a MENÉNDEZ y toma otro para él.*) Parece que todavía no te has enterado. Y cuando llegue Sánchez del Arco veremos qué lasca podemos sacarle.

(*A JOSÉ IGNACIO se le cae el disco al suelo y se rompe. BORRÁS le ofrece bebida a CARMEN y JUANITA. PAULITA se acerca a ellas con una bandeja llena de saladitos, poniéndola en una mesa cercana, después.*)

JOSÉ I.— ¡Carajo, tenía que suceder!

ALICIA.— ¡Te lo dije, querido!

JOSÉ I.— ¡Tú y tus consejos!

ALICIA.— (*Recogiendo los fragmentos del disco.*) ¡Mañana conseguiremos otro!

JOSÉ I.— (*Como estupefacto.*) ¡Otro!... ¡Otro!

MENÉNDEZ.— (*A RICARDO.*) Calma, calma, calma. Ésa es también mi consigna. La repito con enérgica claridad. No conozco a nadie en ese gabinete de gobierno que ha creado a última hora Mr. Taft. Podemos tantear, pero..., ¿para qué precipitarse? Es muy probable que nos reciban como han hecho en otras oportunidades y el resultado sea idéntico.

JUANITA.— ¿Al fin los médicos se pusieron de acuerdo?

CARMEN.— (*Sibilina.*) Trastornos en los glóbulos rojos y los glóbulos blancos.

JUANITA.— ¡Delicada entonces!

CARMEN.— ¡Qué puedo decirte!... ¿Ya viste a Victoria?

JUANITA.— Carmen, estás bastante nerviosa. Hace unos minutos vinimos del cuarto...; recuerda que Joaquín...

CARMEN.— (*Rápida.*) ¿Qué tú piensas de él?

JUANITA.— (*Rápida.*) Resulta tan encantador, tan amable...

CARMEN.— (*Rápida.*) ¿Tú crees?

JUANITA.— ¡Ay, sí!

CARMEN.— ¡Para gustos se han hecho los colores! ¡Lo veo tan..., tan no sé qué! ¡No le encuentro la gracia! Algo le falta. Yo hubiera preferido otro tipo, otro... Ella está en la hora de elegir, y de elegir bien... Se empeñó en casarse, y agarró al primero que le hizo musarañas y le dijo un par de boberías... ¡Ésa es la realidad! ¡Y una mujer honrada!...

JUANITA.— ¡Carmen!

ALICIA.— (*A JOSÉ IGNACIO.*) ¡Deja de beber, querido!... ¡Haz un esfuercito!

JOSÉ I.— (*A ALICIA.*) ¡No me acoquines, chica! (*Acercándose a CAR-*

182

MEN y a JUANITA.) ¿Para qué se ha hecho la bebida?... ¡Para beberla!... *(A CARMEN.)* Un traguito más, un traguito menos...

ALICIA.— *(A JUANITA.)* ¡Se le sube a la cabeza y después..., qué susto! *(A JOSÉ IGNACIO.)* ¡Tú lo sabes requetebién!

CARMEN.— *(Sonriente.)* Un día es un día...

JOSÉ I.— *(A JUANITA, refiriéndose a ALICIA.)* ¡Bah, esta mujer arma una tragedia! *(A ALICIA.)* ¡Hiperbólica, hiperbólica! *(Otro tono.)* Mamá Carmen dice: "Un día es un día". ¿Oíste?... Los dioses del Olimpo bebían, ¿por qué yo, simple mortal, debo estar en abstinencia? *(A CARMEN.)* ¿Verdad, mamá Carmen?

CARMEN.— ¡Claro, hijo, claro!

JOSÉ I.— *(Da un traspiés.)* ¡En grande! ¡En grande! Victoria y Joaquín se lo merecen... *(Gritando.)* ¡Victoria! ¡Joaquín! *(Otro tono.)* ¡Una fiesta que hará historia!... Como cuando tú y yo, Alicia..., nos fuimos de luna de miel a Nueva York..., ¡qué juerga!

ALICIA.— Sí, querido. *(A CARMEN.)* Debe aguantarse un poquito... Refrescarse... La bebida le cae mal, mamá.

CARMEN.— *(A ALICIA.)* Anda, sujétalo..., y déjalo que se divierta..., ¡total!... ¿Qué piensas tú, Juanita?

ALICIA.— *(Mirando cómo bebe JOSÉ IGNACIO.)* ¡Él se empeña! *(Corre detrás de él y lo toma de un brazo.)* ¡Ah, cabeciduro! *(JOSÉ IGNACIO le pone el vaso en los labios y ella bebe.)*

JOSÉ I.— *(Cantando y bailando.)* El cangrejo va p'alante, el cangrejo va p'atrá. *(ALICIA lo imita.)*

JUANITA.— *(A CARMEN.)* Todavía la fiesta no ha empezado..., y ya tiene una copa de más.

CARMEN.— ¡Su resistencia es inaudita, muchacha! Yo lo he visto beberse diez botellas de ron en una noche..., y continuar...

JUANITA.— ¡Qué bárbaro!

CARMEN.— ¡Está acostumbrado, boba!

(Se oye el ruido de un coche que se detiene, luego un campanilleo y voces alegres. CARMEN se inquieta. JUANITA se arregla los cabellos.)

JUANITA.— Pues van llegando los invitados.

CARMEN.— ¡Ay, Dios mío!... Entonces Alicita debe controlar a José Ignacio... Perdona un instante. *(Se pone en pie, y se acerca adonde están MENÉNDEZ y RICARDO, abstraído, bebiendo.)* Parece que ha llegado.

(*MENÉNDEZ, de un salto, se pone en pie y en puntillas se precipita adonde está JUANITA. JOSÉ IGNACIO en la cantina bebe. Luego, acompañado de ALICIA, baila.*)

RICARDO.— ¿Quién?
MENÉNDEZ.— (*A JUANITA.*) ¿Me permite?
CARMEN.— ¿Quién puede ser, Ricardo?
RICARDO.— Me dejas en la luna de Valencia.
CARMEN.— Fernando. Fernando Sánchez del Arco.
RICARDO.— ¡Ah, sí!
CARMEN.— No bebas tanto. Después me darás la lata la noche entera y te prohibo que des un espectáculo. (*Aproximándose a donde están ALICIA y JOSÉ IGNACIO.*) Alicita, contrólalo... Orden y limpieza, como decía tu tía, que en la gloria esté. Parece que ha llegado...
ALICIA.— ¿Sí? (*Gesto afirmativo de CARMEN que, inmediatamente, le hace señas discretas a PAULITA y a BORRÁS. Éstos vienen a su lado, recibiendo órdenes precisas. CARMEN duda.*)
MENÉNDEZ.— (*A JUANITA.*) Los precios del azúcar, sobre todo..., dos centavos es risible... ¡Una miseria!... De ahí que los obreros planteen demandas y los veteranos anden gritando en todas las esquinas... (*Riéndose, bebiendo y comiendo groseramente algunos saladitos.*) ¡Perro que ladra no muerde! Por ahora flotamos como el corcho... ¡Quién le dice a usted que no saquen las uñas!... Esto es una cajita de sorpresas.
JUANITA.— (*Cortante.*) A mí la política, Menéndez..., y los negocios..., ni chicha ni limoná, como dice el vulgo.
MENÉNDEZ.— Son cosas que las tenemos en las narices.
JUANITA.— Sí..., pero una ha sufrido tanto... ¿Y su familia?

(*ALICIA y JOSÉ IGNACIO continúan bailando a duras penas. JOSÉ IGNACIO trastabilla a veces; en otros momentos, se desploma casi en los brazos de ALICIA que se esfuerza por mantenerlo en pie.*)

RICARDO.— (*Solo, calculando sus pensamientos en cada paso que da.*) Me iré a Santa Clara otra vez, la semana que viene..., y empezaré a agitar en el Ayuntamiento. Que los papeles desaparecieron, pues a buscarlos, que aparezcan... Me vas a repetir que se los tragó la tierra, Menéndez... ¡Al diablo! Yo me las arreglaré con Sánchez del Arco... ¡Ése es el hombre!

JOSÉ I.— (*A ALICIA.*) ¡Déjame en paz, mujer! (*A gritos.*) ¡Paulita! ¡Paulita, otro trago!

(*CARMEN le indica a PAULITA que atienda a JOSÉ IGNACIO. PAULITA corre hacia la cantina. CARMEN le señala a BORRÁS ciertos cambios o una nueva disposición de las sillas, mesitas y sombrillas en el escenario. JOSÉ IGNACIO cambia el disco. JUANITA comienza a reírse de un modo extraño, exagerado. MENÉNDEZ come y bebe, como un niño glotón, al mismo tiempo, gesticula exaltado; atragantándose, tosiendo estruendosamente. PAULITA le trae la bebida en una bandeja a JOSÉ IGNACIO.*)

ALICIA.— ¡Cuántas veces te lo voy a repetir, querido! ¡Cuídate! Las medicinas, José Ignacio... ¡Oh, Dios mío, qué hombre! Una recaída es peligrosa... Ahora que me siento... (*JOSÉ IGNACIO la mira en su extravío.*)..., mucho mejor.

JOSÉ I.— (*La mano le tiembla, toma el vaso y se lo derrama en el traje.*) Gracias, Paulita.

ALICIA.— ¡Qué desastre, mi amor!

JOSÉ I.— (*Ofuscado en sus tragos. A PAULITA.*) Dame otro.

ALICIA.— (*Señal negativa a PAULITA. A JOSÉ IGNACIO.*) Ven, pongamos otro disco.

JOSÉ I.— (*Mirando agresivamente a ALICIA.*) ¡Aguántate! (*A PAULITA. Feroz.*) Dame otro.

(*PAULITA le sirve otro trago. ALICIA guía a JOSÉ IGNACIO hacia una de las mesitas vecinas al primer plano del escenario. PAULITA se acerca adonde se encuentran CARMEN y BORRÁS, luego corre hacia la cantina. BORRÁS desplaza algunas sombrillas. PAULITA arregla unas mesitas cercanas a la cantina.*)

CARMEN.— (*A PAULITA.*) Orden. Mucho orden y limpieza.

(*Aparece en el fondo un grupo formado por VICTORIA, LUISA y GRACIELITA, seguidas de JOAQUÍN, ADOLFO y PEDRO ARTURO.*)

VICTORIA.— Mami, mami, mira quiénes llegaron.

(*Gran algarabía. El grupo trae pitos y matracas. Ríe divertido. Los personajes que están en escena reaccionan de modos diferentes. CARMEN, llena de asombro, da varios pasos; de repente, se detiene. ALICIA deja a JOSÉ IGNACIO y corre hacia los brazos de LUISA. JOSÉ IGNACIO permanece, atontado, indiferente, frente a la mesita, de pie. PAULITA y BORRÁS terminan de hacer los arreglos y se colocan detrás del mostrador de la cantina; BORRÁS aprieta un conmutador eléctrico y se iluminan los farolillos chinos. JUANITA, sorprendida por el ruido y las voces, se levanta de la silla. MENÉNDEZ, mecánicamente, la imita.*)

MENÉNDEZ.— (*A JUANITA, que no lo escucha.*) Después de aquel ciclón, decidí venirme a La Habana..., donde tenía amigos.

LUISA.— (*Gritando.*) ¡Se lo tenían guardado! ¡Iban a dejarme fuera de la parranda! (*Besando a CARMEN.*) ¡Oh, mi vieja linda!... ¿Cómo está? ¿Y don Ricardo?...

(*JOAQUÍN se aparta discretamente del grupo, acompañado de VICTORIA; juntos van a la cantina y piden tragos que les sirven PAULITA y BORRÁS, sonrientes. GRACIELITA, LUISA, ADOLFO, ALICIA y PEDRO ARTURO rodean a CARMEN que solloza. JOSÉ IGNACIO se tambalea, ausente, en los vapores del alcohol. RICARDO, tembloroso, se arregla la corbata, dispuesto a entrar en escena, sin entender lo que sucede a su alrededor. JUANITA va al encuentro de LUISA y se abrazan.*)

LUISA.— ¡Tantos años! ¡Un siglo casi! ¡Usted la misma!... ¡Ah, don Ricardo! (*Besa a RICARDO.*) ¡El tiempo no pasa por usted!... ¡Adolfo! ¡Adolfo!... ¿Dónde se ha metido? (*ADOLFO en la cantina pide un trago que le sirve BORRÁS.*) ¡Miren los discos que he traído! ¡Una maravilla! ¡Algo sensacional!... (*A ALICIA.*) ¡Qué fantástico lugar, muchacha! ¡Jamás me lo hubiera imaginado!... (*A CARMEN.*) ¡Y usted, encantada! ¡De aquí al cielo!... ¡O al infierno! ¡Nunca se sabe!

(*JOAQUÍN entorna un brazo sobre los hombros de VICTORIA; ella, molesta, lo rechaza sin decir palabra; y los dos, con los vasos de bebida vienen sonrientes hacia donde están LUISA, ALICIA, JUANITA, CARMEN y RICARDO. GRACIELITA y PEDRO ARTURO, divertidos, haciendo chistes o sonando rítmicamente pitos y matracas, van a la cantina, en ese momento. JOAQUÍN queda rezagado marcando*)

los pasos de un son, en la parte intermedia del escenario, cerca del gramófono.
PEDRO ARTURO y GRACIELITA se unen a ADOLFO que bebe alegremente y ob-
serva el sitio iluminado. A éstos, se incorpora RICARDO, saludándolos.)

¡Verán, qué música! ¡Una novedad! (*Risa de ALICIA.*) ¡De veras,
mi amiga! (*A VICTORIA.*) Sabía que Fernando les había regalado
el fonógrafo y quise traerles este regalo... ¡Música para bailar!...
(*Le entrega un paquete de discos. VICTORIA, sonriente, lo acepta.*)
CARMEN.— (*A JUANITA.*) ¡Hay que tener temple! ¿Quién la invitó?
¡Nadie, te lo aseguro! (*Mirando a LUISA.*) ¡Tan desfachatada!
LUISA.— (*Abanicándose.*) ¡Qué hermosa estás, Alicia! Eres lo que pro-
metías ser desde niña. ¡Y Victoria, un ángel!... (*VICTORIA hace un*
gesto de desdén con la mano, va hacia la cantina, deja su vaso de bebida y
le entrega el paquete de discos a ADOLFO que no sabe qué hacer con él.) El
mismo cuerpo de su hermana. (*Cierra el abanico. VICTORIA regresa*
al grupo de CARMEN y JUANITA.) Yo como siempre, en el casco y
la mala idea... (*Risa estruendosa. Maliciosa.*) Tengo tantas cosas que
contarles de mi vida personal... Hoy tenía la corazonada de que
me sucedería algo...
JUANITA.— (*A CARMEN.*) ¡Lo que nos espera!

(*RICARDO con mucha habilidad, se lleva a un lugar aparte a ADOLFO. PEDRO*
ARTURO y GRACIELITA se incorporan al grupo general.)

LUISA.— ...algo agradable. Salí de casa, "¿adónde voy?, ¿adónde
voy?" Me aburría simplemente... De casualidad, me encontré con
Fernando, que enseguida me contó que ustedes, que se disculpa,
que un compromiso anterior... Tuve que conquistar a Adolfo, mi
niña... (*Secretea con el grupo, que comienza a reírse, exceptuando a VICTO-*
RIA y CARMEN.)
RICARDO.— (*Aproximándose a unas sillas.*) Me alegro conocerlo. Es un
honor.
ADOLFO.— (*Confundido.*) ¿Usted es el padre de Victoria?
RICARDO.— (*Riéndose, complacido.*) ¡El mismo! ¡Sí, señor!
LUISA.— Se pone con un humor de perros, si no dormimos la sies-
ta, ¿sabes? (*Risa llena de malicia. A ALICIA.*) También te hablaré de
mi matrimonio..., cuando estemos a solas...

(*PEDRO ARTURO regresa a la cantina. JOAQUÍN pone otro disco en el gramófono. GRACIELITA y VICTORIA se apartan del grupo. Van a sentarse junto a una mesita cerca del primer plano. MENÉNDEZ va a la cantina.*)

GRACIELITA.— (*Señalando a JOSÉ IGNACIO.*) ¡Míralo como está! (*VICTORIA se encoge de hombros.*) Dile a Joaquín que venga para acá.

VICTORIA.— Joaquín no los soporta. A ninguno de los dos, Gracielita..., y si te he de ser franca..., a mí me sucede lo mismo.

JOSÉ I.— (*Gritando.*) ¡Alicia!

(*MENÉNDEZ habla con PEDRO ARTURO. JUANITA y CARMEN, secreteando, se sientan en unas sillas colocadas en el lateral derecho.*)

ALICIA.— (*A LUISA.*) ¡Tengo que ir a verlo!

LUISA.— ¡Espera, mujer!... ¡Que no es el coco!... ¿Y los discos? ¿Mi regalo?

ALICIA.— ¡Lo tiene Adolfo! ¡Míralo con papá!

LUISA.— ¡Ah, verdad! (*Acercándose a su marido, sonriente.*) En buena compañía, querido... (*Toma los discos y va hacia el fonógrafo.*) ¡Para hacer el brindis! ¡La música!

JOSÉ I.— (*Gritando.*) ¡Alicia! (*ALICIA va adonde está su marido.*)

JUANITA.— Desde que la conozco, Carmen..., tendría seis años...

CARMEN.— ¡Incorregible!

MENÉNDEZ.— (*A PEDRO ARTURO.*) Hace calor, ¿verdad?

JOSÉ I.— (*Balbuceante.*) ¿Qué está ocurriendo aquí?

ALICIA.— Llegaron Luisa y su marido...

JOSÉ I.— (*Extrañado, en las brumas del alcohol.*) ¿Cómo?

ALICIA.— Sí, querido. Ven, siéntate aquí, tranquilito..., y el mareo se te pasará...

JOSÉ I.— (*Apoyado en el hombro de ALICIA.*) ¡Qué mareo, ni qué coño! (*Se derrumba en una silla. ALICIA se sienta a su lado y le pone un pañuelo sobre el rostro.*)

GRACIELITA.— (*Refiriéndose a JOSÉ IGNACIO.*) ¡Está totalmente borracho!

VICTORIA.— ¡Nada nuevo! ¡Veremos cómo se porta hoy!

LUISA.— ¡El brindis! ¡El brindis!

TODOS.— (*Eufóricos, gritando, menos JOSÉ IGNACIO y ALICIA.*) ¡El brindis! ¡El brindis!

(*Música. Los sirvientes traen las bandejas con champagne que todos, a excepción de ALICIA y JOSÉ IGNACIO, van tomando rápidamente, mientras rodean a VICTORIA. MENÉNDEZ y PEDRO ARTURO casi traen a rastras a JOAQUÍN que se coloca junto a su mujer, un tanto embarazado y sonriente luego. CARMEN y JUANITA se muestran tímidas y desconcertadas.*)

MENÉNDEZ.— (*Sonriente. Divertido.*) ¡Felicidades a los dos!

(*Unas lágrimas se deslizan por el rostro de CARMEN.*)

LUISA.— ¡Que vivan los novios!
TODOS.— ¡Vivan! ¡Vivan! (*Risas. Ruidos de pitos y matracas.*)
LUISA.— ¡El beso! ¡El beso!

(*VICTORIA y JOAQUÍN vacilan. LUISA y PEDRO ARTURO los empujan. Ellos se besan tímidamente. JOSÉ IGNACIO intenta incorporarse, no puede.*)

TODOS.— ¡Otro! ¡Otro!

(*PAULITA y BORRÁS tiran arroz y serpentinas sobre JOAQUÍN y VICTORIA. Aplauso general.*)

PEDRO ARTURO.— ¡Por la felicidad de los novios! ¡Por la felicidad de todos!
TODOS.— ¡Por la felicidad! ¡Por la felicidad! (*Ruido de pitos y matracas.*)
CARMEN.— (*Sollozando, abrazando a VICTORIA.*) Hija mía, ¡al fin tu felicidad! (*Abrazando a JOAQUÍN.*) ¡Hijo mío!
LUISA.— (*A CARMEN.*) ¡Ah, no, Carmen! ¡Nada de lágrimas! (*A VICTORIA.*) ¡Qué alegría, Dios mío! ¡Qué alegría! ¿Te acuerdas, Victoria, y tú, Gracielita, cuando éramos niñas?
VICTORIA.— ¿Te acuerdas cuando nos fuimos juntas al balneario de las "Tres Águilas"? ¡Yo tenía un miedo!... Y tú ibas delante, muy oronda, como un reina..., y aquel gordito que te perseguía, y mamá y papá, detrás, gritando y qué alboroto...
LUISA.— ¡Muchacha, qué ocurrencia! ¡La reina eres tú! ¡Estás preciosa! ¡Ese vestido es un sueño!
VICTORIA.— (*Riéndose y secreteándole.*) ¡Pues me lo hizo mamá!

LUISA.— Todas tus formas..., así, como si lo hubieran diseñado para la diosa Afrodita... ¿Qué piensas tú, Gracielita? (*Risas.*)
VICTORIA.— ¡Qué exagerada! ¿Verdad, Joaquín, que exagera?
LUISA.— (*A ADOLFO.*) Deja de mirarla, buenas las tendremos en la cama... (*Risas.*)..., esta noche, tú y yo... ¡Contención, Adolfi!
JOAQUÍN.— (*A VICTORIA.*) Querida, yo estoy de acuerdo con Luisa, aunque no lo debiera estar...
LUISA.— ¡Qué galimatías!
GRACIELITA.— (*A LUISA.*) ¡Eres tremenda!
VICTORIA.— ¡Genio y figura hasta la sepultura!
LUISA.— ¡Bailemos! ¡Bailemos!

(*LUISA se dirige hacia el fonógrafo y pone otro disco. El grupo se deshace. JUANITA y CARMEN se acercan adonde está LUISA. MENÉNDEZ y PEDRO ARTURO se instalan, de pie, alrededor de una mesita cercana a la cantina. RICARDO y ADOLFO se sientan en el mismo lugar de antes. VICTORIA, JOAQUÍN y GRACIELITA ocupan unas sillas próximas al primer plano. PAULITA y BORRÁS le ofrecen saladitos y bebida.*)

VICTORIA.— (*A PAULITA y BORRÁS.*) Para mí, no... Gracias.
JOAQUÍN.— ¿Por qué, mujer? (*Toma un vaso de bebida.*)
VICTORIA.— Tú sabes, el champagne..., mezclarlo... (*A GRACIELITA.*) Toma tú. (*GRACIELITA coge unos saladitos y un vaso de bebida.*)
MENÉNDEZ.— (*A PEDRO ARTURO.*) ¡Nada de temores, muchacho! Si es como aseguran, dentro de unos meses estará aquí el viejo Maggoon..., e irán poniendo el orden poco a poco. Eliminará lo que debe eliminarse. La limpieza será un hecho. Una limpieza radical de anarquistas, bolcheviques, librepensadores que sólo sirven para minar la estabilidad...
CARMEN.— (*A LUISA.*) ¿Y tus parientes de Santa Clara?
LUISA.— Dejé de tratarlas, doña Carmen, porque se hicieron amigas inseparables de las Montes, que usted sabe cómo me odian y los horrores que dicen de mí. Lo lamento, ya que la familia es cosa sagrada..., pero yo digo igual que Cristo: "El que no está conmigo, está contra mí". Además, uno con plata compra hasta el alma...
CARMEN.— (*Sin saber qué decir.*) Cierto, muchacha.

(*LUISA va hacia la cantina y, como no se encuentran ni PAULITA ni BORRÁS, se sirve. CARMEN y JUANITA se sientan en lateral derecho.*)

JOSÉ I.— No quiero, Alicia... ¿Lo entiendes?
ALICIA.— Amor mío, ¿qué culpa tengo yo?
JOSÉ I.— ¡Que se vayan, diles que se vayan!
LUISA.— (*Desde la cantina.*) ¡Bailemos, vamos, embúllense, muchachos!
JUANITA.— (*A CARMEN.*) ¡Un escándalo! ¡Un escándalo al por mayor!
CARMEN.— ¡Hay que apalacar los ánimos!
GRACIELITA.— (*A VICTORIA.*) ¿Vas a dejarla sola?
VICTORIA.— ¿Qué debo hacer?
JOAQUÍN.— ¡Tú, tranquila!
RICARDO.— (*A ADOLFO.*) El problema con las tierras es que todavía no he dado con la persona idónea..., ¡usted comprende!
JOSÉ I.— ¡Que se vayan! ¡Que se vayan todos! (*Se pone en pie y tambaleándose va hacia el fondo, agitando los brazos, indicando que se vayan los invitados. ALICIA estalla en lloros entrecortados. VICTORIA va a su lado. ALICIA la rechaza. VICTORIA defraudada regresa adonde están JOAQUÍN y GRACIELITA.*) ¡Que se vayan!

(*PAULITA y BORRÁS, después de repartir los saladitos y bebidas a los presentes, regresan a la cantina, mirando asombrados a JOSÉ IGNACIO. LUISA, cerca del fonógrafo, ve pasar a JOSÉ IGNACIO y, con la mirada, expresa su profundo desprecio. Instantes después se aproxima adonde están JUANITA y CARMEN. MENÉNDEZ y PEDRO ARTURO ven a JOSÉ IGNACIO y sonríen.*)

RICARDO.— (*Alarmado.*) ¿Qué es eso? (*Se pone en pie, con la intención de atajar a JOSÉ IGNACIO.*) Perdone usted, Fernando.
ADOLFO.— ¿Fernando, yo?...
RICARDO.— ¡Hombre, naturalmente!
ADOLFO.— Usted se confunde.
RICARDO.— ¿Cómo que me confundo?
JOAQUÍN.— (*A VICTORIA.*) ¡Te lo advertí!
VICTORIA.— Es mi hermana, querido.
ADOLFO.— Yo soy Adolfo Valcárcel, el esposo de Luisa...

RICARDO.— Ah, perdone... (*Dando unos pasos.*) ¿Qué he hecho? (*En una bruma.*) Estoy perdiendo el seso. (*Va hacia la cantina, pide un trago, BORRÁS se lo sirve y bebe.*)
CARMEN.— (*A JUANITA.*) Querida, entre marido y mujer... (*A LUISA.*) ¡Celos, muchacha! (*ADOLFO, desconcertado, viene a buscar a LUISA.*) Cualquier detalle, cualquier insignificancia y estalla.
LUISA.— ¿Celos, doña Carmen? ¿Celos, de quién? (*ADOLFO está junto a ella.*) ¿Celos, de mi marido? ¡Eso es locura! (*Cariñosa.*) Adolfi..., Adolfi. (*Otro tono.*) Este hombre no tiene tiempo para pensar en nada. (*Cariñosa.*) ¿No es cierto, mi vida? (*ADOLFO se sienta. CARMEN se levanta con la intención de hablar con ALICIA.*) Seguramente Alicia utiliza el mismo método que yo...
ADOLFO.— (*A LUISA.*) Bailemos. Esta gente está pasmada.
CARMEN.— ¿Decías?
LUISA.— (*Poniéndose en pie.*) ¡El mismo método! (*ADOLFO la imita.*)
CARMEN.— ¿Qué método?
LUISA.— (*Riéndose.*) ¡El mío!

(*ALICIA se precipita hacia el fondo. CARMEN va a su encuentro y juntas entran en lo oscuro. LUISA y ADOLFO se enlazan y bailan.*)

VICTORIA.— ¡Me da una rabia! ¡Habiéndoselo aclarado desde el principio!
JOSÉ I.— (*En lo oscuro.*) ¡Alicia! ¡Alicia!

(*JUANITA cae en un estado de somnolencia absoluto, cabeceando, roncando, entreabriendo los ojos y volviéndolos a cerrar.*)

VICTORIA.— Después de todo, la culpa es de él. "No hay que hacer nada", le dije... Mira los resultados. Los que estaban invitados no vinieron, ¡y nos cayó esta bomba!... Y lo peor, abusando de la infeliz. Joaquín y yo pensamos en una cosa más sencilla... ¡Ustedes y basta! Total será un año de ausencia...
JOAQUÍN.— O menos. Esta zafra y regresamos...
GRACIELITA.— ¡Allá está Menéndez dándole tabarra al pobre de Pedro Arturo!... ¡Llámalo, Joaquín! (*JOAQUÍN se pone en pie, le hace señales a PEDRO ARTURO que distraído en la conversación, no las ve.*)

VICTORIA.— Necesitamos un poco de dinero.

JOAQUÍN.— ¡Levantar presión! (*Ríe.*)

GRACIELITA.— ¡Y cómo!... (*Refiriéndose a* PEDRO ARTURO.) Está tan abstraído, que no nos ve. (*Otro tono.*) Si Fernando Sánchez del Arco se ha interesado tanto en tu trabajo... ¡Aprovecha!...

JOAQUÍN.— ¡Imagínate, fundamental! Ése es un milagro que aparece una vez en la vida, ¿eh, Victoria?

VICTORIA.— Lo de José Ignacio es..., es... (*A* JOAQUÍN.) Sí, cariño.

GRACIELITA.— (*A* VICTORIA.) ¡Todavía enfurruñada por ese...! ¡Al bagazo poco caso!

JOAQUÍN.— A mí no me da ni frío ni calor.

GRACIELITA.— Mamá no lo puede ver en pintura. Con lo que le hizo a Pedro nos es suficiente...

VICTORIA.— Vive del alarde.

JOAQUÍN.— ¡Ven, bailemos!... ¡Bailemos!

VICTORIA.— ¿Tú sabes?

JOAQUÍN.— Gracielita, busquemos a Pedro Arturo..., y a echar unos buenos pasillos, ¡qué caray!

VICTORIA.— ¡Ay, si mami se entera!... Dicen que esa música es de negros y de mulatos... (JOAQUÍN *se encoge de hombros.*) Despacito, Joaquín...

JOAQUÍN.— (*Enlazándola por el talle.*) Desde hace una semana tú eres mía..., ¡mía!

VICTORIA.— (*A* GRACIELITA.) ¿Tú sabes bailarla?

GRACIELITA.— ¡Se inventa, muñeca, ven!

(VICTORIA *y* JOAQUÍN *se quedan en la parte intermedia del escenario. Se enlazan y bailan.* GRACIELITA *se aproxima adonde se encuentran* PEDRO ARTURO *y* MENÉNDEZ.)

LUISA.— (*A* VICTORIA *y* JOAQUÍN.) ¡Ya era hora!

MENÉNDEZ.— (*A* PEDRO ARTURO.) Tener confianza es lo decisivo en esta tierra...

ADOLFO.— (*Bailando y gritando.*) ¡Azuquita! ¡Arriba! ¡Esto se llama sabrosura!

PEDRO ARTURO.— (*A* MENÉNDEZ.) ¡Le doy toda la razón!

MENÉNDEZ.— Confianza absoluta. Los americanos representan la

democracia. Los valores morales del futuro. ¡La libertad!... Sobre todo, la libertad... El porvenir se abre ante nosotros...
PEDRO ARTURO.— (*A MENÉNDEZ.*) Con su permiso... La conversación es muy amena, pero..., ahí tengo a mi media naranja...
MENÉNDEZ.— (*Poniéndose en pie. A GRACIELITA.*) Perdone usted... ¡Felicidades, señora!

(*GRACIELITA le sonríe a MENÉNDEZ. PEDRO ARTURO se enlaza a ella, dándole un beso en los labios. Bailan muy estrechamente. Establecer una diferencia entre el baile armonioso de GRACIELITA y PEDRO ARTURO, la actitud vacilante y fuera de ritmo de VICTORIA y JOAQUÍN y el acento lujurioso y procaz de LUISA y ADOLFO. Gesto de malestar e indecisión de MENÉNDEZ. Después de pensarlo algunos instantes, atraviesa el escenario y se reúne con RICARDO que bebe, solitario y amargado, a un costado de la cantina. CARMEN regresa a su sitio, junto a JUANITA. Antes de sentarse, la ve roncando y hace gesto de desagrado; luego observa el panorama. Una expresión de desasosiego, de angustia indescifrable y también de impotencia se manifiesta en su rostro.*)

GRACIELITA.— (*Bailando.*) Cuando seamos ricos será necesario que me compres una quinta como ésta, para pasar nuestra segunda luna de miel.
PEDRO ARTURO.— (*Bailando.*) ¡Hum! Estás picando demasiado alto... Pero, donde manda capitán... (*GRACIELITA lo abraza y lo besa.*)
VICTORIA.— (*Bailando. Acariciándole los cabellos a JOAQUÍN, con evidente ternura.*) ¿Oíste, Joaquín? Ellos hablan de una segunda luna de miel. ¿Qué tú crees?
JOAQUÍN.— (*Bailando.*) La primera no ha pasado todavía. Ustedes parecen novios y no casados.
GRACIELITA.— (*Bailando.*) ¡Y lo somos!
PEDRO ARTURO.— (*Bailando.*) ¡Somos concubinos!
JOAQUÍN.— (*Bailando.*) ¡Así me gusta!
PEDRO ARTURO.— Nos casamos para que las gentes no nos fastidiaran con sus idioteces y pujos de honradez... Que si Pedro, que si Gracielita, que si entraron, que si salieron, que si los vieron... Ésta tiene un carácter muy independiente; yo, lo mismo. Y convinimos en que si nos aburríamos el uno del otro, cada uno por su lado, y santas pascuas...

ALICIA.— (*Desde el fondo.*) ¡Suéltame! ¡Suéltame, José Ignacio!
LUISA.— (*Bailando. A ADOLFO.*) ¡Soportar a un vejancón así! Alicia
es una tajada demasiado fina para su boca... Debió casarse con
un príncipe, y no con un ser tan prosaico...
ADOLFO.— ¡A ella le gustará! ¡A ti ni te va ni te viene!
LUISA.— (*Con ordinariez.*) ¡Ay, chico, no me sulfures!
ADOLFO.— (*Divertido. Bailando.*) ¡Ya estás desbocada!
LUISA.— (*Riéndose. Bailando.*) ¡Barranca abajo y sin freno!, como dice
mamá.

(*Estruendo de golpes en las paredes.*)

JOSÉ I.— (*Desde el fondo.*) ¡A la calle!
CARMEN.— ¡Qué desfachatez!... ¿Qué es esto? ¿Cómo es posible?...
¿La vida acaso es?... ¡Oh, no puedo aceptarlo!... Por querer arre-
glar las cosas, las complico.

(*El número musical termina. GRACIELITA y PEDRO ARTURO continúan estrechamente enlazados. VICTORIA y JOAQUÍN se sacuden la ropa sudada y VICTO-
RIA, al mismo tiempo, se abanica.*)

JOAQUÍN.— ¡Hace calor!... ¿Continuamos?
LUISA.— (*A VICTORIA.*) ¡Pondré otro! (*Lo hace. ADOLFO va a la cantina
y pide dos tragos que sirve BORRÁS inmediatamente.*)
VICTORIA.— (*A JOAQUÍN.*) ¡Si tú quieres!
JOAQUÍN.— ¡Pues, arriba!

(*ADOLFO le trae un vaso de bebida a LUISA. VICTORIA y JOAQUÍN bailan de
nuevo... GRACIELITA y PEDRO ARTURO se mueven despacio y sensualmente.*)

LUISA.— (*A ADOLFO.*) Gracias, amorcito. (*Gesto de ADOLFO, con intención de bailar.*) ¡Ah, no!... Dentro de un ratico. ¡Eres infatigable,
muchacho!
CARMEN.— (*Sola.*) ¡Y Gracielita no puede contenerse en público!
¡Qué espectáculo!

(*LUISA se derrumba en una silla cercana a la de CARMEN. JUANITA duerme. ADOLFO se aproxima al fonógrafo con su trago y contempla a las parejas bailar.*)

LUISA.— ¡A los hombres hay que tenerlos en un puño! ¡Uf, esta bebida se le cuela a una en la sangre!... ¡Qué sofoco!... (*A CARMEN.*) Aunque de vez en cuando se escapen y tengamos que sufrir un dolor de cabeza... ¿Usted me comprende, verdad, viejita? (*JUANITA se despierta y la escucha atenta y divertida.*) ¡Los prefiero así! Porque si una no los tiene, la hecatombe... Fíjese en la mayor de las Montes... Isabel... ¡La pobre!... Loca, doña Carmen, con una locura..., ¿cómo diré?..., un poco..., vamos, un poco sicalíptica... ¡Qué calor!... Dice que su virginidad es de Jesucristo y que trae una misión divina que cumplir, que no explica... Dos o tres veces han tenido que recluirla en un sanatorio, totalmente furiosa. Lo que sucede es que ha llegado a los treinta años sin que nadie haya querido cargar con ella. El pobre Cristo tiene que contentarse siempre con esas cosas que nadie quiere... Por eso mi método...

CARMEN.— Hija, tú...

LUISA.— Mi método es infalible.

CARMEN.— ¿Tú método?

JUANITA.— (*Riéndose, a CARMEN.*) ¡Le buscas la lengua!

LUISA.— ¡Adolfi, tráeme un traguito, corazón!

(*ADOLFO toma el vaso de LUISA y va hacia la cantina. Se oyen golpes en las paredes del fondo y algunos gritos o lamentos de JOSÉ IGNACIO y ALICIA. CARMEN se levanta. RICARDO avanza hacia el primer plano del escenario.*)

RICARDO.— (*A CARMEN.*) ¡Déjalos que se maten! (*Exaltado. A MENÉNDEZ.*) De memoria lo sé, Menéndez, que Francia ocupa, en la actualidad, la hegemonía tanto intelectual como técnica de Europa. Pero dejas atrás a Alemania, a Inglaterra, a los Estados Unidos..., por favor..., ¡cuidado! Esas potencias, quiérase o no..., vamos, hombre..., ¡ni jugando!..., y los americanos, pasito a pasito, irán consolidándose... Que falta mucho, natural. Ni tú ni yo lo veremos... Pero mi problema, lo que se llama mi problema, es otro. Yo necesito mis tierras, lo que he perdido... (*Golpeándose el pecho.*) Eso me... (*Como un loco.*) Y moveré cielo y tierra, si es necesario... ¡Ahórrate tus historias!... ¡Jamás quiero volver a verte!

(*RICARDO, sin saber qué hacer, da varios pasos de sonámbulo, vacila, se echa a llorar en una esquina del escenario y después, orgulloso y tenaz, va hacia la cantina. MENÉNDEZ, riéndose, se sienta, continúa bebiendo su trago y fumando su tabaco. Su risa se convierte en un ritornelo, después de largas pausas de estupor y silencio. Durante este monólogo, PAULITA le sirve a ADOLFO dos vasos de bebida. GRACIELITA y PEDRO ARTURO dejan de bailar y van a la cantina. JOAQUÍN y VICTORIA los imitan, haciendo entre ellos chistes y comentarios intrascendentes. ADOLFO le trae el vaso de bebida a LUISA, y BORRÁS limonadas y pastelitos a CARMEN y JUANITA. LUISA bebe. PAULITA le sirve a las dos parejas. ADOLFO está recostado al arcón, bebiendo.*)

JUANITA.— (*A LUISA.*) ¡Ya yo me olvidé de eso, muchacha! (*Riéndose.*) ¡Imagínate desde los tiempos de Maricastaña!

LUISA.— (*A CARMEN.*) Pero toda mujer tiene su método..., y el mío..., sencillo, sencillísimo...

CARMEN.— ¡Si vas a empezar a hablar porquerías, mejor cállate, Luisa, que ésta no es la ocasión ni el lugar!

LUISA.— ¡Ay, doña Carmen, mire que usted es chapada a la antigua...! Suponga que...

CARMEN.— ¡No me cuentes nada! (*Se contagia con la risa de JUANITA.*) ¡Venirme a mí con métodos!... ¿Métodos, de qué?

LUISA.— (*Mira a todos los lados. El rostro de CARMEN va reflejando su desconcierto, horror y asco a lo largo de la descripción que hace LUISA.*) Lo primero que hago es, es... (*Secretea.*) Él todavía no... (*Secretea.*) En cueros, como Dios manda... Entonces yo..., como quien no quiere la cosa, me entretengo en... (*Secretea. Otro tono.*) Se necesita un buen tamaño para sentirse una a sus anchas... (*La risa de JUANITA, de múltiples tonalidades, sirve de contrapunto a esta escena.*) Si no, ¡qué desconsuelo! Suave, muy suave y muy lento... (*Otro tono.*) Óigame, doña Carmen, enseguida, como en un decir amén, aquello responde, y a qué velocidad..., y yo me sitúo y agarro como una leona y soltar no suelto...

CARMEN.— (*Indignada.*) ¡Purísima Concepción! (*A LUISA.*) Eres una puerca.... (*Se pone en pie y la abofetea.*)

JUANITA.— (*Todavía riéndose.*) ¡Quién juega con candela!...

(*Todos los personajes, al oír el grito de CARMEN, exceptuando a ADOLFO, JUANITA y MENÉNDEZ, miran consternados la escena.*)

VICTORIA.— Mamá, ¿qué te ocurre?

CARMEN.— (*Yendo hacia donde se encuentra VICTORIA.*) ¡Qué bochorno! ¡Qué vergüenza! (*En los brazos de VICTORIA.*) ¿Y eso es una mujer honrada?

GASTÓN.— (*Entrando. Divertido.*) ¡Arriba! ¡Ésta es una casa honrada! Pero, ¿qué pasa?... ¿Y esas caras de entierro? (*Pausa. Se oyen los sollozos de LUISA.*) ¡No entiendo! (*Una extraña tensión se va creando en los personajes.*) ¡Díganme, por favor!... (*Totalmente desconcertado.*) Mamá..., papá..., Victoria..., Joaquín... (*Gritando.*) ¡Alicia!... ¡José Ignacio!

CARMEN.— (*Feroz.*) ¡No grites! ¡Ya vendrán! ¡Ésta es una casa honrada, Gastón!... ¡Aunque tú trates de burlarte, de vituperarnos! ¡Tú y otros tantos! (*Señalando a LUISA.*) ¡Esa mujer es una zorra, una perdida! ¡Ha venido aquí con el objeto de degradarnos!... ¡De llevarnos a la abyección! ¡Maldita seas!

RICARDO.— Pero, Carmen, repórtate.

CARMEN.— (*Feroz.*) ¡Nunca podrás imaginarte!

RICARDO.— ¡Explícate!

VICTORIA.— ¡Cálmate, mamá! ¡Cálmate, te lo suplico!... Ella es amiga de Fernando Sánchez del Arco..., ¡recuérdalo!

JOAQUÍN.— (*A CARMEN.*) ¿Puedo ayudarla?

CARMEN.— (*A JOAQUÍN. Feroz.*) ¡No, no, apártate! (*A VICTORIA.*) Está bien, hija... Pero para mí, cruz y raya.

LUISA.— (*Sollozando.*) Gastón, tú sabes que ellas no me quieren... Adolfi, me siento mal... (*Con arqueadas se levanta de la silla. VICTORIA se dirige violentamente hacia donde ella está. GRACIELITA detiene a VICTORIA.*)

GRACIELITA.— ¡Déjame a mí!

PEDRO ARTURO.— ¡Eso no es asunto tuyo!

LUISA.— ¡Oh, no puedo más, Adolfi!... (*Al salir, VICTORIA la detiene.*)

VICTORIA.— No tienes el menor escrúpulo ni consideración... ¡Eres una!... (*LUISA hace un gesto de vomitar y corre hacia el fondo. ADOLFO va detrás de ella.*)

GASTÓN.— Papá..., yo quería...

RICARDO.— ¡Ése es el tono de hablarle a tu padre!... Sigue tú en tu mundo, déjanos a nosotros en el nuestro...

CARMEN.— Como si la tierra se hundiera... (*Los dos hacen mutis.*)

GASTÓN.— Pero yo he venido a verte, Victoria. (*Pausa.*) La vida es otra cosa. (*Pausa. Como entre sueños o como si fuera una oración.*) Todas las mañanas cuando me levanto y veo la luz del sol entrando por la ventana, le digo: "Gracias por estar vivo y ser simplemente..., ¡un hombre!''

VICTORIA.— (*Gritando, feroz.*) ¡Basta! ¡Basta! (*Pausa breve.*) ¡Si no estás conforme, vete! Tú me piensas una estúpida y que no tengo ningún derecho a defenderlos... Papá, mamá, Dios mío... El mundo...

JOAQUÍN.— (*Acercándose.*) ¡Victoria! ¡Victoria!

VICTORIA.— ¡No me toques, déjame! ¡Creo que me voy a volver loca! ¡No entiendo! ¡No entiendo!

JOAQUÍN.— ¡Victoria, amor mío!

VICTORIA.— (*Sollozando en los brazos de JOAQUÍN.*) ¡Joaquín, Joaquín...! ¡Ayúdame!... ¡Ayúdame! (*Silencio. Pausa.*) Gastón...

GASTÓN.— (*Totalmente desolado.*) Nada ha ocurrido... ¡Nada!. (*Pausa. Quizás alguna lágrima.*) ¡Brindemos!

(*PEDRO ARTURO, inconscientemente, comienza a tocar rítmicamente en el asiento de un taburete.*)

GRACIELITA.— (*A PEDRO ARTURO.*) Un carnaval, querido.

PEDRO ARTURO.— ¡El carnaval de la honradez!

GASTÓN.— Vengan, señores, vengan.

JUANITA.— (*Despertándose.*) ¿Ya se terminó la fiesta?

PEDRO ARTURO.— ¡Ahora va a empezar!

JUANITA.— ¡Ay, qué bueno!

(*El ritmo de la música aumenta.*)

GASTÓN.— Juguemos, señores.

PEDRO ARTURO.— Una enorme rueda.

GRACIELITA.— (*Iniciando el canto.*) ¿Dónde está la Ma Teodora?

PEDRO ARTURO.— (*Cantando.*) Rajando la leña está.

GRACIELITA.— (*Cantando.*) Con su palo y su bandola.

GASTÓN Y PEDRO ARTURO.— (*Cantando.*) Rajando la leña está.

GRACIELITA.— (*Cantando.*) ¿Dónde está que no la veo?

CORO.— (*Cantando.*) Rajando la leña está.

(*Los personajes se mueven y arrastran con su ritmo a* VICTORIA *y a* JOAQUÍN, *unificándose en un coro simpático.* LUISA *viene del fondo, y detrás* ADOLFO; *discuten.*)

LUISA.— ¡Me culpabilizas! ¡Eres un canalla! ¡Abusas de mí! ¡Abusan todos! ¡Bandido! (*ADOLFO agarra a* LUISA *por los hombros violentamente. Ella forcejea y lo golpea en el pecho hasta lograr un clímax. Llorando cae al suelo y los llantos se transforman en una larga y estruendosa carcajada.* ADOLFO *la levanta y la acaricia.*) Déjate de tanto toqueteo, miserable.

ADOLFO.— Santa, ¿por qué?

LUISA.— Tú no me quieres.

ADOLFO.— ¿Quién te dijo eso?

LUISA.— Sólo por dinero, por comodidad.

ADOLFO.— ¿Tú lo crees?

LUISA.— (*Rasgándose la blusa.*) Demuéstramelo, entonces.

ADOLFO.— (*Como en un delirio.*) ¡Me gustas, te quiero, te adoro, como tú, nadie! Así flaca, fea, sin tetas, sin nalgas, hecha una etcétera, hecha un monstruo. Me vuelves loco.

LUISA.— Suéltame. Me haces daño.

ADOLFO.— (*Casi en un espasmo.*) La vida, mi china..., mi gloria.

(LUISA *se contorsiona y emite unos rugidos de bestia en celo.*)

LUISA.— Dame candela, dame candela...

(*El coro canta la Ma Teodora, en crescendo, en una rueda. Los gritos de* JOSÉ IGNACIO *y de* ALICIA *se entremezclan en un furor —sólo se oyen fragmentos de las frases— al ruido de las vajillas que se rompen y a los violentos golpes en las paredes, creando una atmósfera alucinante, infernal.* LUISA *gritando se echa a correr;* ADOLFO *la sigue. Los dos entran en el coro.*)

JOSÉ I.— ¡Ni a mi hermana!

ALICIA.— Por favor, amor mío.

JOSÉ I.— ¡Tu familia, no la mía!

ALICIA.— ¡Estás loco!

JOSÉ I.— ¡No me digas eso, coño!

(*Los coros alcanzan un frenesí. MENÉNDEZ, riéndose, sentado, contempla la escena. VICTORIA sale del coro, aturdida, enajenada.*)

VICTORIA.— ¡Oh, Dios mío! ¿Qué me está pasando? ¿Qué es lo que hago? ¿Adónde estoy?...

TELÓN

CUARTA PARTE

1

(*Aparecen en la penumbra, en el centro del escenario, en la cama, VICTORIA y JOAQUÍN. Se oye el hondo respirar de JOAQUÍN.*)

JOAQUÍN.— Amor mío..., mi cielo..., ah, ah.

(*Bruscamente JOAQUÍN se aparta del cuerpo de VICTORIA. Pausa. Se incorpora y se sienta en el borde de la cama, casi de espaldas a ella. A tientas busca sobre la mesita de noche una cajetilla de cigarros. Sus manos tropiezan con una cajita de fósforos que cae al suelo. Toma la cajetilla de cigarros, saca uno. Recoge la cajita de fósforos y enciende el cigarro. Pausa.*)

VICTORIA.— ¿Qué?...
JOAQUÍN.— ¿A mí? Eres tú.
VICTORIA.— ¿Yo?
JOAQUÍN.— Sí, tú.
VICTORIA.— Estoy cansada. (*Pausa.*) ¿Molesto conmigo?
JOAQUÍN.— No, no. (*Pausa.*) Se repite lo de siempre. Por más que hago esfuerzos... Siento que eres como esos soldados que tiemblan y se ofuscan antes de ver el peligro, y que una vez en pleno fuego razonan y observan con una serenidad pasmosa cada uno de los detalles de la batalla, aun cuando sus carnes se estremezcan de espanto...
VICTORIA.— Joaquín...

JOAQUÍN.— (*Interrumpe, tranquilo.*) Sé lo que digo, cariño. ¡Y tú mejor que nadie!

(*Enciende la lamparilla de la mesita de noche. VICTORIA, rápidamente, se cubre el cuerpo con las sábanas.*)

VICTORIA.— (*Recriminatoria.*) ¡Joaquín! (*Pausa. Otro tono.*) Escúchame.
JOAQUÍN.— ¿Qué vas a decirme?... Lo he intentado de todas las formas... Al principio consideré que era posible que el pudor, la inexperiencia, cierta torpeza mía..., que mi sexo no se acoplara al tuyo, o que mi arrebato por ti impidiera..., fuera la causa... (*Se pone el calzoncillo que estaba tirado en el suelo, cerca de la cama.*), que te abrumara, o quizás te sometiera o redujera a algo que yo mismo desconocía... ¡Es probable! ¡Tal vez!... Es un aprendizaje mutuo, Victoria. ¡No estamos haciendo nada del otro mundo! Todos los matrimonios, todos...
VICTORIA.— A veces siento una especie de miedo...
JOAQUÍN.— ¿Miedo, a qué? ¿A quién?
VICTORIA.— A mí misma..., y...
JOAQUÍN.— ¿Y qué?
VICTORIA.— Trato de someterme, de comprenderte...
JOAQUÍN.— (*Rápido.*) Oh, amor mío... Hace ya casi un año que estamos juntos, que compartimos esta cama..., y todavía me dices cuando vas a desnudarte: "Por favor, Joaquín, sal un momento". (*Otro tono.*) ¿Es que no puedo contemplarte desnuda? ¿No tengo ese derecho? ¿Por qué te escondes debajo de las sábanas? (*Intenta arrebatarle las sábanas en las cuales se arrebuja VICTORIA.*) ¿Por qué ese miedo? ¿Por qué?
VICTORIA.— (*Aterrorizada.*) ¡No! ¡No lo hagas! (*JOAQUÍN abandona su intento. Otro tono. Como la tía ANTONIA.*) Hay cosas que una mujer honrada jamás podrá tolerar...
JOAQUÍN.— ¡Otra vez el maldito estribillo! ¿No es una excusa?
VICTORIA.— ¡No, Joaquín! (*Anudándose las puntas de la sábana en los hombros como si fuera un traje romano. Igual que la tía ANTONIA.*) Nunca he podido soportar esa promiscuidad, ni entre mujeres solas. (*Otro tono.*) Recuerdo que desde muy jovencita, una niña casi, rechaza-

ba que mi madre o mi hermana me vieran desnuda o en paños
menores... ¡Es algo instintivo! Llegaron a reírse, a llamarme "la
monjita" y, entonces, perdía la cabeza..., y dejaba de hablarles
durante semanas y semanas... (*Como la tía ANTONIA*.) ¡Y bien! ¡La
monjita! ¡Ésa soy yo! (*Otro tono*.) En el colegio, en los Estados Unidos, no puedes imaginarte lo que sufría... Veía a aquellas muchachas que se ponían como Dios las mandó al mundo, con una faci-
lidad..., delante de una, como muñecas mecánicas, como lo más
natural..., y se recreaban en hacerlo. En Nueva York, la vida se
me hacía irrespirable... Hasta en las toilettes... ¡Qué horror!

JOAQUÍN.— Ahora es distinto, Victoria. Completamente distinto.

VICTORIA.— ¡No puedo aceptar eso! Ni antes, ni ahora, ni nunca.
Hay límites...

JOAQUÍN.— ¿Qué límites?

VICTORIA.— La desfachatez, el impudor... ¡Me resulta obsceno,
vulgar!

JOAQUÍN.— ¿Nuestra felicidad?

VICTORIA.— ¿En eso estriba?

JOAQUÍN.— Tu cuerpo es mi cuerpo, mi cuerpo es tu cuerpo. Uno
en el otro espejos...

VICTORIA.— (*Como la tía ANTONIA*.) ¡Mentira! Quieres convencer-
me de algo que repelo y odio. (*Pausa. Otro tono. Más alto*.) ¡Te gustaría que me comportara como una Teresa Trebijo..., la hermana
de José Ignacio! ¡Una cualquiera! ¿Eso es lo que buscas?... Pues
cogiste el camino equivocado. Jamás, ¿me entiendes?... Jamás me
prestaré a ese jueguito. Jamás llegaré a la abyección. ¡Yo soy una
mujer honrada!

JOAQUÍN.— (*Agarrándola por los hombros*.) ¡Victoria! ¡Victoria! ¡Soy tu
marido!

VICTORIA.— ¿Y eso te da derecho?

JOAQUÍN.— ¡Te amo, Victoria! (*Entre sollozos*.) Te amo. (*Pausa. La suelta.
Cae de rodillas en el suelo y comienza a golpearlo*.)

VICTORIA.— (*Entre sollozos*.) Joaquín, me siento mal... Me siento mal.
(*Pausa. Sus sollozos crecen hasta casi ahogarle las palabras*.) Perdóname...
(*Da vueltas alrededor de él*.) No sé lo que digo. Pierdo el sentido. Or-
den y limpieza... Creo que me voy a volver loca. ¡Soy honrada!
¡Soy honrada!

(*VICTORIA se tira en la cama, hunde su cabeza entre las almohadas y continúa sollozando. JOAQUÍN se pone en pie y se le acerca.*)

JOAQUÍN.— ¡Cálmate, nenita mía! ¡Cálmate! No seas bobita. (*Se sienta en la cama.*) Nunca he querido hacerte daño. (*Otro tono.*) Desde que te conocí... (*Como una confesión, suave; por instantes, titubea buscando las palabras.*) Noches y días enteros, devanándome los sesos, con un solo pensamiento..., que era imposible, que estar a tu lado sería un sueño, como alcanzar la luna... Braceaba en un remolino. (*Le acaricia los cabellos.*) ¡Tú, tan alto, tan alto! ¡Y yo, tan bajo, tan bajo!... Tú, la hija de un hombre importante... Mi padre, un simple funcionario de correos de provincia... Y yo, en el medio, sin poderte dar lo que mereces. (*Pausa larga.*) ¿Sabes tú lo que es la pobreza..., que una familia de ocho personas viva colgada a un sueldo de setenta y cinco pesos mensuales, ocultándolo como si fuera un deshonor? (*Pausa.*) Ahí está mi madre todavía peleando con mi padre, delante de una tabla de planchar..., y nosotros, como moscas a su alrededor, chillando, jugando, indiferentes, ajenos a lo que sucedía. "Ésta es una desgracia. Una maldición de Dios". "¿Qué quieres que haga, mujer?". "Llévatelos. No quiero verlos. Déjenme sola". (*VICTORIA se ha incorporado y le toma las manos y las retiene entre las suyas. Pausa.*) Pero no importa. Te juro que podré, que haré lo que tenga que hacer... Jamás te arrepentirás de mi amor... Subiré tan alto, tan alto, hasta entregarte la luna.

(*VICTORIA se arrodilla en la cama, abraza a JOAQUÍN y le besa el rostro, los párpados, y los cabellos.*)

VICTORIA.— ¡Joaquín, te quiero! No puedo vivir sin ti. (*JOAQUÍN se deja arrastrar por las palabras y caricias de su mujer.*) ¿Cómo quieres tú que yo sea? Dímelo una sola vez: dirígeme, guíame, enséñame. (*JOAQUÍN la contempla, moviendo la cabeza en señal de duda.*) ¿Vas a decirme por fin lo que tengo que hacer para que me quieras..., completamente?

JOAQUÍN.— (*Vacilando, sonríe, muy tranquilo, tal vez un poco irónico.*) Esas cosas no se enseñan, querida mía, se sienten. Nacen, están en ti... Únicamente entonces tienen valor.

VICTORIA.— (*Desilusionada.*) Ah, entonces...

JOAQUÍN.— (*Acariciándola por la cintura y los hombros.*) Es una lástima que la vida no te ofrezca la medida de lo que tú sueñas. (*Pausa.*) Con esta casa que es poco mayor que una caja de bombones y con el amor que deseo de ti..., nadie sería más feliz que yo.

VICTORIA.— ¡Dios mío! ¿Dudas que te quiera?

JOAQUÍN.— (*Con voz sorda.*) Sí, Victoria. (*Pausa.*) Dudo que me quieras como yo te quiero. Es de otra manera..., como a un hermano..., u otra cosa. Sin embargo, yo no he podido cambiar la naturaleza de mi amor... Tú eres la única mujer a quien he amado..., y no puedes sospechar lo que me hace sufrir el pensamiento de que te molesto, de que te fastidio, de que no sientas...

VICTORIA.— ¡Oh, no! ¡No, niño mío! ¡Fastidiarme! ¡Molestarme! ¿Por qué piensas esas atrocidades? (*Estallando en sollozos.*) Oh, no sufras, Joaquín...

(*JOAQUÍN abraza a VICTORIA, apasionadamente. La deposita en la cama. Le limpia las lágrimas del rostro. Le desanuda las puntas de la sábana. VICTORIA extiende una mano y apaga la lamparilla. En la penumbra se oye el murmullo intenso de palabras ininteligibles y la profunda respiración de JOAQUÍN.*)

JOAQUÍN.— (*En un grito.*) ¡Es inútil! ¡Eres de mármol!

2

(*Mañana llena de luz. PAULITA, en el escenario, ordena los muebles y prepara las tazas para el desayuno. Entra GRACIELITA, la sigue VICTORIA en bata de casa. Afuera, pregones.*)

VICTORIA.— Al oír aquello, me quedé paralizada.

GRACIELITA.— Lo supongo.

VICTORIA.— ¡Tenía razón ! En aquel momento no supe reaccionar como debía; únicamente atiné a besarlo y a decirle que me sentía con jaqueca, que en otra ocasión, que una mujer...

GRACIELITA.— ¡El pobre!...

VICTORIA.— ¿Vas a tomar el desayuno conmigo?

GRACIELITA.— ¡Ya desayuné!

VICTORIA.— ¡Acompáñame, anda! Es tan desagradable hacerlo sola..., y menos mal que tengo aquí a Paulita... ¡Que es de oro!

PAULITA.— Niña Victoria, ahórrese las zalamerías..., ¡es muy temprano!

VICTORIA.— Digo la verdad..., ¿qué haría yo sola en grima?... Me metería en la cama, me taparía con las sábanas hasta la cabeza y jamás vería la luz del sol... (*A GRACIELITA.*) ¡Tú sabes que es terrible!... A veces tengo la tentación de quedarme..., como si estuviera muerta, semanas y semanas...

PAULITA.— ¡Niña, qué horror!

VICTORIA.— (*A GRACIELITA.*) ¿Quieres tostadas con mantequilla? (*Toma una tostada y la embadurna con mantequilla.*) Es una costumbre que tengo desde que estuve en los Estados Unidos... ¡Te sirvo un cafecito! (*Se sirve una taza de café.*)

GRACIELITA.— Ya me tomé dos antes de venir para acá... Y los nervios se me ponen... (*mueve las manos.*)..., ¡así! Pedro Arturo me dice: ¡Estás eléctrica!... ¡Y es cierto!... (*Toma una tostada y la embadurna con mantequilla y la mordisquea.*) ¡Esto engorda, querida!

VICTORIA.— ¡Qué presumida!

PAULITA.— ¿Quieren algo más las niñas?

VICTORIA.— ¿Te vas?

PAULITA.— A darle una vuelta a la cocina.

GRACIELITA.— ¡Quédate con nosotras!

VICTORIA.— La ves ahí, no para... Desde que se levanta hasta que se acuesta. (*PAULITA sonríe orgullosa.*) ¡Pura candelita!..., que si las macetas necesitan agua, que si los vidrios de las ventanas..., que si el polvo, que si las telarañas..., ¡incansable! Lo hace todo y le parece poco... ¡Un marido estaría con ella en las nubes! ¡La mujer ideal!

PAULITA.— ¡Niña Victoria, ya yo estoy requetevieja para andar en esos trajines! ¡Como dice doña Carmen!... Bueno, me evaporo. Las mujeres jóvenes deben hablar sus asuntos entre ellas...

VICTORIA.— ¡Te haces de rogar!

PAULITA.— (*A GRACIELITA.*) ¿Quieres un huevito pasado por agua? (*A VICTORIA.*) Gracielita come apenas.

GRACIELITA.— ¡Paulita, me malcrías! (*Señal negativa. Risas.*)

PAULITA.— Para lo que deseen, me avisan... (*Hace mutis.*)

GRACIELITA.— ¡Qué encanto de mujer!

VICTORIA.— ¡Fiel hasta morir!... Pues de lo que estábamos chacha-
reando, Joaquín se niega a comprender que yo...

GRACIELITA.— ¿Tú, qué?

VICTORIA.— Que soy...

GRACIELITA.— ¡Como todas las mujeres! ¡Los mismos problemas!
¡Las mismas dificultades!... ¡Nuestra educación, Victoria!

VICTORIA.— ¡No es eso!

GRACIELITA.— Entonces, ¿qué?

VICTORIA.— Es que yo..., yo...

GRACIELITA.— ¿Qué ocultas?

VICTORIA.— ¿Ocultar?

GRACIELITA.— ¡Eso!... Has tenido la reacción de tu hermana hace
años... Le echabas en cara que ella ocultaba... (*Otro tono.*) Tú ocultas también... Por ejemplo, la historia del balneario "Las Tres Águilas"... ¡Me quedé boquiabierta cuando la sacaste a relucir en la
fiesta de tu matrimonio!... "Caray, qué extraño", me dije. "¿Por
qué, en este instante?" (*Gesto de VICTORIA.*) ¡Jamás te voy a juzgar, Victoria! ¡Simplemente te hago la observación!... (*Otro tono.*)
La conozco punto por punto... Me la contaste recién llegada del
lugar... ¡El susto! ¡El descontrol! ¡El miedo!... Y no era un gordito quien perseguía a Luisa... Era un mulato que te había impresionado a ti..., ¿cierto o no?... (*Otro tono.*) ¡Ocultas, Victoria!

VICTORIA.— (*Rápida. Auténtica.*) ¡Te juro que en el caso de Joaquín...,
nada oculto!

GRACIELITA.— (*Rápida.*) Es como si yo te ocultara la relación que
tuve con aquel muchacho de Santa Clara..., la incertidumbre, el
desasosiego, las angustias de la primera experiencia..., el dolor y
el gozo... /

VICTORIA.— ¡Lo de Joaquín, no!... (*Otro tono.*) En el otro, sí... Hay
más..., mucho más...

GRACIELITA.— ¡Naturalmente que hay muchísimo más!

VICTORIA.— (*Extraña.*) ¡Yo sabía y quería!... ¡Yo quería! (*Otro tono.*)
¡Me horroriza pensar en eso!

GRACIELITA.— ¡Déjalo!

VICTORIA.— ¡No!... Ya que hemos llegado a este tema, es mejor que
te lo cuente...

GRACIELITA.— Querida mía, nunca te fuerces a hablar de una cosa... ¡Otro día, quizás!

VICTORIA.— Gracielita, te ruego..., necesito contártelo. (*Extraña.*) Se me aparece... Llega y no se borra... Sigue ahí porque sí, implacable... ¡Hasta en los sueños!..., y se transforma y, a veces, ocupa mis pensamientos y me agita y lo rechazo y creo..., que estoy muy cerca de la locura...

GRACIELITA.— Ten paciencia, amiga mía. ¿Por qué piensas siempre en lo peor?

VICTORIA.— ¡Hacerse ilusiones!

GRACIELITA.— Trata de ver el desastre lo más lejos posible... ¡Si lo llamas, viene!

VICTORIA.— ¡Trato, querida, trato! Pero hay momentos en que me embarullo y soy una fiera acosada..., que va y viene, que va y viene, así..., así..., ¡oh!..., a la deriva, peor que sonámbula..., y veo aquel cuerpo desnudo, brillante, bajo la luz de la luna... (*Otro tono.*) Yo lo había visto en la calle como ve una a miles de gentes... ¡Un tipo del montón!... Ajena estaba yo..., ¡te lo juro!... Y el día que fuimos mamá, papá, Alicia, Gastón, Luisa y yo... Un domingo, recuerdo..., al balneario... De pronto, como un relámpago, al verlo, el corazón me dio un salto..., y me puse de lo más nerviosa..., y yo me dije: "Victoria..., ¿qué es esto?... ¡Un mulato, Dios mío! ¡Qué horror!... Victoria, ¡cuidado!"... Era uno de los hombres de servicio... De unos 24 ó 25 años... Y me fui corriendo con Luisa..., y al poco rato, apareció delante de nosotras..., y me miró y rehuí su mirada..., tenía miedo y asco..., ¡un mulato!, ¡qué atrevido!..., y a la vez me sentía halagada, extrañamente halagada..., y me puse a bromear con Luisa: "Ese mulato te mira". "¿A mí?". "¡Fíjate!"..., y Luisa, ni corta ni perezosa, aprovechó una ocasión en que estábamos solas y le preguntó por cualquier bobería, y él muy correcto respondió, sin más..., y yo estaba intrigada, llena de curiosidad..., ¡posiblemente eran invenciones mías!..., pero sentía que había algo indefinible y turbador... (*Pausa. Otro tono.*) Y a la hora de irnos..., coincidió con su salida...., y nosotras armamos un reperpero... "El mulato". "Míralo, viene detrás de ti". "Que sí". "Que no". ¡Cosas de muchachillas!... Y fue ahí cuando intervinieron papá y mamá: "¡Ese negro de mierda! ¡Ese mu-

lato! ¡Es un provocador! ¡Hay que lincharlo!'', y enseguida se armó
un barullo, una gritería..., y él, creo yo, ni sabía..., fuimos nosotras..., ¡la inocencia!
GRACIELITA.— ¡O la perversidad, Victoria!
VICTORIA.— ¡No, Gracielita! Si yo casi..., ni cuenta me daba...
GRACIELITA.— ¡Te gustaba, querida! (*VICTORIA sonríe. Pausa.*) ¡Eso
fue lo que me contaste!
VICTORIA.— ¡Imagínate el alboroto y el corre-corre!... "A linchar-
lo". "¡A lincharlo!".
GRACIELITA.— ¡La caída de Troya!
VICTORIA.— Yo estaba de lo más campante..., aunque lloraba a
moco tendido... Que papá tuviera aquella indignación, aquella vio-
lencia, que nunca había mostrado...
GRACIELITA.— Los padres siempre... Si yo tuviera una hija o tú...,
¿qué habríamos hecho?
VICTORIA.— ¡Ningún motivo tenían!... Gracielita, aquello era el dis-
loque..., y el hombre como un lince desapareció en el tumulto...
(*Otro tono.*) Pasaron dos o tres meses... Una piensa, cuando es pequeña, el tiempo infinito. ¡Ya había olvidado aquel incidente!...
Me paseaba al anochecer, en septiembre..., me acuerdo, claramente..., por la arboleda, sola..., y, de pronto, sentí un ruido, allá, en
el linde, en el lugar donde se echaban los desperdicios y los crista-
les rotos..., y un bulto se movía..., iba a echar a correr y a dar
voces..., y entonces vi que era él... ¡Él!... ¡Allí estaba!... Me son-
reía y me miraba..., y yo estaba fascinada... "¿Cómo es posible?...
¿Estoy soñando? ¡Diablo de mulato!...''. Y sus ojos poseían una
expresión rara..., hambre, ternura y furor... ¡Y yo sabía y yo quería!... y, al mismo tiempo, me repugnaba y no podía abandonar
el sitio... (*Otro tono.*) Poco a poco se fue desnudando... ¡Oh, era la
primera vez! El terror me inmovilizaba y la curiosidad, en cierto
modo..., ¡resultaba tan insólito!..., y yo lo oía jadear, desnudo, y
no me tocaba, o quizás, sí, me acariciaba los pechos..., y yo sentía
que me apretujaba..., y sin embargo..., él estaba muy distante, a
unos seis o siete metros, recostado a un árbol que yo creía que
no tenía raíces, que permanecía suspendido en el aire..., y el tiempo
pasaba y oía voces que me llamaban..., y yo, fija, en la lejanía...,
muda... Sólo tenía ojos para aquel cuerpo... ¡Me hubiera dejado

arrastrar, matar por él!... ¡Nada me importaba!... Fueron unos instantes, unas horas, una eternidad...

GRACIELITA.— ¿Él te...?

VICTORIA.— (*Totalmente sincera.*) No, nada. (*Otro tono.*) Al regresar a casa, volaba en fiebre... (*Otro tono.*) Fue pocas semanas antes de partir para los Estados Unidos... (*Otro tono.*) ¡Jamás lo había contado! ¡Nadie lo supo! (*Otro tono.*) Pasada la convalescencia, mamá tenía preparados los baúles y maletas para el viaje..., estábamos en el jardín... Alguien vino a despedirse y nos contó que el Balneario había sido tomado por las tropas mambisas y que entre los muertos se hallaba el mulato... ¿Y sabes lo que hice?... Me puse a cantar, a cantar..., a cantar..., como si le diera gracias a lo invisible, como si me liberara del peso de una maldición, como si ese hombre representara la imagen de mi deshonestidad..., de mi falta..., de mi abyección... ¡Ya era libre! ¡Sí, libre! ¡Una mujer honrada!

GRACIELITA.— (*Sarcástica.*) ¡Ahora el responsable es esa pobre criatura de lo que te sucede con Joaquín..., y Joaquín es el responsable de que ese hombre haya existido!

VICTORIA.— (*Indignada.*) ¿Me crees tan estúpida?... ¡Contigo, chica!... ¡Nada tiene que ver, lo sé! (*Otro tono.*) Lo que no impide que a veces se me aparezca en sueños y me torture... ¡Semejante historia, con un mulato! ¡Es espantosa!... ¡Debía haber muerto!

(*Óyense las voces de PAULITA, afuera.*)

GRACIELITA.— ¡Y ese delirio!

VICTORIA.— (*Feroz, sollozando.*) Una mujer honrada no puede, debe extirpar... ¡No puede, no puede!

GRACIELITA.— (*Tierna.*) Victoria, Victoria...

PAULITA.— ¡Niña Victoria!

GRACIELITA.— ¡Espera! (*VICTORIA se seca rápidamente las lágrimas.*)

(*Entra PAULITA; trae un platillo envuelto en una servilleta.*)

PAULITA.— ¿Se puede? ¿Sucedió algo malo?

VICTORIA.— ¡Discutíamos!...

PAULITA.— Perdonen las niñas. (*A VICTORIA.*) Esa mujer de al lado te manda este plato de boniatillo que, dice, ha hecho expresamente para ti. Le dije que estabas ocupada, que tenías visita... Se puso de lo más intrigada... ¡Y le di un frío!

VICTORIA.— Hiciste bien. (*PAULITA hace mutis.*)

GRACIELITA.— ¿Quién, Victoria?

VICTORIA.— Luisa...

GRACIELITA.— ¡Luisa!

VICTORIA.— Sí, muchacha. De un día para otro compró esa casa y sacó a la familia que vivía ahí..., y está como enclaustrada... Se separó del marido y, a toda costa, quiere intimar con nosotras... Yo tomo distancias..., después del escándalo en la fiesta, ¿recuerdas?

GRACIELITA.— ¡Me lo dices y no lo creo!

VICTORIA.— ¡Así mismito!

GRACIELITA.— ¡Qué mujer!..., y cómo, cómo...

VICTORIA.— Lo único que puedo decirte en concreto es que Fernando Sánchez del Arco viene a menudo a verla.

GRACIELITA.— ¿Y cómo es él? (*Pausa breve.*)

VICTORIA.— (*Abstraída, nerviosa.*) ¿Me preguntabas?...

GRACIELITA.— ¿A él, lo has visto?

VICTORIA.— Insignificante...

GRACIELITA.— (*Interrumpiéndola.*) En las fotos de la crónica social...

VICTORIA.— (*Riéndose.*) Una cosa son las fotos y otra la realidad...

(*Voces de LUISA llamando a PAULITA.*)

GRACIELITA.— ¡Y ella insiste!

VICTORIA.— Como una pulga. (*Pausa breve.*)

GRACIELITA.— (*Empolvándose.*) Debo irme, se hace tarde y, aunque Pedro Arturo sabía que venía a verte, me gusta estar a tiempo para almorzar juntos...

VICTORIA.— ¡Quédate un minuto! ¡Estoy tan sola! ¡No veo a nadie!... En casa de mamá y papá es la debacle... Frecuentemente tengo que ayudarlos a bañarse, y me reclaman y me exigen como si yo hubiera firmado un contrato con ellos por haber nacido... ¡Están viejos!..., y papá últimamente anda muy mal..., pierde la memoria, pierde las llaves en cualquier sitio... Continúa con la eterna cantinela de las reclamaciones, ingenio y tierras..., ya inexistentes.

GRACIELITA.— ¿Y Gastón?...

VICTORIA.— ¡Se esfumó!... Igual que si la tierra se lo hubiera tragado... ¡Él se imagina que lo rechazo!...

GRACIELITA.— La última vez que estuvimos juntos..., ¡es para pensarlo, Victoria!

VICTORIA.— Él tiene su carácter, y yo el mío...

GRACIELITA.— ¿Y de Alicia?...

VICTORIA.— (*Interrumpiéndola.*) Figúrate, con el marido que tiene, es preferible estar bien lejos... ¡Quédate, por favor!... (*Otro tono.*) ¿Y qué piensas de lo que hemos hablado?

GRACIELITA.— ¡Uf!... ¿Qué yo pienso?... ¿Lo que te pasa con Joaquín? ¡Eres tú, Victoria, la única!... ¡Difícil para otro tener un juicio correcto! ¿Te disgusta? ¿Te sientes incómoda..., por algún detalle? ¿Le tienes lástima?

VICTORIA.— Realmente, no.

GRACIELITA.— ¿Te gusta otro?

VICTORIA.— (*Golpeando violentamente la mesa. Tono simpático.*) ¡Gracielita, mi amiga!

GRACIELITA.— ¿Por qué te alarmas?... ¡Nadie está exento!

VICTORIA.— ¡Te lo aseguro! ¡No!

GRACIELITA.— ¡Entonces, es un mal de familia!... Según Alicia, algo semejante le acontece..., que ella sí..., que no tanto..., que tuvo que aprender, que tuvo que acostumbrarse..., que su placer consiste en ver a su marido gozar y en saber que ella se lo proporciona... Es duro lo que voy a decirte..., ¡están taradas, queridas!

VICTORIA.— (*Sin oírla.*) Joaquín debe poner de su parte...

GRACIELITA.— Victoria, ¿por qué le achacas a tu marido lo que es un problema tuyo? Por ese camino lo llevarás muy fácilmente a la castración...

VICTORIA.— ¡Qué barbaridad! (*Riéndose.*) ¡No te inquietes! ¡Un macho cabrío!

GRACIELITA.— ¡Digo, a la castración mental!

VICTORIA.— (*Todavía riéndose.*) ¡Imposible! (*Pausa. Otro tono.*) Yo le escribo cartas y cartas...

GRACIELITA.— ¡Lo atosigas!... ¡Con tus remordimientos!...

VICTORIA.— (*Un poco ausente.*) Tal vez, en mi organismo... Un médico podría... (*A GRACIELITA.*) A Alicia, yo sé que...

GRACIELITA.— ¡Sonseras! Lo de Alicia es otro asunto. José Ignacio la enfermó. Una de las enfermedades que llevan, como una
cruz, las mujeres públicas...

VICTORIA.— ¿Cómo tú lo sabes?

GRACIELITA.— Es vox populi, Victoria...

VICTORIA.— (*Asombrada.*) ¿Sí?... Uyuy... (*Otro tono.*) Mamá dice...
Mamá oculta... ¡Qué asco!

GRACIELITA.— Pregúntale a Joaquín..., o a Gastón, si lo ves...

VICTORIA.— ¡Ay Gracielita, uno vive dando palos de ciego!

GRACIELITA.— Pero vivimos, Victoria. ¡Eso es lo que importa! Levanta la cabeza y adelante. (*Pausa.*) ¡El amor!... (*Pausa.*)

VICTORIA.— (*Transportada, lírica.*) Es que el amor..., el amor..., es tan
excepcionalmente bello..., tan sublime... Es como ascender una
escala..., y si uno lo vislumbra, no es comparable a nada en la
tierra, en el cielo o en cualquier otro lugar imaginable. Es estar
en una contemplación, en un éxtasis, con unos ojos que no existen y que son los ojos del alma..., y sólo esto es posible en la
eternidad...

GRACIELITA.— ¡Mi amiga, eso es una novela! (*Pausa. Otro tono.*) ¿Por
qué no te planteas seriamente que es..., sacrificio y comprensión,
dolor y alegría...? Convéncete de que eres una pobre criatura llena de virtudes y defectos y de que tu marido lo es también..., y
de que juntos crearán una armonía capaz de vencer los obstácu-
los y las propias insuficiencias de cada uno..., la pobreza de ser
cuerpos vivientes en esta tierra... ¿Por qué no partes de tus limi-
taciones?

PAULITA.— (*Desde adentro.*) ¡Victoria, Victoria! (*Pausa.*)

(*VICTORIA expresa fatiga y abatimiento repentinos. GRACIELITA, sin percibir
la transformación de su amiga, retoma su cartera y sombrilla.*)

GRACIELITA.— ¡Te llama Paulita!

VICTORIA.— (*Abstraída.*) ¡Ah, sí!... ¿Qué?...

GRACIELITA.— Paulita te llama...

VICTORIA.— (*Como una niña.*) Dime, Paulita. Ven acá...

6

(*Entra* PAULITA).

VICTORIA.— ¿Me llamabas?...
PAULITA.— Esa señora dice que se hace tarde, que te está esperando para las clases de pintura...
VICTORIA.— (*Ajena.*) ¿Que se hace tarde?... ¿Que me está esperando?... (*Se palpa el cuerpo.*) ¡Las llaves!... ¿Dónde están las llaves?... Gracielita, ¿viste dónde las puse? (*Como una fiera acosada, va y viene por el escenario dando vueltas alrededor de la mesa, de las sillas, creando una tensión que puede llegar a ser alucinante.*) Paulita, ¿dónde las puse?... (*Desesperada.*) ¡Paulita, Gracielita!... ¡Las llaves! ¡Las llaves!

7

(*LUISA termina de arreglar, al fondo, el escenario. Aire de una habitación apacible, discreta. Existe una armonía de estilo que la hace encantadora. Entre los muebles, se encuentran: una cama de hierro, un velador de caoba con una hermosa palmatoria de hierro torneado, un caballete con una tela montada en su bastidor, una butaca, una mesita con un tablero de ajedrez y sus piezas y una "comadrita". LUISA canturrea una canción popular de la época. 1908.*)

LUISA.— (*Llamando.*) ¡Fernandito!
FERNANDO.— (*Afuera.*) ¡Ya vamos!
LUISA.— ¡Está listo!
FERNANDO.— Enseguida...

(*LUISA hace gesto de duda, va a salir por el lateral izquierdo, luego se decide por el derecho. Entra FERNANDO, seguido de VICTORIA.*)

FERNANDO.— (*Muy teatral.*) ¡Una mujer honrada!... ¡En eso sí que jamás nos pondremos de acuerdo! Con este tema hay mucha tela que cortar. Pero ya hablaremos más despacio y con calma. (*Otro tono.*) Eres demasiado joven, y quizás estoy abusando de tu confianza. El tiempo que llevas de casada...

VICTORIA.— Un año y medio... (*Se sienta.*)

FERNANDO.— Ah, ya me explico tu interés por estar junto a tu marido. Sin embargo, no te lo aconsejo por ahora... ¡El lugar es insalubre!

VICTORIA.— Eso me dice él. Pero los meses pasan, y yo... (*FERNANDO la contempla. Nerviosa.*) Ya estuvimos un año en el ingenio, y ahora no comprendo... ¡Nunca pensé que nos separaríamos!

FERNANDO.— Es una zona completamente salvaje. Los trabajos de desecación demoran... Difícil para un hombre; peor para una mujer...

VICTORIA.— No me importaría, con tal de estar a su lado. Una mujer se debe a su marido.

FERNANDO.— Es cierto, Victoria. El caso es que el mismo transporte no se puede asegurar, y es tan pésimo...

VICTORIA.— ¡Me parece una eternidad! (*Él le mira las piernas, ella evade la mirada, cruzándolas coquetamente.*)

FERNANDO.— Comprendo. Es lógico. ¿Sabe una cosa?

VICTORIA.— (*Sorprendida.*) ¿Decía...?

FERNANDO.— ¿Conociste por un acaso a Dionisio García?

VICTORIA.— ¿A quién?... ¿Dionisio García?... ¡Ah, no! (*Rápida.*) Era medio hermano de mamá. Murió en el Brasil.

FERNANDO.— Te pareces mucho, muchísimo a él.

VICTORIA.— (*Fingiendo.*) ¿Lo conoció?

FERNANDO.— A veces viajábamos juntos por Europa. Londres, París... Solía hablarme de ustedes, del deseo que tenía de conocerlos. Vivía con la añoranza de Cuba..., y jamás vino. A pesar de haberse educado en Suiza e Italia, conservaba las mejores calidades del cubano..., su generosidad, inteligencia y curiosidad de espíritu..., cierto refinamiento...

VICTORIA.— Apenas lo vi en fotografías. (*Silencio embarazoso.*) Hace tanto tiempo.

FERNANDO.— Éramos muy amigos..., y de mi padre lo fue también. (*Pausa. Observa a VICTORIA de un modo significativo.*) Cuando te conocí, quise decírtelo. (*VICTORIA cambia de posición en el asiento.*) ¡Un aire de familia!

VICTORIA.— ¡Es normal! (*Silencio embarazoso.*)

FERNANDO.— ¿Has visto?

VICTORIA.— (*Haciéndose la ingenua.*) ¿Visto, qué?...

FERNANDO.— El regalo que te traje... (*Le enseña un estuche de terciopelo negro.*)

VICTORIA.— ¿Un regalo? ¡Imposible! ¡Jamás podré aceptar nada de otro hombre que no sea Joaquín!

FERNANDO.— ¿Estás segura?

VICTORIA.— ¡Segurísima!

FERNANDO.— ¿Tampoco quieres verlo?

VICTORIA.— ¡Tampoco! (*Silencio embarazoso.*)

FERNANDO.— No era de eso, precisamente, de lo que quería hablarte.

VICTORIA.— (*En suspenso, se le escapa un suspiro.*) ¡Ah!

FERNANDO.— Es algo más profundo.

VICTORIA.— ¿Entramos entonces, directamente, a las confidencias?

FERNANDO.— ¡Así me tratas!

VICTORIA.— Simplemente jugaba.

FERNANDO.— Pues no es ningún juego. Desde que entraste a mi despacho..., ¿recuerdas?, trayéndome el informe secreto que Joaquín..., en aquel momento era tu novio..., me enviaba..., sentí..., ¿cómo decirte?... Me avergüenzo... No quiero ofenderte...

VICTORIA.— (*Ansiosa. Halagada en el juego.*) ¿Avergonzarse? ¿Ofenderme?...

FERNANDO.— (*Observándola enigmático.*) Un pensamiento que me obsesiona..., muy íntimo.

VICTORIA.— (*Tono de broma, sonriente, nerviosa, siempre en el juego.*) Entonces, dejémosle. Es mejor. Y mucho más correcto.

(*Óyense intempestivamente ruidos de matracas, gritos, etc., de una manifestación política: "Vivan los liberales". "Vivan". "Viva José Miguel Gómez". "Viva". "Viva la República". "Viva", y un coro de pueblo acompañado de trompetas y tambores, cantando: "Nosotros los liberales, nos comemos la lechona, ae, ae, ae, yo no tengo la culpita, ni tampoco la culpona, ae, ae, ae, ae, la chambelona". Los gritos y cantos se alejan rápidamente.*)

VICTORIA.— (*Como si estuviera contemplando la manifestación.*) ¡Otra manifestación!

FERNANDO.— Sí, se preparan las elecciones. Por lo que parece el viejo Magoon termina su gobierno... ¡Cuánto antes, mejor!... Esperemos que esta experiencia nos haya enseñado..., y no le demos la oportunidad a los americanos a que vuelvan a meter las narices en nuestra vida...

VICTORIA.— Nosotros los cubanos todavía...

FERNANDO.— Tenemos que aprender a gobernarnos, Victoria.

VICTORIA.— (*Radical, con una sonrisa.*) ¡A decir verdad, no entiendo de política! (*Pausa breve.*)

FERNANDO.— (*Fingiendo distracción. Se acerca a la mesita que tiene el ajedrez.*) Curiosas figuras, ¿verdad?... El rey, la reina..., la unión perfecta del cielo y la tierra..., del sol y la luna, del oro y la plata y del azufre y el mercurio... El reino de la armonía universal. (*VICTORIA observa atentamente las figuras.*) La reina..., ¡hermosa y enigmática! (*Cerca de ella.*) De pronto pensé que había entrado una diosa, una criatura inmaterial... Una criatura donde lo humano y lo divino se quintaesenciaban. Como Cleopatra cayendo a los pies de Julio César. Como Helena, hechizando a Paris... Como Venus, surgiendo de la espuma de las aguas del mar... (*VICTORIA cierra los ojos, suspira hondo.*) Una aparición única en mi vida... Una música...

VICTORIA.— (*Se ríe, mueve su pañuelo, superficial.*) Oh, Dios mío, qué exageración. ¡Que yo sea capaz de provocar esos sentimientos! (*FERNANDO juega en el tablero.*) ¿Estoy mucho más delgada ahora, no? (*FERNANDO le roza una mano. VICTORIA lo rechaza.*) ¿Por qué lo hace?

FERNANDO.— ¡Pero si no hago nada! Me desesperas... ¿Acaso lo ignoras?

VICTORIA.— ¡Por favor!

FERNANDO.— ¡No te vayas!

VICTORIA.— ¡Déjame!

FERNANDO.— ¿La molesto?... ¡Compréndeme, Victoria!

VICTORIA.— Apártese, le digo.

FERNANDO.— La he buscado como una amiga. Créeme. Parecerá inconcebible... La he buscado como una necesidad. (*Abre el estuche y se lo enseña. VICTORIA palidece, se repone inmediatamente.*) ¿Le gusta?

VICTORIA.— Nunca aceptaré una cosa semejante.

FERNANDO.— Permita que mi corazón, al menos...

VICTORIA.— No siga, Fernando. Es repugnante, odioso. Una mujer honrada...

FERNANDO.— ¡Una mujer honrada!

VICTORIA.— Sí, a una mujer honrada le están vedadas ciertas cosas; como ésta, por ejemplo... (*Señala el estuche.*), y..., y...

FERNANDO.— Dígame...

VICTORIA.— (*Radical.*) Mi tía decía: orden y limpieza, aquí...

FERNANDO.— No entiendo.

VICTORIA.— (*Sonriendo.*) Es difícil explicar...: mente sana, cuerpo sano, dicen ahora...

FERNANDO.— ¡Todavía estoy esperando!...

VICTORIA.— Bastante he aceptado con venir a verlo.

FERNANDO.— ¿Así que una mujer honrada...? (*La mira fijamente.*) Una mujer honrada no puede hacer esto, ni aquello, ni lo otro. Una mujer honrada debe vivir esclavizada a unos conceptos tan estrechos..., pero tan decididamente férreos, que su existencia se reduce a vegetar como una planta de invernadero. Una mujer honrada se consume en la pobreza de unas ideas impuestas que ella asume como un absoluto de vida... ¡De acuerdo!... Y usted, precisamente usted, proclama a los cuatro vientos semejante teoría. ¡Usted que se crió en los Estados Unidos, que tiene una perspectiva distinta!... Por eso usted me rechazó aquel día, cuando vine a verla, y estaba en el jardín sembrando unos rosales... Por eso unas semanas después, cuando la invité a dar un paseo..., ¡recuérdelo bien, no lo olvido!, usted, rotundamente, se negó..., a pesar de mis ruegos, y a pesar de que Luisa estaba dispuesta a ir hasta Marianao...

VICTORIA.— Libertades que usted se toma...

FERNANDO.— ¿Qué debo hacer?... ¡Ponte en mi lugar!... ¡Estoy perdido!... ¿Retirarme? ¿Abandonar mis sueños?... Y, por lo tanto, irme..., como un errante...

VICTORIA.— Soy una mujer casada. Tengo mis deberes...

FERNANDO.— Deberes que detestas, no lo niegues.

VICTORIA.— Usted me acosa, me persigue. Quiere que pierda el sentido, arrastrarme hasta la pendiente, que me hunda en el abismo.

FERNANDO.— Quiero que seas quien eres.

VICTORIA.— Déjese de frasecitas.

FERNANDO.— Le juro...

VICTORIA.— No me jure nada.

FERNANDO.— Si da un paso...

VICTORIA.— Por favor...

FERNANDO.— Estoy a su albedrío. Haga lo que quiera. Máteme.

VICTORIA.— Oh, Dios mío. Usted me confunde...

FERNANDO.— Un hombre como su marido es incapaz..., ignora la joyita que tiene en su casa.

VICTORIA.— ¡No me hable de él! ¡Los trabajos que estará pasando!

FERNANDO.— Le he dado toda clase de seguridades. Jamás podrá reprocharme lo más mínimo... Es un hombre que trabaja, que sabe su negocio... ¡Conmigo nunca tendrá problemas!... ¿Es que no te lo ha dicho?... (*Pausa. Suave.*) Victoria... (*Pausa.*) Me gustaría saber qué piensas, qué ideas bullen allá dentro... ¿Acaso jamás podré acariciar uno de tus cabellos? ¿Cómo, dime, cómo podré apropiarme de tu amistad..., de tu amor..., ¡sí, de tu amor!..., que tanto necesito? ¿Acaso esto no te satisface..., lo consideras pueril, vulgar...? ¿No tienes corazón? ¿Y tu alma?... Oh, perdóname... Busco, invento... Quiero una vida que merezca vivirse..., el gozo de sentirme humano... Estoy solo, desamparado... Noches y noches, rodeado de un vacío sin nombre..., espantoso... ¿Si me muriera, ahora, aquí, qué harías?...

VICTORIA.— (*Temblorosa.*) Una mujer honrada...

FERNANDO.— (*Violento.*) Sí, ya veo. (*Apartándose de ella.*) Te aferras a una idea como a una maldición. (*Pausa.*) ¿Cómo puede uno consagrarse a un montón de cosas aprendidas de memoria y rechazar lo que el cuerpo pide o reclama a cada momento?

VICTORIA.— (*Violenta.*) Hablemos cara a cara, Fernando. Soy una mujer que vive muy consciente de su deber y que, por ese deber, es capaz de renunciar a todo...

FERNANDO.— ¿A las clases de pintura con Luisa?

VICTORIA.— Si usted continúa...

FERNANDO.— (*Delante del caballete.*) Ya vas controlando la técnica..., y en el color, indudablemente, dominas los matices, las veladuras..., ese amarillo y rojo...

VICTORIA.— Pero usted se empecina...

FERNANDO.— ¿Hacemos algo malo?

VICTORIA.— La realidad del mundo y de la sociedad exigen, y nadie puede sustraerse a sus exigencias...

FERNANDO.— Ésa es su opinión, y la respeto. La mía es otra. En nombre de esas exigencias, de esos valores, se cometen a diario grandes canalladas. Tú misma podrías ser una de esas víctimas. No me mires. No eres tú, exactamente... Esa santificación del matrimonio es, la mayoría de las veces, un tráfico infame. ¡Qué horrible parodia la de ese amor! ¡Un imbécil que lastima a una pobre muchacha llena de ilusiones, y le hace concebir una tristísima idea de la vida y de los hombres..., o la corrompe o la enloquece o la ensimisma en los laberintos odiosos de la castración!... ¡Pobres, pobres mujeres!... Al pensar en eso, se me encandila la sangre y la salida más satisfactoria que encuentro es la de refugiarme entre cuatro paredes y pensar cosas disparatadas... Oh, conciencia, maldita conciencia..., cuando dejemos de pensar en ella, cuando nos cercioremos de que es una banal invención de la costumbre, seremos libres, es decir, tendremos la misma estatura de Dios... (*Suspira. Pausa breve.*) Desgraciadamente, todo queda en la nada del vacío..., migajas.

VICTORIA.— ¿Qué pensará Luisa?

FERNANDO.— Otra vez "el qué dirán"...

VICTORIA.— No estoy acostumbrada...

FERNANDO.— (*Riéndose.*) Yo me burlo de eso. Puro artificio. ¿Qué le importa a Luisa o a alguien que usted y yo estemos juntos? El problema es de usted...

VICTORIA.— Suélteme.

FERNANDO.— ¿Adónde quiere ir?

VICTORIA.— Adonde no lo vea nunca más.

FERNANDO.— Te seguiré adonde quiera que vayas.

VICTORIA.— Y yo me escaparé siempre.

FERNANDO.— ¿Soy acaso un monstruo?

VICTORIA.— Lo odio. Lo detesto.

FERNANDO.— Está bien. Pero, antes de despedirnos, quiero hacerte unas preguntas...

VICTORIA.— No quiero verlo ni oírlo.

FERNANDO.— ¿No te gustaría conocer a otro hombre? ¿Conocerlo a fondo? ¿Ser su esclava?... Esclava de su deseo. Llegar hasta la abyección, si fuera necesario. El cuerpo es deseo. Uno respira esa libertad, esa locura, esa felicidad.

VICTORIA.— ¿Por quién me toma? (*Entre sollozos.*) ¡Se lo pido por favor!

FERNANDO.— ¡Cálmate! ¡No salgas así! ¡No es para tanto!

VICTORIA.— Esto no puede repetirse.

FERNANDO.— Te dejas confundir por las ideas de los demás. Vivimos en el país de la malicia, de los falsos escrúpulos... En cualquier otro lugar a nadie llama la atención que un hombre y una mujer...

VICTORIA.— Bien sé que así debía ser... En nombre de lo más sagrado, se lo suplico...

FERNANDO.— Usted que es capaz de comprender, Victoria..., rompa con esos prejuicios.

VICTORIA.— (*Sollozando.*) Intento, Fernando... ¡Son más fuertes que yo!...

FERNANDO.— Ten confianza en mí. Nosotros..., tú y yo, Victoria, inventaremos y construiremos un mundo diferente. (*VICTORIA intenta escapar. FERNANDO la detiene con su cuerpo.*) Nosotros estamos por encima de todo... ¡Qué niña!... Piensas que como tu esposo es mi empleado..., la amistad y el amor, entre nosotros, sería el colmo del absurdo... (*VICTORIA quiere decir una palabra; baja los ojos sin emitir un sonido. Él la obliga a mirarlo.*) ¿Verdad que es así? (*Gesto afirmativo de VICTORIA.*) Estás a mi merced... Con un simple gesto, te poseería. (*Se aparta.*) Y ya ves, no lo hago. (*Busca el estuche.*) No pido nada, no quiero nada, ¡óyelo bien!... (*Abre el estuche.*) ¡Nada!..., sino lo que tú me quieras dar... (*Le pone el collar delante del cuello.*)

VICTORIA.— Fernando, por amor de Dios... (*Acaricia el collar.*)

FERNANDO.— ¿Quieres irte? (*VICTORIA no contesta.*) Vete. (*VICTORIA no se mueve. Le pone el collar en el cuello.*)

VICTORIA.— (*Fascinada.*) ¡Es maravilloso! (*Otro tono.*) Te aprovechas de mi debilidad.

LUISA.— (*Desde adentro.*) Fernandito... ¿Estás solo?

9

(*FERNANDO se aparta rápidamente de VICTORIA. Ésta corre a asomarse a otro posible ventanal. Entra LUISA. Luce severo traje de calle.*)

LUISA.— Perdona que te interrumpa...
FERNANDO.— ¿Vas a salir?
LUISA.— Sí, y cuento con tu auto. ¿Algún inconveniente?
FERNANDO.— Ninguno. ¡Llévatelo!
LUISA.— ¡Gracias! (*Sonrisa y mirada significativa a FERNANDO.*) Hasta pronto, muñeco. (*Hace mutis.*)

10

(*Lentamente, VICTORIA regresa al centro del escenario. FERNANDO le toma las manos y comienza a acariciarlas con los labios. Luego la abraza y la besa en el cuello, en los pechos, y cae de rodillas delante de ella. VICTORIA sonríe embelesada, contemplándolo. Progresivamente se oyen los ruidos de matraca, los gritos y cantos de la manifestación política, alcanzando al final de la escena un clímax grandioso.*)

FERNANDO.— ¿Mía? Toda mía. Esa boca y esos ojos y tu cuerpo y tu corazón y tu alma..., ¿es todo mío? ¡Respóndeme! (*Se pone en pie.*)
VICTORIA.— ¡Sí, tuya! (*FERNANDO la besa en los labios y la lleva hasta el fondo, hacia la cama.*) Oh, si viene Luisa...
FERNANDO.— No tengas miedo. (*Violentamente le despoja el vestido.*) Llegará de noche y muy tarde... Ah, cada poro de tu piel en mis labios...
VICTORIA.— (*Apasionada, sumisa.*) ¡Acaba, Dios, acaba! (*Sus gritos y lamentos de placer se confunden con los cantos exteriores.*)

TELÓN

QUINTA PARTE

1

(*El escenario ofrece una atmósfera de intimidad. Están reunidas JUANITA, CARMEN y PAULITA. PAULITA teje un cubrecama, ayudada por JUANITA. CARMEN borda a mano una blusa. El reloj da seis campanadas. Luz crepuscular.*)

CARMEN.— ¡Lo que son las cosas de la vida, Señor!... Victoria le ha tomado un amor a Luisa... ¡Jamás lo había tenido con nadie! Ya sólo le falta llevar la cama para allá. ¡Y yo que no la resisto! ¡Puerca!... Mira que se lo he dicho: "¡No me gusta, no vayas, niña!". (*Pausa.*) Le entra por un oído y le sale por el otro. Una es vieja y sabe.

PAULITA.— Ella dice que las clases de pintura..., que está haciendo progresos.

CARMEN.— ¡Cuentos, Paulita!

PAULITA.— Eso es lo que dice.

CARMEN.— De lo dicho al hecho va mucho trecho. Yo tengo olfato, Juanita. El tiempo dirá.

JUANITA.— Tu suspicacia, Carmen, a veces me parece locura. Deja a la muchacha. Ella aprenderá.

CARMEN.— ¡Esos apretones! La amistad hay que saberla llevar...

JUANITA.— Pues la semana pasada me ofreció un cuadrito de flores que me dará cuando lo tenga terminado.

BORRÁS.— (*Desde adentro, gritando.*) ¡Señora Carmen! ¡Señora Carmen!

CARMEN.— ¿Qué acontece, Borrás?

BORRÁS.— (*Desde adentro.*) El señor don Ricardo...
CARMEN.— ¡Qué recondenación!... ¡Tener que levantarme y dejar esto!... ¡Ve tú, Paulita!... ¡No, quédate! ¡Dime, Borrás!

2

BORRÁS.— (*Entrando.*) Excúsenme las señoras. (*A* CARMEN.) El señor don Ricardo se levantó de la silla de ruedas... ¡No quiere bañarse ni comer!... Abrió la ventana... Dice que la luz del sol le hace bien y que, ahora, al amanecer el campo es una maravilla..., que espera por Patricio..., que hoy van a recorrer toda la colonia..., que hay alzamiento de esclavos, y que su madre está tocando el piano..., una música..., que la oye clarito... ¡Todo eso me revuelve, señora, por dentro! También tengo yo mis años..., y la sesera se me pone a mil..., y es muy triste verlo en este estado... ¡Ah!..., y que Menéndez es..., un..., perdone la palabra, señora..., que Menéndez es un cabrón..., que le robó..., que la historia de Santa Clara es cagarruta..., y que él posee las pruebas, en los papeles...
CARMEN.— Por Dios, Borrás...
BORRÁS.— Sí, señora doña Carmen... Sí..., y que va a matarlo, y cogió la escopeta y se la quité y le saqué las municiones, por si acaso..., y empezó a buscarlas, y yo las escondí..., pero él busca y rebusca... "Cabeza de piedra", le digo.
CARMEN.— ¡Ten paciencia, hombre! ¡Son arranques de momento!...
BORRÁS.— (*Interrumpiéndola.*) ¡Tengo miedo, señora!... Anda agitado..., dando vueltas..., y refunfuña porque abandonamos las gallinas y las macetas de geranios..., y dice que soy un negro socarrón... ¡Anda mal, señora!
CARMEN.— Trata de calmarlo, Borrás... Tú sabes que hay días que se despierta con esas manías...
BORRÁS.— ¡Ni caso!... Yo le digo a todo que sí... ¡Y él me mira con odio!..., y grita que todos los negros deben morirse...
CARMEN.— Querido Borrás... ¡Tú lo conoces!... ¡Está enfermo! ¡Ésa es la realidad!... Tú sabes que te quiere...
BORRÁS.— Pero, señora..., es incontrolable... ¡Me escupió!..., y volvió a coger la escopeta para matarme... "Perro negro", me dijo

y se puso a llorar como un niño y a dar voces que Gastón es un
canalla..., un mal hijo... ¡Señora, yo no puedo!

CARMEN.— ¿Tendré que ir yo, Dios mío?

JUANITA.— Un momentico, Carmen..., que quizás tú puedas....
(*CARMEN mira a JUANITA de un modo recriminativo. JUANITA se encoge
de hombros y continúa en su labor.*)

PAULITA.— ¡Voy yo, señora!

CARMEN.— ¡No! ¡Tú, a tus asuntos!..., que eso hay que llevárselo
mañana por la mañana a Alicita... Borrás, me prometes ver si se
tranquiliza..., te lo suplico...

BORRÁS.— Como desee la señora... (*Hace mutis. Pausa.*)

3

JUANITA.— ¿Y de Alicia, Carmen, hay noticias?

PAULITA.— Lo que tiene es de cuidado.

CARMEN.— (*A PAULITA.*) ¡Boberías! ¡Paulita, tú!... ¿Qué puede tener de cuidado e importancia una muchacha de veintiséis años?

PAULITA.— Pero habrá que operar.

CARMEN.— (*Molesta.*) ¡Qué remedio queda! (*A JUANITA.*) Es pesa-
do, ¿verdad?... (*Rápida.*) ¿Cómo van los negocios de Gracielita y
Pedro Arturo?

JUANITA.— ¡Suben como la espuma!

PAULITA.— Gracielita es lista como ella sola.

CARMEN.— Yo me alegro porque se lo merecen. (*Otro tono.*) Dicen
que Pedro Arturo es muy inteligente. No lo parece, ¿verdad?

JUANITA.— Un banco le ofreció una plaza de diez mil pesos al año,
y la rechazó.

CARMEN.— Más de lo que gana Ricardo con las rentas.

JUANITA.— La compra de terrenos en Jesús del Monte..., y luego
al revenderlos como solares rinde, Carmen.

CARMEN.— ¿Y el dinero? ¿Dónde lo sacó?

JUANITA.— Lo obtuvo del mismo banco con la garantía de los solares. ¡Negocio redondo!

CARMEN.— (*A JUANITA.*) Tú sabes que nunca le perdonaré a José
Ignacio que hubiera rechazado el negocio que le proponía Pedro

Arturo. ¡Perdió un gran socio! (*Otro tono.*) José Ignacio es muy bueno...; pero tan agarrado..., ¡y esas manías!

JUANITA.— Con lo de Teresa, su hermana de sangre, me basta. (*Bajando la voz.*) Alicia tiene que cargar con esa cruz. (*Se oyen voces adentro.*) ¡Óyelo! (*Gesto de CARMEN. Otro tono.*) Supónte que un familiar tuyo esté pasando necesidades, ¡sea como sea!, Carmen...

CARMEN.— Ya ves, en eso, difiero de ti, totalmente, Juanita. Tú eres una hermana para mí..., sin embargo, querida...

JUANITA.— (*Rápida.*) ¡Si ese hombre le trastornó la vida, Carmen!

CARMEN.— ¡Jamás! ¡Es ella!... ¡Ella, la culpable! Una verdadera loca. Rompió con su hermano, la única familia que tenía, y dio un escándalo impresionante..., pariéndole a ese sinvergüenza dos muchachos.

PAULITA.— (*A CARMEN.*) La tentó el diablo.

CARMEN.— (*Exaltada.*) ¡Oigan eso! ¡El diablo! ¡Nada de diablos!..., que son peor que las perras de la calle. El diablo nos tienta a todas; ése es su oficio. (*A JUANITA.*) ¿Te tentó a ti cuando quedaste viuda? (*A PAULITA.*) ¿Y a ti, que eres una santa?... ¡El diablo!... En el instante en que una tiene la tentación, piensa en otra cosa, reza, se da un baño de asiento o una ducha fría...

PAULITA.— ¡La pura verdad, señora!

CARMEN.— ¿Quién la mandó a enredarse con ese hombre? ¡Lo hizo por su propia voluntad!

JUANITA.— A nosotras nos criaron de manera distinta.

CARMEN.— (*Interrumpiendo.*) Tampoco es así... ¡Mis hijas son de ahora!... Victoria cumplió veintidós años... Y yo apuesto la cabeza y meto las manos en la candela de que las dos..., en lo que respecta a sus deberes..., ¡y a todo!..., se conducen de un modo irreprochable... ¡Déjame tocar madera!

(*Al fondo, ruidos violentos de muebles que se caen y golpes en las paredes.*)

RICARDO.— (*Gritando.*) ¡Aquí están! ¡Maldito Borrás!

(*Expectación de los personajes que están en el escenario.*)

4

BORRÁS.— (*Entrando, asustado.*) Señora Carmen, perdone... ¡Ahí viene!

(*Entra RICARDO, sentado en una silla de ruedas y con un cajón rebosante de papeles sobre las piernas. Ha envejecido lamentablemente.*)

RICARDO.— ¡Maldito negro! ¡Eras tú quien me había robado las tierras! ¡Mira las escrituras!... ¡Los documentos! ¡Ya tengo mi fortuna! (*Otro tono.*) Hay que decirle a ese malnacido de Gastón..., que debe ayudarme..., sí..., que las tierras..., que él y yo, con Patricio, vamos a tomar posesión de la colonia y del ingenio..., y que los mambises se vayan al..., al..., ¡carajo!..., y que respete a su madre, que tendrá que ser un hombre honrado, cueste lo que cueste...
CARMEN.— Ricardo, oye, óyeme...
RICARDO.— (*Con odio.*) ¡Vieja puta..., suéltame!... ¡Oh!, ¿dónde está mi hijito? ¡Mi único hijo! (*Sollozando.*) ¡Yo lo quiero!... Carmen, ¿dónde está Carmen?... ¡Alicia! ¡Victoria! ¡Victoria! (*Toma un puñado de papeles, tira el cajón al suelo, y golpeándose con los papeles las piernas y riéndose, hace mutis.*) ¡Victoria, mi fortuna! ¡Al fin, mi fortuna!

5

(*CARMEN, desolada, llora. JUANITA, PAULITA y BORRÁS la rodean.*)

JUANITA.— Por favor, Carmen... ¡Mírame!
CARMEN.— Ay, Juanita... ¿Qué he hecho yo, Dios mío?... Borrás, ¿qué mal..., qué?... ¿Cuál es mi culpa?... ¡Yo, que me he sacrificado..., que he vivido en dura penitencia, encerrada..., para mi familia..., para Ricardo y mis tres hijos! ¡Dime, Borrás!
BORRÁS.— Señora...
CARMEN.— ¡Díganme!... ¡Cristo de Limpias!... ¡Dime tú, Juanita!

(*Desde el fondo, óyese una seca detonación, después otra.*)

6

(*El escenario debe tener el mismo decorado de la escena 7 de la cuarta parte. FER-NANDO fuma despaciosamente, como si ejecutara una ceremonia. VICTORIA se limpia unas lágrimas con un pañuelito, se sienta en el brazo de una butaca.*)

FERNANDO.— Sospecho que debes de estar muy nerviosa. La muerte de tu padre y la operación de tu hermana significan una desgracia... Imposible explicarme cómo José Ignacio pudo llevar las cosas hasta ese punto. Si estaba enfermo, debió curarse antes de casarse. Someter a su mujer a la castración...

VICTORIA.— (*Entre sollozos.*) Lo detesto. ¡Ojalá!...

FERNANDO.— Tus padres sabían perfectamente...

VICTORIA.— (*Rápida.*) Ella es una víctima de su marido, de todos, y nunca se ha dado cuenta. (*Otro tono.*) ¿Te sientes mal?

FERNANDO.— ¿Mal?

VICTORIA.— ¡Ese aire de ausencia!

FERNANDO.— ¡Qué cómica!

VICTORIA.— ¡Cómica!... ¡Bobo!... ¡Imagino que me engañas!... Algo me ocultas.

FERNANDO.— Que no, Victoria.

VICTORIA.— Lo sé, lo siento.

FERNANDO.— (*Suave.*) Cálmate.

VICTORIA.— Anda, dímelo.

FERNANDO.— Estás sobreexcitada.

VICTORIA.— ¡De veras, que tú..., a la hora de ocultar!...

FERNANDO.— Repítelo, sigue repitiéndolo.

VICTORIA.— (*Riéndose.*) ¡Qué duro eres, chico!

FERNANDO.— Todos los adjetivos me vienen bien: bobo, hipócrita, duro..., ¿qué buscas?

VICTORIA.— (*Apasionada.*) Saberlo todo.

FERNANDO.— ¿Qué vas a saber que no sepas?

VICTORIA.— ¿Qué has hecho en estos dos días?

FERNANDO.— Jugué al golf con las Menocal...

VICTORIA.— ¡Esas mujercitas!... ¿Por qué has estado con ellas? ¡Les tengo una inquina, una mala voluntad!... ¡Aprovechándose siempre!... ¡Son unas...! ¿Te acostaste con una...? ¡Dímelo!

FERNANDO.— Victoria...

VICTORIA.— (*Interrumpiendo.*) Sí, Fernando... ¡Y tú te haces el muerto para ver el entierro que te preparan!

FERNANDO.— ¡Otra escenita de celos!

VICTORIA.— (*Riéndose.*) ¿Celos? ¿Celos, yo?... ¿Cuándo? ¡Ni soñando, querido!... (*Otro tono.*) ¿Me quieres?

FERNANDO.— Naturalmente, amor mío.

VICTORIA.— Te llamé por teléfono, y no estabas.

FERNANDO.— Sobre eso mismo estaba pensando.

VICTORIA.— (*Precipitada.*) ¿Pasó algo?

FERNANDO.— Nuestras relaciones, Victoria.

VICTORIA.— ¡Ah!, ¿ves?...

FERNANDO.— Te has lanzado por un camino de imprudencias y torpezas.

VICTORIA.— (*Acariciándole los cabellos.*) Fernando..., amor.

FERNANDO.— (*Suave.*) Queridita..., tu imprudencia, tu irritabilidad...

VICTORIA.— (*Burlona.*) ¡Una nueva historia!

FERNANDO.— (*Firme.*) ¡Tú entiendes! (*Pausa breve.*)

VICTORIA.— Estás extrañísimo.

FERNANDO.— Hablas por momentos como una persona que se ensimisma en un problema y a toda costa quiere resolverlo, sin plantearse las dificultades.

VICTORIA.— ¿Que yo...? ¿Qué he hecho?...

FERNANDO.— La falta de tino y de delicadeza que has tenido...

VICTORIA.— ¿Contigo?

FERNANDO.— (*Con evidente fastidio.*) ¿Conmigo? ¡No!... Con los otros.

VICTORIA.— ¿Con los otros? ¿Cuáles otros?

FERNANDO.— Eres incapaz de comprender..., de detenerte a pensar, a reflexionar...

VICTORIA.— ¿De quiénes hablas?

FERNANDO.— De tu marido, Victoria. De tu familia.

VICTORIA.— (*Extrañada.*) ¿De mi marido? ¡Tú!... ¿De mi familia? ¡Oh, Dios mío!... Desde que te conocí sólo has existido tú... ¡Creémelo!... Jamás imaginé que serías capaz de reprocharme...

FERNANDO.— Yo pienso por ti, por mí..., y también..., por los otros.

VICTORIA.— (*Apasionada.*) Sólo tú, Fernando. Eres la única criatura que amo y amaré siempre... Te lo juro, amor mío. Puedes jactarte de que, por primera vez, mi corazón y mi alma y mi cuerpo, viven..., viven para ti, te pertenecen. Soy tuya. Tú, siempre, tú...

FERNANDO.— (*Suave, pero firme.*) No me lo repitas, por favor. Con eso no arreglamos nada.

VICTORIA.— ¡Fernando!

FERNANDO.— La verdad, nena. Tú, tú, tú. Eso lo he oído miles de veces. Recuerda la historia de mi primer matrimonio. Ella estaba loca por mí, se desvivía, se moría..., y un día me dejó para correr detrás del acróbata de un circo. A partir de ese momento...

VICTORIA.— (*Interrumpiendo entre sollozos.*) Nada tengo que ver con esa infame. Tú me has enseñado a vivir realmente. Juntos hemos inventado y construido un mundo diferente. (*Pausa.*) No seas cruel.

FERNANDO.— (*Muy suave, aunque en su voz se denota cierto fastidio.*) ¿Cuál es mi crueldad? ¿Poner un poco de claridad en nuestras relaciones? (*VICTORIA lo mira fuera de sí.*) Orden y limpieza, sí. Sobre todo aquí. (*Señala la cabeza.*) ¡Me lo has machacado millones de veces! Por el camino que vamos..., el escándalo y la bobería. (*Se pone en pie y da unos pasos alrededor de VICTORIA.*) Apenas te cuidas. La semana antepasada, Gracielita nos vio en la máquina cuando regresábamos del paseo a Marianao. Lo que hicimos en el reservado, lo considero bastante arriesgado. Tú me empujas. Tú me exaltas. Pierdo el control. (*Tono amable, suave.*) Te he rogado, en múltiples ocasiones, que no me llames por teléfono a la oficina, que las secretarias..., y desde el ujier hasta el administrador, todos...

VICTORIA.— (*Dejando de sollozar, con una risa de loca.*) ¡Cómo creerte! Estás jugando. Quieres hacerme estallar. Probarme. (*Se echa en los brazos de FERNANDO, apasionada.*) Te amo. Te adoro.

FERNANDO.— (*Trata de escapar del abrazo de VICTORIA, no puede. Suave. Casi tembloroso.*) Compréndeme...

VICTORIA.— (*Sin prestarle atención.*) Amor mío... (*Lo besa tiernamente.*) Lo que me pides, luego me lo recriminas. (*Acariciándole el rostro.*) Recuerda que me has suplicado que me comporte como una puta..., y las otras noches hacías el elogio de las ninfómanas..., de una que conociste en Zurich..., y después..., se largaron a Sitges..., y de los celos que te entraban en el momento en que ella se iba con otro..., y que en los trenes..., ¡hasta con los mozos de servicio!... ¡Yo nunca he podido!... ¡Porque tú, tú...! (*Lo besa con furia.*)

FERNANDO.— (*Rechazándola con delicadeza.*) Estoy hablando seriamente.

VICTORIA.— Me provocas. Me importa un comino, bandido. (*En un arrebato, caen los dos en la cama. VICTORIA, en un frenesí de palabras, lo desnuda.*) Tú compraste esta casa para encontrarnos. Tú alquilaste a Luisa para evitar sospechas. Tú has hecho locuras y locuras. (*Lo abraza, lo besa.*) ¿Cómo tirarme en cara, ahora...? ¡Me querías toda tuya, hasta en la abyección! Entonces, verás quién soy. Si alguna mujercita te está haciendo musarañas, conmigo no podrá. Ni Joaquín, ni mi familia... ¡Nadie! Quiero un hijo tuyo. ¡Lo deseo!... Nos iremos lejos, lejos, lejos. Nosotros estamos por encima de todo. ¡Me divorciaré! ¡Aquí o en otro sitio! ¡Te casarás conmigo! ¡Harás lo que yo quiera, sí, en la cama o donde sea! ¡Tú me has borrado el pasado! ¡Soy sólo presente por ti, para ti! ¡Mi Dios! (*Apasionada.*) Mío. Mío, hasta la eternidad. (*Cae rendida a su lado. Pausa larga.*)

FERNANDO.— (*Acariciándole los cabellos.*) ¿Satisfecha? (*Pausa. VICTORIA no contesta. Se oye el jadeo de su respiración.*) Amorcito, quiero que hablemos. (*Suave.*) Dentro de pocos días debo hacer un viaje... (*VICTORIA se incorpora, sorprendida.*) Sí, corazoncito...

VICTORIA.— ¿Viaje? ¿Adónde?

FERNANDO.— Para volver, Victoria. (*VICTORIA baja la cabeza, conteniendo el llanto.*) Regresaré..., cielo lindo... (*El rostro de VICTORIA está empapado de lágrimas. Él le levanta el mentón con las manos y la obliga a mirarlo.*) Detesto verte llorando. Habla. Razona. Escucha.

VICTORIA.— ¿Qué pretendes, Fernando? (*Entre sollozos.*) ¡Tú mandas!... ¿Voy a obligarte a que me quieras?... Por delicadeza o compasión estás conmigo. ¿Crees que soy tan estúpida que no lo he notado?... ¡Sí, estúpida o loca! ¡Oh, Dios mío, ya jamás podré vivir!... ¡Sin ti, será un castigo! ¡Me lo merezco! (*En un arrebato, golpea con los puños cerrados las almohadas. Otro tono.*) Ah, querido, déjame que te ame...

FERNANDO.— Reflexiona, niñita.

VICTORIA.— (*Entre sollozos.*) ¡Demasiado he reflexionado! ¡Demasiado! ¡No soy lo que era! ¡No soy lo que soy, soy otra!

FERNANDO.— Al fin y al cabo, tu marido...

VICTORIA.— ¡Aborrezco que me lo nombres! ¡Soy tuya! ¡Soy tuya!

FERNANDO.— (*Suave, convincente y seductor.*) Perfecto, muñeca. Eso jamás te lo censuraré. Pero la realidad se impone. Vivo en un hotel, y llevarte a vivir conmigo, ¿imaginas lo que eso significa?... Además, te confieso que sería incapaz de arrostrar el escándalo... Si te pongo una casa, por muy alejada que esté, esto tampoco lo evitaría y, a la larga, sería peor. ¿Sabes que rompes con tu familia?... Semejante responsabilidad no voy a asumirla. Te lo digo limpiamente... Un sentimiento de culpabilidad iría minando, socavando nuestro amor. Y, por otra parte, estarías casi siempre sola... ¿Meterte en mis negocios?... ¿Qué papel jugarías?... ¿El de una secretaria?... Y en la vida de sociedad, mucho menos... El camino real, sensato..., dejar las cosas como están..., y esperar mi regreso. Durante ese tiempo, tal vez encontremos una solución.

VICTORIA.— (*Entre sollozos.*) Sí, Fernando.

FERNANDO.— (*Tono anterior.*) Lo primero que debes hacer es ir con Luisa a casa de una comadrona, que ella conoce, para comprobar si estás en estado.

VICTORIA.— (*En un arrebato.*) ¿Cómo? ¡No! ¡Nunca!

FERNANDO.— (*Sonríe.*) Es preciso, Victoria.

VICTORIA.— (*Sollozante.*) ¡Nunca, nunca, nunca!

FERNANDO.— (*Suave.*) Nada de tragedias. Sé razonable. (*VICTORIA se desploma en la cama, sollozando. FERNANDO se encoge de hombros; su fastidio aumenta; se pasea por el cuarto una vez que ha terminado de arreglarse. Después se detiene imperturbable frente a ella.*) Si quieres el escándalo, yo no estoy dispuesto a permitirlo. ¡Es muy simple!... Te aseguro que, en el mismo momento en que la gente se entere de que la esposa de mi maestro de azúcar es mi amante, los comentarios y las risotadas se oirán en el quinto cielo. Victoria... No eres tú sola, soy yo también. Ninguno de los dos somos libres. Y es mi derecho y mi deber, exigirte lo que te exijo. ¿Entiendes?... Mi reputación está en juego. (*Pausa. Otro tono.*) Sería el colmo dejarme arrastrar hasta el ridículo, mi amor.

VICTORIA.— Oh, Dios mío, ¿por qué no me muero ahora mismo?

FERNANDO.— ¿Me complacerás?

VICTORIA.— ¡Déjame! ¡No me tortures! Si es necesario morir, moriré... Y posiblemente ya estoy muerta... ¿Qué más quieres? ¡Vete!

(*FERNANDO hace mutis.*)

7

(*Aparece LUISA, con una sonrisa enigmática. Pausa. LUISA se acerca lentamente a donde se encuentra VICTORIA. La luz decrece.*)

LUISA.— (*Acariciando a VICTORIA.*) ¡Pobre amiga mía! (*Pausa. Hace mutis en la penumbra.*)

8

(*Once campanadas lejanas. El escenario ofrece una atmósfera de recogida intimidad. GRACIELITA, JUANITA y GASTÓN conversan.*)

JUANITA.— ¡Así que te vas, muchacho!
GASTÓN.— ¡Como lo oye, vieja! ¡Nos vamos!
JUANITA.— ¿Adónde?
GRACIELITA.— ¿Por cuánto tiempo?
GASTÓN.— ¡A Francia!... ¡El tiempo!... Calcularlo es difícil... ¡Como se presente la situación!... ¡Tal vez..., para siempre!
JUANITA.— ¡Dime tú!... ¡A Francia!... ¿Y Carmen lo sabe?
GASTÓN.— Todavía...
JUANITA.— ¡Ay, Gastón..., la vas a matar...! Después de la muerte de Ricardo, que en paz descanse, ése será un golpe mortal...
GASTÓN.— Y, ¿qué puedo hacer, Juanita? Frente a su intransigencia, mi intransigencia... Ella se enferma cada vez que ve a Marie, y ha hecho lo inimaginable porque nos separemos. (*Convencido.*) ¡Juanita, es mejor así!
GRACIELITA.— (*A GASTÓN.*) Y si mamá le habla...
JUANITA.— Un sinfín de veces lo hemos conversado, hija... Carmen es dura... ¡Se ha encerrado en un caparazón y de ahí difícilmente nadie la saca!

9

(*Entra PEDRO ARTURO, vestido de obrero.*)

PEDRO ARTURO.— ¿Y ustedes, en el puro cotorreo?... Ya Marie me
está ayudando a cargar sacos de cemento..., y arena y grava en
el jardín...
JUANITA.— (*Divertida.*) ¡Dios mío, qué mujercita!
GRACIELITA.— (*A GASTÓN.*) ¡De empuje, querido!
GASTÓN.— (*Riéndose, a GRACIELITA.*) ¡Tú no la conoces! ¡Una chispa!
PEDRO ARTURO.— ¿Se quedan o se hacen papelillos?
GASTÓN.— (*A* PEDRO ARTURO.) ¡Me encanta que estén amplian-
do la casa! Eso indica que el negocio progresa...
PEDRO ARTURO.— Apenas cabemos ya los tres..., y cuando los mu-
chachos, aparezcan... ¡Imagínate!
GRACIELITA.— ¡Está loco por tener la casa llena de gritos: "Papi,
mami"!
PEDRO ARTURO.— (*A GRACIELITA y a JUANITA.*) ¿Sólo yo?...
GASTÓN.— ¡Los tres!... ¿No es cierto, Juanita?
JUANITA.— (*Complacida.*) ¡Figúrate! (*Otro tono.*) Aunque yo..., desde
que murió mi hijo...
GRACIELITA.— ¡Mamá! ¡Mamá!
JUANITA.— La verdad, hija. El tiempo no borra su imagen; al con-
trario, cada día crece y crece... Todas las noches le rezo muy baji-
to y me gustaría tanto saber que viene a verme y que se sienta
en la cama junto a mí, como antes, hace una eternidad...
PEDRO ARTURO.— (*Jugando.*) Vieja..., entonces, usted no me quiere...
JUANITA.— ¡Qué moscón! (*Hace mutis.*) Ya nos hemos olvidado de
Marie... ¡Marie! ¡Marie!...

10

GRACIELITA.— (*A PEDRO ARTURO.*) Nos quedamos arreglando el
mundo, cielo.
PEDRO ARTURO.— (*A GASTÓN. Gracioso.*) Cuidado, eh. (*A GRACIE-
LITA.*) Cuidado. (*Otro tono, siempre bromeando, a GASTÓN.*) Sé que a
ti te gustaba, lo sé, sin que nadie me lo haya dicho. (*Hace mutis.*)

11

GRACIELITA.— Siempre retozando. (*Pausa.*) ¿Y ustedes?...

GASTÓN.— Nos divertimos... Siete, juntos y cinco, casados.

GRACIELITA.— ¡Tanto! ¡Es posible! ¡Tanto, sí..., Gastón! ¡Cinco años!

GASTÓN.— En los días en que Victoria dijo que se iba definitivamente con Joaquín para el ingenio..., Marie y yo lo decidimos... Se preparaban las elecciones de José Miguel... "Tiburón se baña, pero salpica...". O quizás..., un poco después, unos meses... Estamos en el 13... Cuenta... (*Contando con los dedos de la mano.*) Doce, once, diez, nueve y ocho...

GRACIELITA.— ¡Sí, sí! (*Riéndose.*) El cubano le saca su punta de malicia a todo..., y es una realidad: "Tiburón se baña, pero salpica". El robo, con carta de ciudadanía, de arriba a abajo... ¡Qué desastre los liberales en el poder!

GASTÓN.— (*Sarcástico.*) ¡Gente honrada, muy respetable, querida amiga! Se falsifican los documentos a la orden del día. Todos son generales y doctores... Si quieres vivir tienes que entrar en el mangoneo... ¡Es una ley no escrita!... ¿Qué es lo que te gusta?... ¿General?... ¡Ahí tienes!... ¿Doctor?... Con decirlo, es suficiente... ¡Ah, eso sí!... Detrás, debe haber un buen padrino... ¡Imprescindible! La época del pillaje a mano armada...

GRACIELITA.— ¡Que los empréstitos del país se hayan dilapidado de ese modo..., qué horror!... (*Otro tono.*) Sí, el tiempo vuela. ¡Ay, envejecemos!... ¿Mis arrugas, mis patas de gallina..., dónde están? ¡Un espejo! Debo de ser un carcamal..., y trabajosamente me doy cuenta. (*GASTÓN se ríe; su risa es estruendosa.*) ¡Cinco años!

GASTÓN.— La fruta madura es más sabrosa...

GRACIELITA.— ¡Es increíble! (*Otro tono.*) ¡Oye, déjate de piropos! (*Se mira en el espejo.*) ¿Y cómo contempló ella tu decisión?

GASTÓN.— ¿Marie?... ¿Mi renuncia del ejército?

GRACIELITA.— Perder una estabilidad económica debe de plantear grandes crisis...

GASTÓN.— Habíamos ahorrado juntos..., y discutido hasta la saciedad.

GRACIELITA.— Igual que Pedro Arturo y yo... En esta casa nada se mueve sin que se llegue a un acuerdo. (*Otro tono.*) La muerte de tu padre agravó las cosas.

GASTÓN.— ¡Las puso en su lugar! Antes yo era el hijo de papá que..., ¡bueno..., bastante turbio y dudoso políticamente..., sin ningún antecedente revolucionario..., sino todo lo contrario! Pero, en fin... La República no alimenta la cizaña... ¡El amor, la honradez!... ¡Es joven!... Llegará a ser un buen ciudadano en el futuro... ¡Y se me permitían ciertos deslices! Ahora la situación se hizo neta. El coronel me llama a su despacho... "Como oficial del ejército, el estar casado con una extranjera..., para ser más explícito..., debe divorciarse, en el término de...", etcétera, etcétera... El ultimatum rsultaba muy simpático: "Cásate con una muchacha de sociedad y mantén a la otra de querida". Me agarró una furieta... ¡Y supe aguantarme!... ¡Entrar por el aro!... Y me aclaró muy amable, muy tierno, que la política del Estado preveía una política sexual y que yo, como integrante de las fuerzas armadas, con extraordinarias posibilidades..., que mi carrera..., que patatín, que patatán... (*Riéndose.*) ¡Está loco ese tipo! (*Otro tono.*) Yo sé que mamá presionaba a José Ignacio y éste, por medio de Menéndez, a otros y a otros... Para ella es una afrenta... Sin embargo, mi felicidad es esa vituperable bailarina, Gracielita. Por eso hemos decidido marcharnos...

GRACIELITA.— Tú puedes, con ciertos enchufes...

GASTÓN.— ¡No, Gracielita!... Es lo más decoroso que podemos hacer... Jamás mi mujer podrá quitarse el sambenito de ser una bailarina del Alhambra. Si fuera millonario, daría la batalla. (*Otro tono.*) Nos iremos a la casa de los padres de ella, al sur de Francia, *le midi, madame.* Ya tenemos los pasajes.

GRACIELITA.— Gastón, tú debías pensarlo mejor... En este momento, tal como se presenta el panorama en Europa..., y sobre todo las relaciones entre Alemania y Francia..., además de los líos de los obreros... Allá es difícil encontrar trabajo. Aquí puedes ir tirando... Hablar con Joaquín..., o mira, con el mismo Pedro Arturo... Arréglartelas, sin grandes inconvenientes... Chiquito, eso se llama jugarse una carta violenta... No conoces a nadie, ni... ¡Eres un inmigrante!... Recapacita, Gastón. (*Otro tono.*) Ahora con los conservadores en el poder posiblemente se mejore...

GASTÓN.— Alma cándida, poseedora de la ciega esperanza...

GRACIELITA.— Sí, Gastón... Dicen que el Presidente Menocal va a juzgar a los malversadores del gobierno del "Tiburón"...

GASTÓN.— Ese general será como el "Tiburón". ¡Desengáñate! Liberales o conservadores, ninguna diferencia existe... Gracielita, recuerda su lema en la campaña política: "Honradez, paz y justicia"... A buen entendedor, pocas palabras. ¡Que nuestra existencia dependa de esos juegos, me cansa!

GRACIELITA.— ¿Y en Francia, piensas que será distinto?

GASTÓN.— ¡Es un riesgo! (*Imperturbable.*) ¡Está decidido!

GRACIELITA.— Habla con Carmen, por favor...

GASTÓN.— Deseo irme en paz. Mamá armaría la de San Quintín... (*Cariñoso, guiñándole un ojo.*) Amiga mía, hemos agotado ese asunto...

GRACIELITA.— ¿Tampoco Alicia sabe?...

GASTÓN.— Tampoco.

GRACIELITA.— ¡Eres terrible!

GASTÓN.— Alicia, la pobre, ve por los ojos de José Ignacio. ¿Para qué atormentarla inútilmente?

GRACIELITA.— Ese matrimonio es un desastre.

GASTÓN.— No lo creas; es feliz. No cambiaría su vida por la de una emperatriz...

GRACIELITA.— ¡Más vale así!... (*Otro tono.*) Y el José Ignacio es un camastrón de primera... ¡Si supieras!... Por pena nunca he hablado de eso con nadie. Pedro Arturo me lo ha pedido también..., pero voy a decírtelo: de aquí, de esta casa, tu cuñado se llevó una muchacha hace dos meses...

GASTÓN.— ¡Alabao!

GRACIELITA.— Es la sobrina de una de las criadas..., una muchacha de catorce años...

GASTÓN.— Y ustedes, ¿qué hicieron?

GRACIELITA.— ¿Hacer?... ¡Imagínate, nada! ¡Si sólo fuera ésa!... Tiene un sistema de pesca perfectamente organizado.

GASTÓN.— ¡Qué personaje!... Y hay que oírlo perorar de la moral, de la honradez... ¡Un Catón! ¡Y echó a su hermana de la casa, el muy bárbaro! A mí me repugna más su hipocresía que su desvergüenza...

GRACIELITA.— Ustedes, los hombres, Gastón, son una incógnita.

GASTÓN.— ¿Tú crees, por ejemplo, que yo le haría una trastada a mi mujer o que Pedro Arturo te la haga a ti?

GRACIELITA.— Rechazo esa idea. Sería una catástrofe... La vida...

GASTÓN.— (*Rápido.*) ¡Hay que vivirla! ¡Un riesgo! ¡Un paso a la aventura! Entrar por la puerta de los sueños..., como en una novela, y hacerlo realidad. Lo imposible posible. Como este viaje, Gracielita. Un puente, un grandioso puente, uniendo cielos y tierras y mares...

GRACIELITA.— (*Divertida.*) ¡Qué niño eres!... ¿Y a Victoria?... ¡Espérala! (*GASTÓN se encoge de hombros.*) Según las noticias que recibí, llega la próxima semana. Nos escribió pidiéndonos que le consiguiéramos una casa.

GASTÓN.— Nosotros saldremos este domingo rumbo a Nueva York, allí haremos una breve escala..., y después Marsella. Retrasar el viaje significaría crearnos complicaciones. (*Otro tono.*) Victoria, la reina de la honradas...

GRACIELITA.— Seguramente ha cambiado... ¡Después de aquella crisis!

GASTÓN.— (*Rápido.*) Del aborto de Fernando, dirás... Una historia bastante ridícula. En casa, nadie nombra ese incidente.

GRACIELITA.— Esas cosas se callan, Gastón. (*Otro tono.*) Ella reconsideró bien..., finalmente Joaquín es el hombre de su vida... ¡La niña es preciosa!... ¿Has visto la última fotografía? ¡Una monada! (*Busca un album, lo encuentra.*) ¡Para comérsela! (*Le enseña la foto.*) La bella Adriana. ¿Se parece a Joaquín, verdad?

GASTÓN.— Victoria es..., es tan...

GRACIELITA.— (*Rápida.*) ¡La juzgas mal, querido! Ustedes, los tres, cada uno por su lado...

GASTÓN.— (*Sonriente.*) ¡Eres fantástica!

(*Se oyen voces y risas, al fondo.*)

12

(*Las voces y risas aumentan. En el escenario existe un desorden, absoluto: armarios, camas, lámparas de pie, estanterías, aquí y allá, diversos muebles amontonados, una gran variedad de cajones, tiestos con plantas tropicales, una jaula con un papagayo, un espejo enorme recostado a otro montón de muebles, algunas sillas, una mesa y una nevera. VICTORIA y ALICIA entran. VICTORIA ha engordado. ALICIA, escuálida y elegante, parece una figura de cera. Se oyen las voces y risas de JOSÉ IGNACIO, JOAQUÍN y PEDRO ARTURO, todavía, al fondo.*)

VICTORIA.— (*A ALICIA.*) ¿Te repones?
ALICIA.— (*Con la respiración dificultosa.*) No te preocupes. Un vahído.
Un golpe de calor... Ya se me pasará.

13

(*Entra JOSÉ IGNACIO. Su rostro sugiere una máscara.*)

JOSÉ I.— (*A JOAQUÍN y PEDRO ARTURO, todavía en el fondo.*) ¿Es por
aquí?
JOAQUÍN.— (*Al fondo.*) Al otro lado.
VICTORIA.— (*A ALICIA.*) ¿Antes de operarte sentías esos malestares?
JOSÉ I.— (*A ALICIA.*) ¿Sigues con lo mismo?
ALICIA.— (*A VICTORIA, ignorando la presencia de JOSÉ IGNACIO.*) ¡Son
otros..., de unos meses para acá!... ¡Oh, perdona, Victoria! (*Con
mayor agitación.*) ¿Puedo sentarme?

14

(*Entran PEDRO ARTURO y JOAQUÍN. Este último ha engordado y su calvicie
es manifiesta.*)

JOSÉ I.— ¡Esto es enorme!
VICTORIA.— (*A ALICIA.*) ¿Por qué me lo preguntas? (*La obliga a sentarse, después la imita.*)
JOSÉ I.— (*Sonriente.*) ¡Casi un palacio!
JOAQUÍN.— (*Alegre, a PEDRO ARTURO.*) Ven, la vista que tenemos al
mar por este lateral es estupenda.
PEDRO ARTURO.— (*A JOAQUÍN.*) Me alegra que te guste. Nosotros
pensamos idéntico...
JOSÉ I.— (*A VICTORIA.*) ¡Una calamidad! La falta de ovarios, ¿sabes? Un hecho muy concreto... (*PEDRO ARTURO y JOAQUÍN hacen
mutis.*) Si sufre es porque se olvida de tomar las píldoras que le
recetó el doctor... ¿Qué?... ¿Desaparecieron? (*Hace mutis.*)

15

VICTORIA.— ¿Es verdad que no te atiendes?

ALICIA.— A veces me olvido. (*Se oyen las voces y las risas de los hombres.*) ¿Para qué? ¿Para qué?... ¿Para qué?... (*Exaltada, sollozando.*) ¡El problema es otro!

VICTORIA.— (*Compasiva. Cariñosa.*) Ah, hermanita... ¡Alicia!

ALICIA.— Es tiempo de que te enteres.

VICTORIA.— Por fuerza tienes que estar muy mal. Hace rato te estaba hablando y parecías no entenderme...

ALICIA.— Quise venir de todos modos..., ¡porque sí! (*Hace gesto de seguir hablando y no emite palabra.*)

VICTORIA.— Dime, hermana...

ALICIA.— Algunas tardes oigo voces... Veo a Gastón delante de mí..., ¿por qué se fue sin despedirse?... (*Pausa.*) ¿Por qué?

VICTORIA.— Como estábamos en el ingenio...

ALICIA.— ¿Te escribió?

VICTORIA.— ¡No!... ¡Discutíamos tanto!

ALICIA.— ¿Y eso te justifica?... (*Otro tono.*) Ah, por favor, alcánzame una toalla mojada o un pañuelo..., algo frío..., aquí, en las sienes..., creo que voy a estallar... (*VICTORIA busca un pañuelo y lo moja, agitando un pomo de agua de colonia.*) Él te llamaba "la reina"... ¿Y Joaquín, qué dice?... ¿Marcha el matrimonio?...

VICTORIA.— ¡Bien! ¡Como siempre!... Yo le permito ciertas libertades...

ALICIA.— ¡Ah, Gastón!... (*Se acentúan los dolores.*)

VICTORIA.— "La reina de las honradas". (*Otro tono.*) ¡Pobre hermana!

ALICIA.— (*Haciendo un esfuerzo.*) Una reina todopoderosa y magnífica como una constelación en el cielo... Andrómeda... Firme y variante...

VICTORIA.— ¿Quieres recostarte un ratico?

ALICIA.— ¡Prefiero hablarte!

VICTORIA.— ¡Tienes fiebre! ¡Estás delirando!

ALICIA.— ¿Por lo que te dije de Gastón? ¿A quién mejor que a ti?... ¡A Gastón, imposible!... Y al otro, me internaría en una casa de locos... ¡Únicamente, contigo, mi bella hermana!... ¡Tienes miedo!... Ya se me pasará... Te juro que no son sueños. Por momentos se sienta junto a la ventana y yo le tiro un vaso de agua..., que siempre tengo a mano, para espantar a los espíritus... O quizás sí, son sueños. Aunque no..., por lo regular aparece cuando estoy despierta... O es posible que no se haya ido, que continúe entre nosotros, como una forma intangible o una mariposa... (*Pausa.*) Ahora, Victoria, suelo tener sueños mientras estoy despierta, muy despierta..., hablo y veo, con los ojos abiertos..., ¡es hermosa la luz del sol!..., y estoy dormida... (*Riéndose.*) ¡Es estúpido!

VICTORIA.— ¿Quién, Alicia?

ALICIA.— ¡Yo..., yo..., hermanita! ¡Ah, cuánto he sufrido!

VICTORIA.— (*Recriminativa.*) ¿Sólo, tú?...

ALICIA.— Y también Gastón...

VICTORIA.— (*Vacilante, sin comprender, suave.*) Y..., ¿por qué viene él y te da vueltas en la cabeza?

ALICIA.— (*Cierto tono imperativo.*) Hemos sido injustas, Victoria.

VICTORIA.— Pierdes el tino.

ALICIA.— No es por Gastón. Sino por ti y por mí. Soy yo quien da vueltas alrededor de un problema... ¡Yo, Victoria!... Hemos sido injustas con Gastón..., del mismo modo lo hemos sido con nosotras... ¡Gastón es ya un sueño de lejanía! Pero ni tú ni yo alcanzaremos misericordia. Arrastraremos esta maldición. (*Otro tono.*) Ah, querida, jamás he estado ciega. Las honradas, las intocables hemos escogido mal..., y, analizándolo a fondo, se escoge lo que se debe escoger... Porque el mal está dentro de uno... Las llaves se nos extraviaban, se nos perdían..., andábamos en un laberinto de llaves..., ¡y era normal que sucediera! Queríamos dar una imagen que no nos correspondía, por principio, fuere como fuere..., y desgraciadamente vivimos acosadas, torturadas por el miedo y el deseo... ¡Miedo, sí! ¡Deseo, sí!... ¡Confesémoslo de una vez y por todas! (*Pausa breve. Sarcástica.*) ¡Las hijas de Ricardo y Carmen no podían contaminarse! ¡Las honradas! (*Se ríe.*) ¡Las honradas! (*Largas carcajadas que se transforman en un llanto desesperado.*)) ¡Estupidez o locura!... ¡Háblame! ¡Dime algo!... ¡Monstruos de soberbia!... Nosotras solas, ¡ni con unos ni con otros!, las honradas, frente al mundo. ¡Qué ridículo, Dios mío!... (*Feroz.*) ¡Mírate en ese espejo! ¡Acércame para que también yo me contemple! (*Las dos herma-*

nas están frente al espejo.) ¡Sucias! ¡Feas! ¡Manipuladoras! ¡Castradoras castradas! ¡Las honradas, podridas hasta el tuétano!... Y no somos diferentes de lo que nos rodea... (*Voces y risas de los hombres.*) ¡Óyelos!... ¡Unos bárbaros!... ¡Egoístas! ¡Grotescos!... ¡Nosotras, ni mejores ni peores! ¡Iguales!

VICTORIA.— (*Aterrorizada.*) Hermana, desvarías...

ALICIA.— (*Feroz.*) ¡Desvarío es no reconocerte tal cual eres! ¡Allá tú!... Yo quise a mi marido como era, y lo sigo amando como es, sabiendo que su mal es también mi mal, en la más absoluta abyección, devorada en el mismo fuego, en el odio y el amor...

VICTORIA.— (*Sollozante.*) Alicia, tú...

ALICIA.— (*Feroz.*) ¡Sí, Victoria! (*La agarra violentamente por los hombros.*) ¡Mírame! ¡Reconócete! ¡Contémplame!... ¡Te doy asco, verdad?... (*Empuja a VICTORIA que cae al suelo.*) ¿Crees tú que eres mejor que yo...? ¿Crees tú que eres mejor que Teresa?... (*Pausa.*) ¡Mira esta carta! (*Le tira la carta que cae muy cerca de ella. Se oyen las voces y risas de los hombres muy cercanas. VICTORIA, como un ave de rapiña, agarra la carta y enseguida la oculta en el pecho. La ayuda a levantarse.*) Ven, acompáñame. Cojamos un poco de aire... (*Hacen mutis.*)

16

(*PEDRO ARTURO entra acompañado de JOAQUÍN y JOSÉ IGNACIO.*)

PEDRO ARTURO.— (*A JOAQUÍN.*) ¿Ves?... Cerca de esta ventana que da al jardín podrás poner una lamparilla... Le dará a la habitación un aire de intimidad. Una jaula aquí... El ambiente es importante. Cortinas de raso rojo vino. Un cuadro..., fíjate, de este modo... Un Romañach, por ejemplo... O un Menocal... Algo moderno. Grandes pintores... O una marina de Sorolla. Ese asunto, déjalo de mi parte...

JOSÉ I.— (*Burlón, a PEDRO ARTURO.*) Eres todo un perito. (*A JOAQUÍN.*) El hombre sabe. (*Otro tono.*) ¿Y el negocio de los solares?...

PEDRO ARTURO.— Eso jamás lo dejaré.

JOAQUÍN.— (*Abre la nevera.*) ¿Una cervecita?

JOSÉ I.— Era lo que faltaba.

JOAQUÍN.— (*Saca varias botellas de la nevera y las pone sobre la mesa.*) Están frías. (*PEDRO ARTURO trae unos vasos, los coloca sobre la mesa y comienza a destapar las botellas.*) Falta algo para picar.

PEDRO ARTURO.— No te preocupes. (*JOSÉ IGNACIO toma un vaso y una botella.*)

JOAQUÍN.— Unas lasquitas de jamón y queso.

JOSÉ I.— (*Vierte la mitad de la botella en el vaso.*) *Boccato di cardinali.* (*Brindando.*) Por la nueva casa de Joaquín y Victoria. A tu salud.

JOAQUÍN.— (*En el brindis.*) A tu salud, socio.

PEDRO ARTURO.— (*En el brindis.*) A tu salud, hombre.

JOSÉ I.— (*En el brindis.*) Y por los negocios de Pedro Arturo. (*Risa general.*)

PEDRO ARTURO.— (*A JOSÉ IGNACIO.*) ¡Qué cabroncito eres!

JOAQUÍN.— Tremenda anguila.

JOSÉ I.— Lo digo en serio.

JOAQUÍN.— Sí, sí; se ve a la legua.

JOSÉ I.— Haces bien en venderlos... Los solares, digo. Sin embargo, compadezco a los que compran. Prácticamente, hoy día, hay en La Habana más casas que habitantes. (*Se ríe. Los otros lo imitan.*) No es juego, caballeros. La purísima realidad. Eso no quiere decir que yo esté de acuerdo. Soy partidario de las propiedades sólidas, que se conviertan en dinero cuando uno quiere. Nada de negocios ni de aventuras. (*JOAQUÍN va hacia el fondo y hace mutis, silbando y tarareando una melodía.*) Mira, lo que me propusiste me gustó. Sabía de antemano que se ganaría dinero y no lo acepté por no reñir con mis principios. (*Entra JOAQUÍN con una fuente. Trae un trozo de jamón y otro de queso.*) Ni negocios ni cargos públicos. Así se vive tranquilo.

JOAQUÍN.— (*A JOSÉ IGNACIO.*) No comas bola. Los negocios...

JOSÉ I.— El gran negocio es ese jamoncito... (*Saca de la petaca un cigarrillo, lo ajusta en su boquilla de ámbar y lo enciende. JOAQUÍN corta el jamón y PEDRO ARTURO lo ayuda cortando el queso, mientras bebe cerveza.*) Esto es una orgía. (*A PEDRO ARTURO.*) ¿Qué resultado te dio el reparto de la Loma Verde? (*Toma una lasca de jamón y queso.*)

PEDRO ARTURO.— ¡Bah, regular!

JOSÉ I.— (*Comiendo.*) ¡Qué tentación!

PEDRO ARTURO.— En la vida de los negocios todo es oportunidad...

JOAQUÍN.— Palabra santa. (*A JOSÉ IGNACIO.*) Come lo que quieras.

¿Otra cervecita? (*Gesto afirmativo de* JOSÉ IGNACIO. *Saca otras botellas de la nevera.*)

PEDRO ARTURO.— En realidad, el ensanche de La Habana lo estamos haciendo... Pero hay otra razón: los presupuestos nacionales de gastos cortos; los de ingresos, largos. (*JOAQUÍN sirve un vaso de cerveza. El vaso se desborda.*) Y los millones van acumulándose uno tras otro en el tesoro...

JOSÉ I.— (*A* JOAQUÍN.) Dame acá. Eres una calamidad. (*Sirve la cerveza como un ritual.*)

JOAQUÍN.— ¡Eso era para el santo!

JOSÉ I.— (*Divertido.*) ¡Hasta brujero no paras! (*A* PEDRO ARTURO.) La prensa le tiene enfocado los cañones.

PEDRO ARTURO.— Los periódicos cotorrean, porque no tienen otro asunto que tratar y porque buscan también una buena tajada... Sin el capital privado y la competencia...

JOAQUÍN.— ¡En eso estamos de acuerdo!... Yo mismo, si no hubiera sido por la ayuda que me brindó Fernando Sánchez del Arco, ¿qué podía hacer con mis ahorritos? Levantar cabeza, jamás. Y he trabajado como un mulo. Con un sueldo se vive estancado, compadre. Al día y malamente.

PEDRO ARTURO.— (*A* JOSÉ IGNACIO.) Hay que aprovechar la ocasión, los golpes de suerte, la fiebre del oro, amigo mío...

JOSÉ I.— A mí nada de eso me seduce. Soy conservador, por excelencia. Y la cantidad de chanchullos que he tenido que desplegar a lo largo de mi vida..., ¡si los cuento se quedan patidifusos! ¡Difícil, difícil!...

PEDRO ARTURO.— La crisis puede venir..., por el momento, aprovechemos. (*Bebe y come.*) Los papanatas de todas clases creen que cada uno posee su parte en el tesoro de la nación.

JOAQUÍN.— (*Come y bebe.*) Estás hablando con la Biblia en la mano. (*Se limpia las manos en un trapo sucio. A* PEDRO ARTURO *y* JOSÉ IGNACIO.) ¿Qué, le metemos a la yerba?

PEDRO ARTURO.— ¡A la yerba! ¿Tienes...?

JOAQUÍN.— ¡Sí!... ¡Un pito al año no hace daño!

JOSÉ I.— ¡Prefiero el kif! (*Saca del bolsillo del chaleco una cajita y prepara un cigarrillo.*) ¡Más elaborado y más chic!... Me decía un amigo que en París en toda reunión elegante jamás se olvida una buena dosis...

JOAQUÍN.— (*Registrando en los cajones.*) ¡Ah, Francia!... ¡París, la capital del mundo!... ¡Hay que joderse en este país de mierda!... En París, me imagino... (*En uno de los cajones encuentra un pequeño estuche que trae y coloca sobre la mesa, ofreciéndoselo a PEDRO ARTURO que, inmediatamente, se da a la tarea de armar un cigarrillo. JOSÉ IGNACIO ha terminado de liar el suyo. Apaga el cigarrillo que fumaba, y coloca este nuevo en su boquilla. JOAQUÍN prepara otro cigarrillo.*) ¡Qué mujeres!... ¡Qué refinamiento!... ¡Comidas, trajes, perfumes, maneras! ¡Todo un estilo!... ¡Nunca he conocido un francés que sea chabacano! ¡Y eso es mucho decir!

PEDRO ARTURO.— ¡Y qué me dices de los *britishs*! ¡Compadre, en las fotos!... ¡La elegancia personificada!... (*A medida que habla, se mueve, representando una imagen.*) Tú los ves, rubios, apuestos y el trato..., aquella prestancia, aquel aire...

JOSÉ I.— Parece que ahora andan reclamando indemnizaciones por los perjuicios y daños que han recibido sus propiedades durante la guerra del 95...

PEDRO ARTURO.— ¿Quiénes?

JOSÉ I.— Los franceses y los ingleses.

JOAQUÍN.— ¡Bah!... ¡Cosas de poca monta!... A través de las embajadas... Los diplomáticos deben ocuparse en algo, así que resolverán eso... (*A PEDRO ARTURO, refiriéndose al cigarrillo que fuma.*) ¿Qué te parece?

PEDRO ARTURO.— ¡De la buena!

JOAQUÍN.— La traje de Oriente... Allá la encuentras silvestre, a patadas... Extensiones y extensiones...

JOSÉ I.— (*Refiriéndose a su cigarrillo.*) ¡Esto es la gloria! ¿Quieres probarlo?

JOAQUÍN.— No, gracias...

PEDRO ARTURO.— ¡Nada de mezclas!... Gracielita y yo cogemos unas subidas... Por el momento lo hemos dejado..., ya que con el embarazo..., le dijo el médico que resulta delicado...

JOAQUÍN.— La mía..., Victoria..., ponía resistencia al principio, luego lo aceptó..., y participa...

JOSÉ I.— Los escrúpulos de Alicia eran iguales..., hasta que un día probó... Ahora, dado su carácter, le da lo mismo... (*A PEDRO ARTURO.*) Ahora voy a hacerte una pregunta. Si deseas me la contestas; si piensas que es demasiado comprometedora, me dices, sencillamente, no... ¿Aconsejarías tú a un amigo a que compre esos solares?

PEDRO ARTURO.— (*A JOAQUÍN*.) ¡Mira con lo que salió éste otra vez! (*Riéndose. A JOSÉ IGNACIO*.) Algunos sí y otros no. ¡Y quién sabe!... Vivimos en el país de las cosas raras.

JOSÉ I.— En otros países..., para ser más exactos, en los Estados Unidos...

JOAQUÍN.— Por favor, no hagas comparaciones.

JOSÉ I.— Podría afirmarte...

JOAQUÍN.— ¿Para qué pontificas...? Con veinte días en Nueva York, en la luna de miel, vamos, ni una remota idea tienes de lo que allí pasaba...

JOSÉ I.— (*Molesto*.) ¡Ah, no! ¡No! ¡Qué va!... Pero aquí, desde el abandono y precariedad de los tranvías, el mal olor, la falta de higiene en las calles..., hasta los aspirantes a tener un cargo en un Ministerio.

JOAQUÍN.— Por experiencia propia, puedo aclararte algunas cositas, José Ignacio.

JOSÉ I.— ¿El qué...? (*Come*.) ¡Con la barriga vacía la yerba sube rápido a la cabeza!

JOAQUÍN.— Desde hace algunos años trabajo para ciertos y determinados ingenios; es decir, para compañías productoras de azúcar que de alguna manera sostienen, directa o indirectamente, relaciones con el capital extranjero..., y, como comprenderás, poseo elementos de juicios suficientes.

JOSÉ I.— (*Cínico, a PEDRO ARTURO*.) ¡Otro discursito!

PEDRO ARTURO.— (*A JOSÉ IGNACIO*.) ¡Chócala! (*Hacen un brindis. Divertido*.) Esta cervecita es un regalo de los dioses.

JOAQUÍN.— (*A JOSÉ IGNACIO*.) ¿No te interesa?

JOSÉ I.— ¡Oh, sí, cómo no! (*A PEDRO ARTURO, tomando lascas de jamón y queso*.) ¡Qué delicia!

PEDRO ARTURO.— (*Imitándolo*.) ¡Es fenomenal!

JOSÉ I.— ¡Arriba, habla!...

JOAQUÍN.— A ustedes les importa un bledo.

JOSÉ I.— (*A PEDRO ARTURO*.) ¡Qué susceptible está el tipo!

PEDRO ARTURO.— (*Divertido*.) Compadre, no se me raje...

JOSÉ I.— (*Comiendo*.) ¡Este queso..., este queso!

JOAQUÍN.— (*Fumando.*) Los otros días a un amigo le decía... (*Bebe.*) En primer lugar, ellas son las dueñas de todo: suelo e industria. Nosotros se lo entregamos..., con tal de que nos dejen la política y los destinos públicos; hablando claro: el camino del fraude y la vida con poco trabajo...

PEDRO ARTURO.— Esa teoría, capitán...

JOAQUÍN.— Ellos, los productores, nos desprecian, Pedro Arturo. El caso en toda la América Latina... (*Saca otras botellas de la nevera. PEDRO ARTURO y JOSÉ IGNACIO las destapan.*)

PEDRO ARTURO.— ¿Y no te parece que esa teoría se te va un poquito por las ramas?

JOSÉ I.— ¡Estamos por todo lo alto! (*Corta una lasca de jamón y lo come. A PEDRO ARTURO.*) Aprovecha...

PEDRO ARTURO.— (*A JOAQUÍN.*) Lo pintas todo tan negro...

JOAQUÍN.— Analiza, muchacho... ¡Uf!... ¡Esta yerbita!...

PEDRO ARTURO.— Nosotros, Joaquín, nosotros somos los berracos...

JOAQUÍN.— ¡Quieres tapar el sol con un dedo!

JOSÉ I.— (*Tono burlón.*) Poniendo las cosas en su lugar...

JOAQUÍN.— ¡Ni ese derecho tenemos! Si gruñimos y les enseñamos los dientes, presionan..., y tenemos que meternos el rabo entre las patas. (*Risas.*)

PEDRO ARTURO.— (*Sin saber lo que dice, riéndose.*) ¡Con la alusión me basta!

JOSÉ I.— Generalizas... ¡Vas por la tremenda!

JOAQUÍN.— Nos largan un puntapié por los fondillos, y todavía...

PEDRO ARTURO.— (*Tono burlón.*) Oye, ¿cómo se te ocurrió eso?

JOSÉ I.— (*Tono burlón.*) Un anarquista, en el fondo..., un bolchevique nato, Pedro Arturo.

JOAQUÍN.— ¡Están equivocados!... No voy a repetir la vida de mi padre. Yo, con el cuchillo en la boca...

JOSÉ I.— (*Riéndose.*) Para ti, entonces...

JOAQUÍN.— Lo que sea.

JOSÉ I.— (*Riéndose.*) Por ese camino...

PEDRO ARTURO.— (*Divertido.*) ¡Vamos, déjate de arribismos!

JOSÉ I.— (*Divertido.*) Le has puesto una piedra dura...

PEDRO ARTURO.— (*Divertido.*) ¡La realidad!... ¡Ay, mamita, estoy en las nubes! ¡Esta yerba, coño..., violenta!

JOAQUÍN.— ¡No me dejaré zarandear, compadre! (*Otro tono.*) Odio la política que nos arruina..., y pienso que a la dirección del Estado va lo peor de nuestra sociedad. Una colmena dirigida por zánganos. (*Se oye la conversación fragmentada de VICTORIA y ALICIA. A PEDRO ARTURO.*) ¡Prepara otro!... (*PEDRO ARTURO lía otro cigarrillo de marihuana.*)

JOSÉ I.— (*Entre risas.*) ¡No te acalores! (*Come y bebe. JOAQUÍN trae otras botellas que va abriendo lentamente.*)

PEDRO ARTURO.— (*Entre risas.*) ¡Los pies en la tierra, muchacho! (*JOSÉ IGNACIO corta lascas de jamón y queso y toma algunos pedacitos y se los come.*)

JOAQUÍN.— ¡Si esto sigue el rumbo que le veo, salimos de Guatemala para caer en Guate-peor!... ¡Amenazados siempre! ¡En el puro desastre!... Antes era España..., ahora los americanos se han puesto durísimos... Cualquier problema que tenemos... Cables van, cables vienen..., y si no se les complace..., muy despacio..., ¡hala!, el despliegue de la flota en las narices...

PEDRO ARTURO.— ¡Hasta que nos cansemos, Joaquín!... Y caeremos en manos de Alemania, Francia, Inglaterra..., o de cualquier otro... ¡El mismo perro con diferente collar!... ¡Hemos nacido putas, coño! ¡Putas malas! ¡O zánganos, como tú dices!

JOSÉ I.— (*Con una risa estruendosa.*) ¡Y qué clase de zánganos! (*Bebe y prepara otro cigarrillo. JOAQUÍN lo imita.*) Matones más cobardes que las gallinas, que viven de la leyenda de su valor propalada por ellos mismos; revolucionarios del 98, cuando terminó la guerra, que no se dieron cuenta que la revolución existía; soldados libertadores, que no olieron jamás la pólvora y cobraron por sorpresa haberes que no les pertenecían... (*PEDRO ARTURO fuma, va hacia la nevera y trae botellas que comienza a destapar en un vértigo.*) ¡Los que más gritan! ¡Una hermosa colección de sinvergüenzas!... Conozco a uno, que fue traidor y espía del gobierno de España, y, en este momento, da patentes de patriotismo a sus amigotes desde la elevada posición que ocupa. Otro, no menos encumbrado, fue a verme, al concluirse la guerra, y trató de estafarme con una historia de socorro a los libertadores. (*Bebe.*) ¡Qué cervecita ésta, compadre! ¡Así es como me gusta tomarla! Tenía un mote raro... Ustedes lo conocen, sin duda... ¡Qué memoria la mía!... Y me hablaba de honradez y de revolución...

PEDRO ARTURO.— ¡Estás gagá, José Ignacio! (*Risotadas.*) ¿Para qué ocultarlo? ¡Gagá!... (*Risotadas.*)

JOAQUÍN.— ¡O la yerba se le montó! (*Risotadas.*)

JOSÉ I.— (*Con cierto tono de ebriedad.*) Señores, señores, se... ño... res..., ¡ésa es una parte del panorama!... Existe otra y otra y otra..., hasta el infinito... ¡Nunca las cosas son tan simples!... (*Otro tono.*) Miren, Menéndez era revolucionario, decían que lo era..., cobraba pensión de veterano y, a Dios gracias, él mismito se mató... Yo se lo decía a don Ricardo: "Viejo, no se haga ilusiones". "Ah, muchacho, tú...". (*Otro tono.*) Le robó lo que pudo... ¡Acabó con la quinta y con los mangos!... ¡Uf, qué calor!... ¡Me duelen los huesos!..., y terminó ahorcado en el hotelucho "Los Dos Mundos"... Muchos golpes de pecho de honradez..., y de revolución...; por eso se echan a perder miles de vidas y haciendas... Yo no digo que no existen... ¡Existen, sí, existen! (*PEDRO ARTURO y JOAQUÍN se ríen con gran estruendo como si vieran en JOSÉ IGNACIO un payaso.*) ¡Me odian, coño! ¡No me perdonan!...

PEDRO ARTURO.— (*Sonriente y violento.*) ¿De qué estás hablando?

JOAQUÍN.— (*Sonriente y violento.*) ¡Cálmate! ¡Resulta chistoso!

JOSÉ I.— (*Violento.*) ¡Ninguno, ninguno vale la pena!

PEDRO ARTURO.— (*Desafiante.*) ¿Y tú, José Ignacio?...

JOAQUÍN.— (*Desafiante.*) ¿Con qué derecho?... ¿Con qué moral? (*Pausa.*)

JOSÉ I.— ¡Sí! ¡Estamos discutiendo boberías!... (*Echando los brazos sobre los hombros de PEDRO ARTURO y JOAQUÍN.*) Hablemos seriamente... Este país tiene también sus valores... ¡No seamos tan extremistas, tan intransigentes!... Existe una constante, Joaquín, sí, chico, sí..., hombres de lucha, que pensaron y piensan... ¿Quiénes somos? ¿Adónde vamos? ¿Es correcto así? ¿O debe ser de otro modo?... Estaba leyendo... (*Los hombres se apartan de JOSÉ IGNACIO, estallando en carcajadas.*)

PEDRO ARTURO.— (*Entre risas, violento.*) ¡Con esa cara de mierda!

JOSÉ I.— (*Amenazador. Sintiéndose acorralado.*) ¡Pero, ustedes...! ¿Qué es lo que hacen? ¿Creen que les tengo miedo? (*A PEDRO ARTURO.*) ¡Me quieres llevar a la picota! ¡Miserable!... (*De un salto, JOAQUÍN se interpone entre los dos hombres.*)

JOAQUÍN.— (*Violento.*) ¡Apártense! (*A PEDRO ARTURO.*) ¡Vete tú! ¡Déjame a mí!

JOSÉ I.— (*Violento. A JOAQUÍN.*) ¡Apártate tú! ¡Maricón! (*JOAQUÍN se abalanza sobre el cuello de JOSÉ IGNACIO.*)

JOAQUÍN.— ¡Me cago en Dios, coño! (*JOAQUÍN y JOSÉ IGNACIO ruedan, golpeándose, entre la mesa y las sillas, hasta caer entre los cajones amontonados.*) ¡Aguántate, cabrón!... ¡Chulo de pacotilla! ¡Suéltame que yo no soy Alicia!

JOSÉ I.— (*Totalmente vencido.*) ¡Carajo, este tipo!...

PEDRO ARTURO.— (*Terminando por separarlos.*) ¡Señores, por favor, calma! ¡Calma!... ¡Da pena que ustedes!...

JOAQUÍN.— (*En pie. Sacudiéndose el polvo.*) Se burlaba de mi discursito..., y ahora...

JOSÉ I.— (*Incorporándose.*) ¡No jodan! (*Se sacude el polvo.*)

PEDRO ARTURO.— (*Burlón.*) El hombre se lustra...

JOAQUÍN.— (*Burlón.*) Más bien, se deslustra...

(*JOSÉ IGNACIO se deja caer en una silla, saca un pañuelo, se lo pasa por la frente y el cuello. Sacude la cabeza. Aspira hondo. JOAQUÍN y PEDRO ARTURO, todavía jadeantes, están en lugares opuestos. Pausa.*)

JOSÉ I.— (*Todavía un poco jadeante. Sarcástico.*) ¡Querían que viniera a aconsejarles sobre la casa...! ¡Tremenda encerrona!... (*A PEDRO ARTURO.*) ¡Desde hace mucho tiempo lo deseabas! (*PEDRO ARTURO no responde. Sonríe.*) ¡El negocio! ¡La fiesta! (*Se levanta, se acerca a la mesa, toma una lasca de jamón, la come y toma una botella de cerveza.*) Yo tengo mis opciones en la vida... (*Bebe.*) En fin..., ¡estamos terriblemente borrachos! (*Abre una ventana. La luz entra.*) ¡Qué paisaje! ¡Qué azul, parece que vas a tocarlo con las manos!

17

(*Aparece, en el fondo del escenario, TERESA TREBIJO. Es una hermosa mujer. Viste con gran simplicidad y en sus movimientos se advierte un aire de aplomo y firmeza. JOAQUÍN, PEDRO ARTURO y JOSÉ IGNACIO desaparecen en lo oscuro. TERESA arregla las flores de un búcaro que está colocado en una mesa. Tararea una canción de la época.*)

18

(*Entra* VICTORIA. *Viste un lujoso vestido que contrasta con el de* TERESA *y resulta ridículo. Un velo le cubre el rostro.*)

VICTORIA.— (*Nerviosa.*) Buenas tardes...

TERESA.— Ah, señora, perdone. Debí haberla esperado en el pasillo para evitarle cualquier molestia. Entre usted. (VICTORIA *da unos pasos tímidamente y la observa con curiosidad. Con aplomo y delicadeza.*) Perdone el desorden... Acabamos de mudarnos..., y el tiempo apenas me alcanza para buscarle un lugar a las cosas. Estoy totalmente desorientada..., y por otra parte, los muchachos en lugar de cooperar, crean un mayor despelote... Tengo dos... Uno de diez y otro de ocho años... (*Divertida.*) ¡Mire el reguero! (*Recoge algunas sillas.*) ¡Juegan a los indios..., a los mohicanos!... Siéntese, por favor... ¡Dios mío, qué embrollo en la cabeza...! (*Otro tono.*) Ante todo, le agradezco la visita. Muy amable de su parte. (VICTORIA *se sienta.*) ¿Quiere un jerez, un Marie Brizard?...

VICTORIA.— Gracias. Por el momento, nada. (*Titubea. Tímida.*) Perdone, ¿me puede dar un poco de agua?... ¡Esas escaleras!

TERESA.— Enseguida. (*Va hacia el fondo.*) ¡Ya la estaba esperando! Usted no es Alicia..., sino su hermana... Victoria. (*Regresa. La observa.*) Sí, el mismo aire de familia. Ah, el vaso de agua. (*Vuelve hacia el fondo.*) ¡Estoy realmente aturdida!... Alicia me escribió que dada su enfermedad..., le era imposible venir...

VICTORIA.— (*Alzando la voz.*) Está muy delicada...

TERESA.— (*Con el vaso de agua en un platillo.*) ¿Grave? (*Le da el vaso de agua a* VICTORIA.)

VICTORIA.— Se fatiga... De tarde en tarde se levanta de la cama... Andar por el cuarto es una proeza. (*Bebe.*) Ha tenido una recaída en los últimos días. (*Pone el vaso sobre la mesa.*)

TERESA.— ¿Entonces...?

VICTORIA.— ¡Sí!... El médico dice que esperemos lo peor. (*Se limpia unas lágrimas en las ojeras.*) Tuvo una complicación del corazón...

TERESA.— Oh, perdone... Sospecho las molestias que le ha causado el tener que desplazarse hasta aquí... ¿Y José Ignacio?

VICTORIA.— ¡Desesperado!... Parece un niño indefenso. Jamás se separa de su lado...

TERESA.— ¡Qué desgracia! (*Tierna.*) Perdóneme...
VICTORIA.— ¡No se preocupe!... ¡Era yo quien debía venir a verla!...
TERESA.— ¿Usted?... ¿Por qué?
VICTORIA.— (*Tajante.*) He quedado tan sorprendida al reconocerla.
TERESA.— ¿Reconocerme? ¿Me ha visto antes?
VICTORIA.— Su retrato me había impresionado. En la casa de José
Ignacio, uno de los criados lo guardaba...
TERESA.— ¡Ah, sí! En realidad, con esta facha, debo estar irreco-
nocible... Además, es un retrato de mi niñez, digo, de mi adoles-
cencia... Antes de que conociera a Rogelio..., a mi amante... ¡Imagino la diferencia!... Mire usted mi rostro..., y mis manos... Una
lamentable sombra... ¿Todavía están Octavio y Angelita en la casona de Arroyo Naranjo?
VICTORIA.— ¡Sí, bastante achacosos!... Los vi sólo una vez, hace
ocho años. Allí celebramos mi boda..., una reunión entre amigos
y familiares...
TERESA.— ¡Ocho años! ¡Tantos como yo!... No, exagero. Hace catorce años me fui de la casa. Tenía dieciséis. (*Pausa breve. VICTO-
RIA toma otro sorbo de agua.*) Ahora usted me sorprende. ¿Por qué
era precisamente usted quien debía verme?
VICTORIA.— (*Superficial, nerviosa, sonriente.*) ¡Jugadas del destino!
TERESA.— ¿Del destino?
VICTORIA.— (*Tajante.*) Además, en casa, siempre se habla de usted.
TERESA.— (*Suave. Con un desdén sutil.*) ¡Noticias poco simpáticas! ¿Le
inspiro desconfianza?
VICTORIA.— ¡Oh, no!... En el momento en que entré a esta habi-
tación, pensaba en usted y creía conocerla..., ahora, viéndola...,
tengo la terrible impresión de que me había equivocado..., y dudo
de cómo exactamente me la imaginaba...
TERESA.— Es usted un poco novelesca.
VICTORIA.— ¿Novelesca? ¿Por qué?
TERESA.— Usted se construye historias... Debe de haber influido
la imagen que José Ignacio daba de mí...
VICTORIA.— (*Tajante. Rápida. Señalando con un dedo a unos retratos que
están en una repisa.*) Perdone mi indiscreción, ¿ése es su marido?...,
y aquellos, ¿son sus hijos? ¿Dónde están?
TERESA.— (*Se levanta y toma los retratos.*) ¡Sí!... Las fotografías se van

echando a perder con la humedad... ¡Son tantas las mudadas!...
Un día aquí, otro allá. A veces han estado guardadas durante meses
en sótanos o desvanes, amontonadas en esos cajones... (*Se acerca
y le entrega las fotos.*) Los muchachos, en una escuelita particular por
las tardes... Con la pública no es suficiente. Hay que prepararlos
para la vida. (*Pausa breve. Otro tono.*) ¿Sabía usted que hemos terminado?

VICTORIA.— Sí, lo sabía... (*TERESA se sienta delante de la máquina de
coser.*)

TERESA.— ¡Una maravillosa historia de amor!

VICTORIA.— ¿Maravillosa?

TERESA.— Sí, maravillosa.

VICTORIA.— ¡Lo dice en un tono! ¡No le apena!

TERESA.— ¿A qué se refiere? ¿Apenarme? (*Pausa breve. En tono de juego
burlón.*) Sí y no.

VICTORIA.— ¡Decirle que la comprendo sería mentirle!

TERESA.— Ha sido el único hombre en mi vida. ¡Y lo amo! ¡Lo amo
profundamente! A los quince años lo conocí... Un amigo de José
Ignacio... Amigo de correrías, de juergas..., y trabajaban juntos.

VICTORIA.— (*Fascinada.*) ¡Ah!...

TERESA.— ¡Prefiero olvidar!... ¡Prefiero olvidar, Victoria! (*Se levanta. Va hacia una fiambrera y la abre.*) Lavando y cosiendo para afuera
me las arreglo, por el momento. (*Saca una botella y dos copitas; cierra
la fiambrera y regresa hacia donde se encuentra VICTORIA.*)

VICTORIA.— Si considera que es tan desagradable, tan íntimo...

TERESA.— ¡Desagradable, no!... ¡Íntimo, sí! Esto hubiera preferido hablarlo a solas con Alicia...

VICTORIA.— Perdone, yo, únicamente...

TERESA.— (*Poniendo la botella y las copitas sobre la mesa.*) Poco importa,
Victoria... ¿Le sirvo? (*Gesto afirmativo de VICTORIA. Sirve.*) A los quince años..., ya uno sabe y quiere... ¿Comprende?... El cuerpo es
deseo... ¡Así, concretamente! (*Pausa breve. Levantan las copitas.*) ¿Brin-
damos? (*Las entrechocan. Beben. Pausa.*) A la muerte de mis padres,
que dejaron una buena fortuna..., quedé bajo la tutela de mi hermano que, inmediatamente, me sacó de la escuela y me sometió
a sus caprichos. Nadie podía acercárseme..., ni amiguitas, ni compañeras de clase, ni aún los criados... Me perseguía..., me insul-

taba por cualquier bobería. La casa era el imperio de las llaves...,
y él las controlaba. Registraba mis armarios, las gavetas de la cómoda...; supervisaba si el pelo corto, si el pelo largo, si las uñas,
si esos zapatos, si ese vestido. Llegué a un momento de tal sofoco..., que tenía sueños horribles..., y siempre, siempre, aparecía
la idea de matarlo. (*Pausa.*) Ya por aquel tiempo Rogelio rondaba
la casa... Entraba y salía con mi hermano... Un día... ¡No será
necesario que le explique!... A los pocos meses decidimos fugarnos...

VICTORIA.— La inocencia, la inexperiencia...

TERESA.— ¿Por qué dice eso? ¡Yo sabía! ¡Yo quería! Rogelio era mi
libertad.

VICTORIA.— Usted lo amaba, naturalmente...

TERESA.— ¡Yo necesitaba salir de aquel hueco!...

VICTORIA.— Pero..., sólo así..., así...

TERESA.— Me gustaba y lo deseaba... El amor vino después...

VICTORIA.— (*Rápida, mintiendo, sonriente.*) ¡Ah, sí, sí estoy de acuerdo...! Una vez tuve algo similar. Lo conocí en un balneario. Pequeña todavía..., a los diez..., o doce años. Estuvimos en un viejo
jardín..., sin apenas tocarnos..., y después no lo volví a ver más...
Ya pensaba que había muerto..., y apareció de repente... ¡Era magnífico y terrible!

TERESA.— (*Con cierto malestar.*) Extraño, ¿verdad?

VICTORIA.— (*Rápida.*) ¡El pudor..., el miedo! ¡Cosas del pasado!...
¿Y su marido?

TERESA.— ¿Me permite que recoja esos andariveles? Los muchachos los dejan regados y luego hay que oírlos si se extravían... (*Recoge un juego de ajedrez que está en el suelo. Ordena las piezas.*) ¿Me pre-
guntaba?

VICTORIA.— (*Vacilando.*) Su marido... (*TERESA se echa a reír mientras
continúa ordenando las piezas.*) ¡Olvide esa impertinencia!

TERESA.— Mi marido..., ¿qué?... ¿Cómo es?... ¡Decirle, de pronto!...
Me cuesta trabajo... Para serle franca..., con él he vivido instantes fabulosos...

VICTORIA.— ¡Como con un dios!

TERESA.— Mejor que un dios porque es un hombre. Tiene sus de-
bilidades, sus fallas..., igual que yo..., que todo el mundo... (*Se sienta
delante de la máquina de coser.*)

VICTORIA.— Por eso, sufre...

TERESA.— ¡Lo amo!... Si existe algún sufrimiento es el de mi egoísmo, de mi costumbre..., no de mi amor... Yo andaba pegada a él...
¡Jamás quise cambiarlo!

VICTORIA.— En esta situación, debía pedirle...

TERESA.— ¡A quién cree que le habla usted!

VICTORIA.— Por supuesto, no piense que me inmiscuyo...

TERESA.— (*Suave y firme.*) Nunca le pediré nada, Victoria. ¡Ésa es
mi felicidad..., la de aquí, la de aquí..., pobre y terrestre! (*Otro
tono.*) ¿Le molesta si fumo? (*Gesto negativo de VICTORIA. Toma un cigarrillo de una vieja petaca, lo coloca en una boquilla, lo enciende y lanza vo-
lutas de humo. VICTORIA se mueve desconcertada, inquieta.*)

VICTORIA.— (*Con cierto tono de agresividad.*) ¡Sí, para qué quejarse! Usted abandonó la casa para irse con un hombre que no le conve-
nía... (*TERESA se ríe descaradamente.*), de dudosa moral...

TERESA.— ¡El colmo!... ¡La misma de mi hermano!

VICTORIA.— (*Sorprendida y agresiva.*) ¡Miente! (*Pausa.*)

TERESA.— (*Agresiva.*) ¿Qué quiere saber, señora?

VICTORIA.— (*Rápida.*) ¡Estamos hablando de cosas diferentes!

TERESA.— No, señora. Estamos hablando del mismo tema. El negocio de mi hermano es el de la trata de blancas. Tiene una casa
en la calle Trocadero. Ya le dije al principio que Rogelio y José
Ignacio trabajaban juntos... He aquí la causa de esa separación...,
la mujer del dilema...

VICTORIA.— ¡Un prostíbulo!

TERESA.— ¿Se horroriza?... ¿Lo ignoraba?... ¡Qué graciosa, qué divertida!... ¿Y no le horroriza lo que me hace?... ¡Declararme muerta..., para heredarme!... ¿Es que José Ignacio se imagina que no
voy a defender lo que me pertenece? ¿Y mis hijos?... Pobre de mí,
tonta, tonta..., ¡yo pensé que venía a conocerme con el propósito
de interceder!... José Ignacio confabula, intriga..., en su casa... Ha
venido por curiosidad...

VICTORIA.— ¡No!..., en este momento...

TERESA.— Ha venido a ver a la deshonrada..., a la impura... Ha
descendido al mundo de la abyección..., de lo que usted considera
la abyección...

VICTORIA.— No me juzgue, Teresa.

TERESA.— ¡Ya usted lo ha hecho conmigo!

VICTORIA.— ¡Le ruego que me escuche!... Ahora, aquí, pienso que...

TERESA.— (*Feroz.*) Ahora, aquí..., usted no piensa nada. Ahora, aquí, está purgando su soberbia. (*Comienza a reírse.*) Ha venido a hacer el peregrinaje de la redención... (*Largas carcajadas.*) ¡Alcanzar la misericordia! ¡Quiere salvarse! ¡Salvarse de qué, señora mía!... ¡Purgue, castíguese!... ¡Las gentes honradas! (*Otro tono.*) Pero yo tengo ojos, uñas, dientes y manos y me defenderé hasta el final... ¡Estoy viva, Victoria! ¡Viva!

VICTORIA.— ¡Oh, me da miedo! (*No sabe qué hacer. Involuntariamente intenta abrazarla. TERESA permanece inmóvil.*) ¡Oh, Dios mío! ¡Qué mujer! (*Se oyen gritos y cantos de niños que juegan. En el espejo se advierte la imagen de TERESA. Mutis, corriendo.*)

19

(*VICTORIA entra a escena. Se quita el sombrero y el velo. Su rostro expresa cierta exaltación y trastorno. Se deja caer en una poltrona situada en el primer plano del escenario. Al fondo se escuchan las voces de CARMEN y JUANITA.*)

CARMEN.— Una mujer honrada, lo que se llama una mujer honrada, es incapaz de hacer lo que hace Teresa...

JUANITA.— ¡Pero los tiempos cambian, Carmen!

CARMEN.— ¡No! ¡Me niego, Juanita! ¡Me niego!

JUANITA.— Tus intransigencias las llevas a un punto...

CARMEN.— ¡Así es, quieras o no!

(*Pausa. Ruidos de platos. Algunas risas. ADRIANA, la hija de VICTORIA, entra saltando con una muñeca de trapo entre los brazos. Al ver a su madre se detiene, la contempla y luego se le acerca, echándosele al cuello.*)

ADRIANA.— Mamita, ¿estás mala?

VICTORIA.— (*Acariciándole los cabellos.*) No, hijita. Un poco de jaqueca, que el fresco de la tarde me quitará seguramente.

ADRIANA.— Ya no hay mucho sol. ¿Puedo ir a jugar con mis amiguitas al Prado?

VICTORIA.— (*Con una sonrisa triste.*) Ve, hija, ve.

(*ADRIANA se dispone a salir; a mitad de camino regresa a sus brazos y la besa varias veces en la mejilla. VICTORIA le devuelve los besos. Entra PAULITA, la vieja criada negra; viste un impecable uniforme.*)

ADRIANA.— (*Desprendiéndose de los brazos de su madre.*) Te quiero mucho. Hasta ahorita.

(*ADRIANA hace mutis, saltando, acompañada de PAULITA. Se oye la voz de la criada, afuera.*)

PAULITA.— No corras, niña, te harás daño. (*Pausa.*)
CORO DE NIÑAS.— (*Cantando, afuera.*)
          Me casó mi madre,
          me casó mi madre,
          chiquita y bonita,
          ayayay,
          chiquita y bonita.

(*VICTORIA se levanta y se acerca al primer plano. Sonríe; después su rostro se contrae. Se sienta en la mecedora.*)

VICTORIA.— (*Suspira. Con angustia y sarcasmo.*) ¡Seguiré siendo una mujer honrada! Sombra de sombras. ¡Ah, estoy vieja, estoy gorda, estoy cansada!... ¡Uf, qué calor!... ¡Esto es un horno! (*Pausa breve. Desesperada.*) Orden y limpieza..., ¿dónde? ¿Dónde? (*Otro tono.*) ¡No! ¡No! ¡No! (*Feroz.*) ¡Las honradas, qué horror!
CORO DE NIÑAS.— Me casó mi madre,
          me casó mi madre,
          chiquita y bonita,
          ayayay,
          chiquita y bonita,
          con un muchachito,
          con un muchachito,
          que yo no quería,
          ayayay,
          que yo no quería.

(*VICTORIA suavemente se balancea. La luz, muy despacio, va desapareciendo.*)

20

(*Los cantos se intensifican. La oscuridad es casi total. Se oye la voz de CAR-MEN, en un susurro.*)

CARMEN.— (*En un susurro.*) Victoria, Victoria... (*Otro tono.*) ¡Qué oscuro está esto. Da grima... (*Golpea los muebles con un bastón.*) ¿Dónde estás? ¿Qué haces ahí, hija mía? (*Pausa.*)

VICTORIA.— Soñaba, mamá.

CARMEN.— ¿Soñabas? (*Pausa. Se sienta.*) A veces yo también sueño.

TELÓN

La Habana, 1979-1980
París-Sitges, 1986

¹pueblo de playa